P9-BUI-370

Les plus beaux châteaux de Belgique

LES PLUS BEAUX CHÂTEAUX DE BELGIQUE

Composition : Photocompo Center, Bruxelles
Photogravure : Tallon, Bruxelles
Impression et reliure : Brepols, Turnhout
Papier : Couché machine satiné 115 g de KNP

Achevé d'imprimer le 1er décembre 1984
Première édition

D/1984/0621/33
ISBN : 2-87101-002-1

Les plus beaux châteaux de Belgique

READER'S DIGEST
BRUXELLES

LES PLUS BEAUX CHÂTEAUX DE BELGIQUE

réalisés et publiés par
READER'S DIGEST
sous la direction d'Albert de Visscher, Editeur

RÉDACTION

Introductions: Charles BERTIN, Membre de l'Académie Royale de Langue et Littérature française de Belgique — Louis DEVILLE, Licencié en Philosophie et Lettres (Groupe Histoire), Professeur à l'Athénée Adolphe Max — Jacques PAUWELS, Licencié en sciences géographiques et Professeur à l'Athénée Adolphe Max — Olivier de TRAZEGNIES d'ITTRE, Rédacteur en Chef de la revue « Maisons d'hier et d'aujourd'hui ».

Les châteaux: Richard BOIJEN, Licencié en Histoire, chercheur scientifique au Musée Royal de l'Armée et d'Histoire militaire — Louis DEVILLE, Licencié en Philosophie et Lettres (Groupe Histoire), Professeur à l'Athénée Adolphe Max — Georges-Henri DUMONT, Agrégé en Histoire et Membre du Conseil exécutif de l'UNESCO — Bruno FORNARI, Licencié en Histoire de l'Art et Archéologie, Secrétaire de l'Association Royale des Demeures Historiques de Belgique — Ernest-Jean FRICKE, Licencié en Philologie romane, Professeur à l'Athénée Royal d'Uccle 2 — Hervé GERARD, Licencié en Histoire — Jo GERARD, Historien et Conseiller culturel et historique honoraire au Musée Royal de l'Armée et d'Histoire militaire — Marc MEULEAU, Ancien élève de l'Ecole Normale Supérieure de St-Cloud, Agrégé de l'Université — Jacques PAUWELS, Licencié en sciences géographiques, Professeur à l'Athénée Adolphe Max — Pierre PHILIPPART de FOY, Architecte — Erik van HOORICK, journaliste — Baronne van YPERSELE de STRIHOU, Attachée à l'Administration de la Liste civile, Graduée en Histoire de l'Art et Archéologie — Charles WIRTZ, Licencié en Philosophie et Lettres (Groupe Histoire), Professeur à l'Athénée Adolphe Max.

TRADUCTION

Jacques PAUWELS, Licencié en sciences géographiques, Professeur à l'Athénée Adolphe Max.

CORRECTION

M.-F. KOZYREFF, Agrégée de l'Université (France).

PHOTOGRAPHIES

Photographies: ARTEMIS (Ingelmunster): 269. — EVRARD J. et BASTIN C.: 141. — Damien de FAILLY: 66-67, 82, 93 et 94-96, 97-99, 107-109, 110-111, 130-131, 132-133, 152-153, 158-159 — 250-251, 298, 302-305, 310-311. — GIRAUDON et LAUROS: 49, 104. — INBEL: 8. — DAVID de LOSSY: 150-151, 161, 172, 182-183, 200-201, 258-261, 266-267, 268, 270-271, 272-273, 274-277, 294-297, 300-301. — Gérard MATHIEU: 16-21, 26-29, 40-43, 50-53, 62-65, 68-71, 72-73, 74-77, 92, 120-121, 122-123, 128-129, 138-139, 188-191, 192-195, 203, 204-207, 208-209, 220-221, 224-225, 227, 242-245, 246-249, 254-257, 286-287, 289, 308-309. — Hugo MINNEN: 22-25, 44-47, 56-59, 60-61, 118-119, 146-147, 148-149, 164-167, 174-175, 176-177, 178-181, 196-199, 222-223, 284-285, 292-293, 306-307. — Guy PHILIPPART de FOY: 10-14, 30-31, 32-37, 54-55, 78-81, 88-91, 100, 102-103, 112-117, 124-127, 134-137, 143-145, 154-157, 162-163, 168-171, 184-185, 186-187, 210-213, 214-219, 228, 230-231, 232-235, 236-241, 252-253, 262-265, 278-279, 280-283. — Daniel PHILIPPE: 38-39, 86, 101, 106, 142, 173, 229, 290-291.

ILLUSTRATIONS ET GRAVURES

Pierre PHILIPPART de FOY, Architecte — Joannes SERVAES, Architecte — Philippe TOUSSAINT, Architecte D.S.L.B. — Les gravures extraites de l'ouvrage « Délices de la Noblesse contenant plus de deux cens veuës et perspectives des Principales Maisons de campagne et autres, beaux édifices des familles illustres du Païs-Bas » (MDCCVI, Amsterdam) nous ont été aimablement prêtées par Willy PELGRIMS de BIGARD. Centre de Recherches sur les Monuments historiques de France (Chapelle de la Sorbonne, Paris)

CARTOGRAPHIE

Les services artistiques et cartographiques de SELECTION DU READER'S DIGEST (Paris).

MISE EN PAGE

Albert de Visscher, éditeur — Andrée De Laet, graphiste.

REMERCIEMENTS

Que MM. les Propriétaires de châteaux et autorités responsables trouvent ici l'expression de notre gratitude. Les autorisations données à nos photographes et l'abondante documentation fournie à nos auteurs ont grandement facilité la réalisation de cet ouvrage. Notre reconnaissance particulière s'adresse aussi à Nadine de SCHAETZEN et à Bruno FORNARI, de l'Association Royale des Demeures Historiques de Belgique.

N.V. READER'S DIGEST S.A.
12A, Grand Place
1000 — BRUXELLES

PRÉFACE

Mon propos n'est pas de vous imposer un historique savant des châteaux de Belgique. D'autres que moi égrènent au cours des pages qui vont suivre, dates et faits précis, anecdotes et souvenirs.

Vous présenter les demeures prestigieuses de notre pays n'est pas chose aisée, d'autant plus qu'il existe diverses formes d'approche de ces bâtisses chargées d'ans. La vision historique, parfois un peu sèche, permet de cerner avec une précision relative la vie d'un château, le situe au sein d'un contexte politique, brosse les événements qui imprègnent ses murs. La vision esthétique aborde le monde des formes, décortique les procédés de construction, dégage l'idée qui précède la forme. La vision sociologique analyse les rapports qui se tissent entre les gens du château et ceux qui n'en font pas partie, met tout en relief le concept du château et sa valeur symbolique.

D'autres approches sont admissibles. A toutes celles-ci, il faut ajouter une vue qui n'est ni scientifique ni objective et qui pourtant est l'une des plus importante: celle du propriétaire de château. Lui qui au cours du XXème siècle a réussi cette gageure de maintenir, aux prix de nombreux et immenses sacrifices, la demeure ancestrale au sein des tourmentes politiques et financières, et cela dans un pays où la législation n'est guère favorable aux demeures historiques.

Pourtant, il est capital que cet héritage se transmette de génération en génération pour sauver des jalons importants de l'histoire de notre civilisation. Car malgré sa bonne volonté, l'Etat ne peut protéger et entretenir les quelque 3.000 châteaux belges dont une bonne partie constituent un témoin essentiel de l'histoire et des beaux-arts de nos contrées.

Rares sont, au cours des dernières décennies, les ouvrages consacrés aux châteaux, à l'exception près des deux excellents volumes réalisés sous la direction du professeur Génicot, des livres des castellologues tels Emile Poumon, Jean Bataille et Philippe Seydoux. Encore plus rares sont les monographies consacrées à un château en particulier. C'est pourquoi tout ouvrage sérieux est le bienvenu.

D'autre part, depuis des années l'Association Royale des Demeures Historiques de Belgique essaye de rassembler une documentation complète par le biais de sa revue (Maisons d'Hier et d'Aujourd'hui). Car notre but est de mieux faire connaître et apprécier par un plus large public nos belles demeures, prouver que notre pays conserve encore de multiples richesses cachées et que nos châteaux trouvent leur place face à nos prestigieux voisins. Nos demeures peuvent soutenir la comparaison avec celles des pays limitrophes; elles ont en commun de nombreuses caractéristiques, allant de l'emploi de certains matériaux à des naïvetés provinciales, qui unifiant leurs conceptions au cours des siècles, en font les témoins privilégiés d'un art qui se tourne moins vers les cours princières ou le pouvoir. C'est à cela que l'on reconnaît le vieil esprit indépendant de nos provinces.

Nous remercions le Reader's Digest de son initiative qui permet d'ouvrir de nombreux châteaux au regard des lecteurs qui découvriront ainsi l'importance historique et artistique de ces demeures. Cette prise de conscience est également une arme qui nous permettra de mieux protéger et de sauver ce qui reste des châteaux et demeures historiques de nos régions.

Pce Alex. de Merode

Prince Alexandre de Merode
Président de l'Association Royale
des Demeures Historiques de
Belgique.

Table des matières

Table des textes encadrés

LEOPOLD Ier
Fondateur de la dynastie
par F.X. Winterhalter

Châteaux royaux et princiers

Pendant des siècles, l'Histoire couva une Belgique déchirée
par des griffes étrangères et il fallut attendre le XIXe pour qu'elle
daignât déposer sur notre sol une dynastie royale.
Nous eûmes Laeken.
Mais le temps était passé des châteaux orgueilleux
bâtis pour affirmer la grandeur des rois. Et Laeken ne connut pas
les fastes de Versailles.
Toutefois des familles nobles se virent élevées au rang de princes,
en récompense des services rendus dans ces arts où elles
excellaient: la guerre et la diplomatie.
Elles construisirent alors des châteaux à la mesure de leur influence,
affichant leur supériorité par un édifice qu'elles voulaient l'égal
de celui des rois.
Ces princes rêvèrent de Schönbrunn et leurs regards se perdirent
dans les lointains de leurs jardins et de leurs parcs.
Familiers des grands de ce monde, ils se plurent à les accueillir dignement.
Des ensembliers vinrent de Paris décorer les salons de meubles
précieux. Gobelins et verdures d'Audenarde côtoyèrent les
tableaux des plus grands maîtres. Ces riches demeures devinrent
de véritables musées.
Certes elles n'atteignirent jamais à la magnificence des châteaux
royaux français ou allemands. Elles restèrent à la taille de nos
provinces, à la mesure de l'homme.

Schoonenberg, — maison des champs, mais cependant palais — sera dédié par les Gouverneurs autrichiens à la Nature et au Cosmos. Le vieillard Saturne, sous les traits du dieu agraire des Romains, inaugure au fronton les travaux de la Terre. Saturne = Kronos, et voilà du même coup le Temps représenté. Ailleurs aussi, allié à la Nature, le Temps est présent, comme dans cette ronde des saisons que déroule la rotonde avec ses signes du zodiaque. Dans le parc, encore, le Soleil aura son temple et Cérès sa statue. C'est à une sorte de maîtrise de l'espace et du temps que les Saxe-Teschen tendaient, et de la manière la plus pacifique qui soit: serres et plantes tropicales, à l'ombre d'une tour chinoise, traduisaient cette volonté. Napoléon ayant du couple espace-temps une conception plus guerrière, Laeken sera déclaré incommode.

Pour renouer avec le caractère champêtre premier de ces lieux, il faut attendre Joséphine, l'impératrice répudiée, devenue propriétaire de Laeken. A son instigation, Percier et Fontaine, rivalisant d'imagination, dressent les plans de vastes orangeries, de serres chaudes, de galeries vitrées aux formes extraordinaires, de jardins d'hiver. Tous « devaient se rattacher aux appartements d'habitation pour en augmenter le charme, pour leur donner à la fois, en dépit des saisons, les jouissances de tous les lieux et les plaisirs de tous les temps ».

Laeken

Un souverain visionnaire, Léopold II, des dizaines d'années plus tard, donnera vie et forme au songe grandiose des architectes de l'Empereur. Sous son impulsion, A. Balat combinera la pierre, le fer et le verre en d'audacieuses applications annonciatrices de cet Art nouveau dont Bruxelles deviendra la capitale. Pour quelles raisons la nature trouvera-t-elle en Léopold II un allié et ami aussi fidèle ? Sans doute répond un contemporain: « Ce grand manieur d'idées (...) se reposait-il dans la fréquentation des fleurs des

Au fronton, un vieillard ailé, le Temps — assis près d'une colonne brisée et tenant une faux — préside à la succession des Heures, figurées par des jeunes filles s'employant à des travaux champêtres. A l'arrière-plan, à gauche, le char d'Apollon entame sa course et l'Aurore parsème sa route de roses.

« Ce vieillard qui d'un vol agile
fuit sans jamais être arrêté
le Temps, cette image mobile
de l'immobile éternité »,
écrivait J.-J. Rousseau s'inspirant de l'allégorie antique reprise au XVIe siècle par César Ripa, dont le traité à l'usage des artistes spécifiait: « La tête du vieillard est couverte d'un voile vert, parce qu'après le froid et la neige, signifiés par le crâne chauve, la terre se revêt d'herbes et de fleurs. Le serpent est le signe de l'année suivant l'opinion des anciens ».
L'ensemble de ces éléments se retrouvent dans le haut-relief sculpté en 1783 par G.-L. Godecharle. ▽

◁ *Les serres royales dues à Alphonse Balat.*

amertumes que laisse à tout novateur le commerce des hommes».
Le même roi décidera d'ouvrir au public, chaque année au printemps, ces serres d'amateur, les plus grandes du monde, soucieux qu'il était de faire partager par ses concitoyens sa passion en leur offrant ce tour du monde végétal. Einstein — lorqu'il arrivait à l'improviste chez ses hôtes royaux, Albert et Elisabeth — percevait-il l'ambiance particulière de Laeken? Déjà, Léopold Ier, promeneur solitaire du Donderberg [le mont tonnerre!] observait attentivement le cosmos: «l'ensemble de la création (...) forme une chaîne ascendante, tout l'indique sur la Terre, tout rend probable que cela doit être ainsi dans la création entière».

«Le duc Albert de Saxe-Teschen a imaginé, dessiné lui-même et exécuté en Artiste le plus beau sallon qui existe dans le Monde chrétien...» écrivait le prince Charles-Joseph de Ligne, son contemporain.
Les bas-reliefs de Godecharle évoquent les mois avec les signes du Zodiaque, dans une représentation inspirée des Géorgiques de Virgile:
«Le travail des laboureurs revient toujours en un cercle et l'année en se déroulant le ramène avec elle sur ses traces.» ▷

Laeken

Dans ce salon d'audience, deux Gobelins: les «Sujets de la Fable» d'après Raphaël et Jules Romain, tapisseries ayant été tissées pour Louis XIV. ▽

1781-85. Le duc Albert de Saxe-Teschen et l'archiduchesse Marie-Christine, gouverneurs des Pays-Bas autrichiens, confient la construction de leur «maison de campagne», Schoonenberg, à Louis Montoyer et Antoine Payen l'aîné, assistés par le sculpteur Gilles-Lambert Godecharle.
1794. La bataille de Fleurus marque l'abandon par l'Autriche des provinces belges. Schoonenberg est vidé de ses meubles et mis sous séquestre.
1803. Le domaine mis en vente publique le 28 fructidor est acquis par un spéculateur en vue de la revente des matériaux. La tour chinoise est immédiatement détruite.
1804. A la veille de la proclamation de l'Empire, en avril, rachat de Schoonenberg par Napoléon qui désire disposer à Bruxelles d'une résidence de prestige.
1804-06. Rénovation du «Palais impérial de Laeken» par l'architecte de la ville de Bruxelles, G.-J. Henry, et ameublement provenant du Garde-Meuble Impérial et de commandes faites à Paris et à Bruxelles.
1812. Napoléon, désireux de reprendre à Paris le palais de l'Elysée à Joséphine, l'oblige à échanger ce dernier contre le palais de Laeken.
1815. Après le Congrès de Vienne, Laeken est mis à la disposition de Guillaume Ier des Pays-Bas qui confiera à l'architecte G.-J. Henry le soin de construire une orangerie et un théâtre.
1831. Le château, propriété de l'Etat belge, devient la résidence de Léopold de Saxe-Cobourg-Gotha.
1836-65. Léopold Ier agrandit le domaine.
1865-1909. Léopold II poursuit dans cette voie, triplant la superficie de la propriété qui sera plus tard cédée à l'Etat, entrant dans le patrimoine de la Donation Royale.
1874. Début de la campagne de construction des serres par l'architecte Alphonse Balat (1819-1895).
Le roi inspire et suit de près les travaux: jardin d'hiver (1876), serre du Congo (1886).
1889. Le paysagiste français Laine redessine le parc.
1890. Le 1er janvier un incendie détruit totalement l'aile gauche du château. Alphonse Balat sera chargé de la restauration.
1892. Construction de l'église de fer et ajoute par Balat de deux pavillons octogonaux aux extrémités du château.
1901. Edification de la Tour Japonaise et achèvement des serres par Henri Maquet.
1902-1912. Des agrandissements du château sont entrepris sous la direction de Charles Girault, architecte du Petit Palais à Paris. Les «communs» du XVIIIe siècle supprimés, des ailes ayant la forme d'un grand U sont ajoutées.
Les plans prévoyaient: logis du Roi, chapelle, bibliothèque, écuries, à gauche; logis des étrangers, salle de banquet, foyer de théâtre, grande galerie, à droite. Le vœu de Léopold II était de faire de cette dernière partie un palais de la Nation réservé aux congrès et réceptions publiques.
1909. Mort de Léopold II dans le modeste pavillon des Palmiers, au milieu des serres.
C'est dans un domaine ayant encore toutes les apparences d'un chantier que le roi Albert et la reine Elisabeth s'installeront.
1929. Aménagement d'un théâtre de verdure à l'initiative de la reine Elisabeth.

Belœil

Pairie du comté de Hainaut, la terre de Belœil appartient depuis le XIVe siècle à l'illustre famille hennuyère des Ligne. Avant le XVIIe siècle, le château avait déjà subi de nombreuses transformations souvent incohérentes; mais c'est au cours du dernier quart de ce XVIIe siècle que le bâtiment cantonné de quatre tours rondes et entouré de fossés s'inclut dans un grandiose ensemble. A cette époque s'ajoutèrent notamment, sur l'ordre de Marie-Claire de Nassau, princesse de Ligne, les deux ailes en brique rose du bâtiment d'entrée qui servirent d'écurie et de remise pour les carrosses.

Au XVIIIe siècle, Claude-Lamoral II de Ligne tailla dans les bois un parc classique à la française auquel son fils, le feld-maréchal Charles-Joseph, apporta des touches de fantaisie: un « rieu d'amour » fit courir son eau miroitante et de petits jardins encadrant la « grande vue » invitèrent aux confidences amoureuses.

Pendant l'occupation française, Charles-Joseph de Ligne résida à Vienne. Considéré comme un émigré, il vit tous ses biens mis sous séquestre. Le feld-maréchal aurait pu obtenir gain de cause en s'adressant à Napoléon Bonaparte, mais il refusa de demander une faveur à un homme dont il écrivait: « Jamais sublime, parce qu'il n'est pas simple; jamais touché, ni touchant, parce qu'il n'est pas né bienveillant; fougueux dans ses audiences, parce qu'il veut faire peur et qu'il n'est pas maître de lui. »

Heureusement le prince Louis, le second fils que Charles-Joseph avait eu de son mariage avec la princesse Françoise-Marie de Liechtenstein, rentra au pays et put faire lever tous les séquestres.

Quant au petit-fils du feld-maréchal, le prince Eugène-Lamoral, il se trouvait chez la duchesse de Rich-

Après l'incendie qui le ravagea en 1900, le château fut reconstruit l'année suivante par l'architecte français Sanson qui s'inspira du modèle du XVIIIe siècle: façades en brique et en pierre bleue, toits à la Mansart, baies classiques, tours d'angles cylindriques. ◁

△
Profitant habilement des arbres et des eaux, Claude-Lamoral II de Ligne, secondé par Jean-Michel Chevotet, architecte de Louis XV, aménagea une « grande vue » qui, dans le lointain, rejoint les frondaisons de la forêt. Long d'une lieue, le « grand bassin » est précédé d'une terrasse ornée de ferronneries symétriquement ordonnées.

Belœil

De chaque côté du « grand bassin », des salles de verdure s'ouvrent sur de larges perspectives où règne une ambiance mystérieuse et fascinante, faite de lumière et de brume. ▷

mond, sur les genoux du duc de Wellington, lorsque celui-ci apprit la progression des troupes de Napoléon vers ce qui deviendrait le champ de bataille de Waterloo.
Quinze ans plus tard, le même Eugène-Lamoral prit résolument le parti des révolutionnaires belges contre les Hollandais. Le gouvernement provisoire lui proposa le trône de Belgique; après quelques jours d'hésitation, il préféra décliner l'offre. Une grande carrière de diplomate (il fut ambassadeur à Paris), puis d'homme politique (il présida le Sénat) l'attendait.
Plus près de nous, le prince Antoine s'illustra lors de l'audacieuse expédition au pôle Sud.
Ainsi donc, et sans faille, les Ligne demeurent fidèles à leur devise: « Quo rescumque cadunt semper stat linea recta. »
A présent, pour revivre les fastes des princes de Ligne, d'Amblise et d'Epinoy, pénétrons dans le château. Malgré l'incendie de 1900, les appartements contiennent encore leurs riches collections de tapisseries, de tableaux, de sculptures et de porcelaines, sauvées des flammes par la population locale.
Dans le salon des Ambassadeurs et des Maréchaux, les armes de Claude-Lamoral II ornent les boiseries et encadrent deux riches tapisseries de Beauvais; des tableaux évoquent les ambassades auxquelles prirent part les Ligne. On admire, dans la salle à manger, deux natures mortes de Jean-Baptiste Oudry. Comme il convient, le portrait de Charles de Lorraine, le jovial gouverneur général des Pays-Bas sous Marie-Thérèse, domine le salon de Lorraine. La chambre d'Epinoy est garnie de tapisseries de Bruxelles, inspirées de scènes champêtres de David Teniers, et la chambre d'Amblise se fait valoir par son mobilier, notamment une bergère de Jacob et une commode de Dubois. Dans la salle des Médailles, on remarque des portraits de Léopold Ier et du comte de Flandre par Winterhalter.
Par moments, la visite devient émouvante, car les objets personnels insolites ne manquent pas et ont le charme des souvenirs: ainsi les meubles d'écaille, de corail et d'argent rappellent que Claude-Lamoral II fut vice-roi de Sicile; l'image altière et répétée de Catherine II évoque l'admiration qu'éprouvait le feld-maréchal pour l'impératrice de toutes les Russies; un salon d'angle voué à Marie-Antoinette avec le livre d'heures que la reine lisait dans sa cellule du Temple atteste la passion du prince pour la souveraine.
La bibliothèque enfin abrite plus de 20000 volumes dont le *Liber passionis* aux armes d'Henri VII d'Angleterre, le *Livre d'heures* attribué au Maître de Charles Quint et un manuscrit consacré à la Toison d'Or.
Quant à la chapelle, elle a trouvé place dans l'aile droite du château. C'est dans ce petit sanctuaire où l'on peut admirer un triptyque d'autel du XVIe siècle provenant de l'ancien hôpital d'Enghien que, dans les grandes occasions, se réunissent les noms les plus illustres du Gotha.

◁ *Des deux tapisseries de Beauvais du XVIIIe siècle qui ornent le salon des Maréchaux, l'une représente une dame de qualité impatiente de connaître l'avenir et une gitane pressée de glisser quelques pièces de monnaie sous ses jupons.*

XIIe s. Construction d'un château primitif au lieu-dit Romechamps.
XIIIe s. Le château appartient aux Condés.
1311. Jeanne de Condé épouse Fastré de Ligne. Leur fille Catherine disposera du domaine en faveur de son neveu Jean de Ligne.
1478. Les troupes de Louis XI investissent le château sans le prendre d'assaut.
Du XVIe au XVIIIe s. L'ancien bâtiment abandonné, on construit par étapes successives un nouveau château.
1602. Les Ligne sont créés princes du Saint-Empire.
Fin du XVIIe s. Construction des deux ailes qui servent de remises et d'écuries.
De 1702 à 1766. Sous le principat de Claude-Lamoral II, édification du temple de Pomone, création du jardin à la française par l'architecte de Louis XV Jean-Michel Chevotet et sculpture du groupe de Neptune.
De 1781 à 1786. Le feld-maréchal Charles-Joseph de Ligne (1735-1814) crée le jardin à l'anglaise.
1830. Le prince Eugène de Ligne fait construire les serres et l'orangerie.
14 décembre 1900. Un incendie détruit le château. Seuls les communs du XVIIe s. échappent au feu.
1901. Reconstruction du château par l'architecte français Sanson.

Un des intérêts majeurs du château de Belœil réside dans la décoration de ses intérieurs, qui comptent parmi les plus riches du pays. L'on est d'autant plus sensible à leur faste qu'ils ont été aménagés — comme ici la salle à manger — pour suggérer la permanence de la vie quotidienne des châtelains. ▽

Le grand miroir au-dessus de la cheminée du salon des Maréchaux reflète le lustre à girandoles, les dessus de porte, les frises et les lambris qui constituaient le décor à la mode au début du XVIIIe siècle. △

Le prince de Ligne

Quel Européen avant la lettre, que ce Charles-Joseph, prince de Ligne, né à Bruxelles en 1735 ! Fier de posséder au moins cinq ou six patries, il n'en resta pas moins fidèle jusqu'à sa mort à la maison d'Autriche et à la langue française.

Dénué de préjugés, mais non d'ambition, excentrique et mystificateur, plein d'aisance, sinon de causticité, voire d'insolence, il ne put jamais se passer de la compagnie des femmes et il apparaît comme le symbole de cette société légère et cosmopolite du XVIIIe siècle qui ne vit pas venir les tourmentes de 1789. Cet aristocrate fut l'interlocuteur de Rousseau, de Voltaire, de Casanova, l'invité et le correspondant de Frédéric II et de Catherine II, l'admirateur de la du Barry et de Marie-Antoinette.

Marié très jeune par un père qui ne l'aimait pas à une adolescente encore plus jeune, il se révéla très attaché à ses enfants, surtout à Charles, son préféré, dont la mort en 1792 devait le laisser inconsolable.

Sa vraie vocation fut militaire, même s'il ne réalisa pas tout à fait la carrière espérée ; elle lui permit toutefois de beaucoup voyager. Il séjourna à Londres comme à Saint-Pétersbourg, à Versailles comme en Crimée, à Vienne comme en Pologne. Dévoué à Marie-Thérèse puis à son fils Joseph II, il accueillit un jour le monarque autrichien dans ses terres du Hainaut.

Portrait du Prince Ch.-J. de Ligne, en uniforme de Feldzeugmeister, peint en 1785 par Ch. Le Clercq (1735-1821)

Il aimait passer une partie de l'année à Belœil, ce qui lui permettait de s'intéresser à la vie théâtrale et littéraire de Bruxelles. Car le prince de Ligne est aussi l'auteur d'une quarantaine de volumes de *Mélanges littéraires, militaires et «sentimentaires»* au style raffiné et d'une vaste correspondance pleine de vivacité.

La victoire des Français à Fleurus en 1794 lui fit quitter son cher Belœil qu'il n'allait plus revoir. C'est à Vienne qu'il passa les vingt dernières années de sa vie, y cultivant l'amitié de Madame de Staël et y poursuivant malgré son âge ses conquêtes amoureuses.

Il mourut en 1814, n'ayant pas résisté, dit-on, aux interminables réjouissances qui entourèrent le Congrès de Vienne. Si bien que ce grand Européen ne vit jamais la nouvelle carte de l'Europe modelée par la Révolution et l'Empire.

La capitale des Habsbourg fit de grandioses funérailles à «l'homme le plus gai de son siècle», pour reprendre la citation de Goethe.

Le 15 mai 1583, sur ordre d'Alexandre Farnèse, le marquis de Richebourg assiégea la forteresse de Westerlo, que tenaient les Malcontents. A cette époque, des murailles et des douves ceinturaient le château, la chapelle castrale, la basse-cour et les dépendances. Mais si aujourd'hui le mur d'enceinte a disparu, un imposant donjon de plan rectangulaire agrémenté, aux angles, de tourelles, et d'une poivrière à pans coupés en son sommet, rappelle l'importance de la position stratégique de Westerlo, situé entre Rijen et Looz, zone de bois et de marécages de la Campine anversoise. La puissance noble du grès ferrugineux contraste avec la beauté classique de l'escalier qui conduit à une porte flanquée de colonnes engagées. Une fenêtre à balcon, coiffée d'un tympan décoré d'ailerons et de cartouches, allège le mur.

A l'intérieur du donjon, dans la salle du rez-de-chaussée, quatre figures de Vertus — la Prudence, la

L'ensemble des bâtiments de Westerlo, hormis le donjon médiéval, appartient aux XVIIe et XVIIIe siècles. Un parc d'une soixantaine d'hectares l'entoure. L'ampleur des douves rappelle qu'à l'origine la Nèthe contournait le château par sa face nord. Des pêcheurs alignés qui rivalisent d'adresse et sans doute aussi de patience parodient à leur insu l'assaut de troupes espagnoles. ▷

La tour de la basse-cour comporte un ravissant portail Renaissance: deux pilastres cannelés à chapiteaux ioniques soutiennent le fronton triangulaire et un arc en plein cintre repose sur deux colonnes. Sous le fronton, la devise des Merode. ▽

Tempérance, la Justice et la Force — probablement contemporaines du siège de 1583, s'appuient encore sur les grosses poutres.

Dans le salon attenant au donjon, des tapisseries symbolisent les cinq sens: dans un cadre de verdure, de jolies femmes cueillent des fleurs, déjeunent avec un gentilhomme, chantent et jouent de la musique...

Dans la grande salle du donjon, trois tableaux représentent les châ-

teaux des Merode — Dieu sait s'il y en eut ! — et dans les profondes embrasures des fenêtres, des vitrines proposent à l'enchantement des regards un livre d'heures aux peintures de style gothique tardif, des dentelles de Malines et de Bruxelles et la coupe des Gueux portant la date de 1566 et le nom H. de Brederode. Ce simple objet nous ramène avec force au temps de la résistance de la noblesse belge à la politique absolutiste et intolérante de Philippe II.

Le 5 août 1566, Henri de Brederode et quelques gentilshommes remirent solennellement à Marguerite de Parme, régente des Pays-Bas, un « compromis » susceptible d'être admis tant par les catholiques que par les protestants. Au cours de l'audience, la régente ne put refouler des larmes de nervosité, attitude qui provoqua l'étonnement d'un de ses

conseillers: « Quoi, Madame, peur de ces gueux! » Lors du banquet qui suivit l'audience, les invités de Brederode remplacèrent la vaisselle par des écuelles; Brederode souleva sa coupe — celle qui est conservée ici à Westerlo — et cria: « Vivent les Gueux! » Le sobriquet méprisant était entré dans l'Histoire!
Outre le donjon, d'autres constructions témoignent de la période de prospérité du château: une jolie tourelle de brique avec chaînage en grès, deux pavillons curieusement posés en oblique et, dans les dépendances, un merveilleux portail datant de la première Renaissance. Au bas de son fronton triangulaire figure la devise « Ou Serasse Merode », nouvelle preuve de la présence princière dans de nombreuses demeures seigneuriales.
Les soixante-deux hectares qui entourent le château de Westerlo furent aménagés en un splendide parc: la plus grande partie fut dessinée à la française au XVIIe s., l'autre partie répond au goût anglais à la mode au XIXe siècle.

Vers l'an 1000. Ansfrid, premier comte de Westerlo connu.
XIVe s. Construction du donjon.
Milieu du XVIe s. Construction de l'essentiel de l'édifice actuel, de la tour de la basse-cour et du portique Renaissance.
1583. Siège du château par le marquis de Richebourg.
XVIIe s. Construction du double jeu de marches qui mène au porche du donjon.
XVIIIe s. Aménagement du parc à la française.
Milieu du XIXe s. Restauration sous la direction des architectes Suys, Claes et Langerock.
Vers 1870. Aménagement du jardin à l'anglaise.
1950. Achat du château par la S.A. Netebosbouw.

Un escalier monumental en forme de perron mène au donjon carré en grès de Diest, couleur des feuillages en automne. Le porche en plein cintre est surmonté d'une fenêtre-balcon encadrée de colonnes classiques qui se prolongent en un fronton à ◁ tympan triangulaire.

Castellum de Westerlo.

Westerlo

Westerlo est le type même du château de plaine. Il tirait parti de défenses aussi naturelles que rivières et marécages dans lesquels l'adversaire, en s'enfonçant, devenait une cible facile. D'ailleurs, en 1583, pour pouvoir s'emparer du château, les Espagnols durent assécher les abords au nord et à l'ouest. ▷

Chimay

En la bonne ville hennuyère de Jehan Froissart, le château domine un promontoire rocheux haut de seize mètres.
A l'origine pairie du Hainaut, la seigneurie de Chimay remonte au VIIe siècle. Au XIVe siècle, à l'époque de notre chroniqueur, la forteresse était intégrée dans la ligne des remparts de la ville, longue d'environ un kilomètre et renforcée par une vingtaine de tours. Charles le Téméraire, duc de Bourgogne, appréciait beaucoup cette résidence.
Charles de Croy, parrain de Charles Quint et premier prince de Chimay, fit tracer à travers la fagne le *chemin de l'Archiduc* qu'empruntaient les brillants équipages d'autrefois.'
Du donjon médiéval du XIIe siècle, seule demeure intacte la cave voûtée. Sur ce vestige, Philippe de Croy et son fils Charles édifièrent, à la fin du XVIe siècle et au tout début du XVIIe siècle, un bâtiment en L qui assumait une double fonction: il devait à la fois présenter une résistance suffisante aux boulets d'artillerie et offrir une résidence confortable à ses hôtes. De cette construction subsiste la salle à manger de l'aile gauche, qui a conservé sa belle voûte de l'époque.
Le château souffrit fort de l'incendie de 1935, mais l'on peut y admirer des intérieurs restaurés dans le goût de la Renaissance. Il faut notamment observer des stucs de J. C. Hansche, assez audacieusement récupérés dans le château de Beaulieu à Machelen.
En parcourant le château de Chimay, on ne peut s'empêcher d'évoquer le souvenir de la belle Madame Tallien, « Notre-Dame de Thermidor » devenue comtesse de Caraman-Chimay. Le grand hall du château orné d'une cheminée gothique de la fin du XVe siècle à peine franchi, on n'a d'yeux que pour son portrait par Gérard et pour le tableau d'Hubert Robert la représentant dans la prison de la Petite Force en 1794. Cette châtelaine adorée des pauvres comme des bourgeois fit construire, sur le modèle de celui de Fontainebleau, un ravissant théâtre. Les soirs d'hiver, on y écoutait Cherubini, Vieuxtemps ou Aubert. Au cours d'un concert, la Malibran rencontra le violoniste Charles de Bériot: ce fut le début d'un très grand amour.

◁ *Le donjon crée peut-être l'illusion d'une forteresse médiévale, mais il résulte d'un profond réaménagement ultérieur d'esprit néo-gothique. Une flèche à bulbe couronne le niveau supérieur en léger encorbellement. Cette silhouette caractéristique rappelle évidemment la « tour d'Enghien » du château d'Havré, autre propriété des Croy.*

Après l'incendie qui le ravagea le 6 mai 1935, le château fut restauré dans le style Henri IV, que Charles de Croy lui avait donné au début du XVIIe siècle. C'est de cette terrasse que les princes de Caraman-Chimay contemplent la petite ville hennuyère. ▽

Le salon Tallien abrite toujours les partitions d'Aubert et de Cherubini qui semblent surveiller le buste d'Emilie Pallapra par Canova et le portrait du prince de Chimay par Navez. Les portes de ce salon, assurément fort belles, proviennent d'un vieil hôtel bruxellois; les meubles ont été prélevés dans la demeure parisienne de Madame Tallien, rue de Babylone.
En été, le parc de cent vingt-neuf hectares, vestige de l'ancien parc à gibier, résonne toujours des romances que chantait la comtesse. Parfois elle s'attardait dans la chapelle de Notre-Dame de Montaigu, édifiée en 1608 de l'autre côté de l'Eau Blanche. Il lui arrivait aussi d'aller se baigner dans le lac de Virelles tout proche.

1029. Les avoués du chapitre de Sainte-Monégonde possèdent le domaine de Chimay.
XIIe s. Construction d'un premier donjon.
1171. Allard III de Chimay inféode son alleu au comte de Hainaut.
1229. A la mort de Roger de Chimay, la seigneurie passe aux comtes de Soissons.
1356. La maison de Chantilly acquiert Chimay.
1434. Jean de Croy achète la propriété de Chimay.
1473. Après l'avoir confisqué, Charles le Téméraire restitue le domaine aux Croy et l'érige en comté.
1486. L'empereur Maximilien d'Autriche fait de Chimay une principauté au profit de Charles de Croy.
1552. Le roi de France Henri II s'empare momentanément du château.
Fin du XVIe et début du XVIIe s. Construction du château en L.
1635. L'armée française incendie le château.
1684. Louis XIV annexe Chimay.
1686. Le domaine passe aux Hénin-Liétard.
1697. Par le traité de Rijswijk, Louis XIV restitue Chimay.
1712. Philippe IV accorde la principauté à Maximilien-Emmanuel de Bavière.
1814. Le titre de prince de Chimay et le domaine passent par mariage à la maison de Caraman.
1863. Restauration en style néo-classique du petit théâtre de Madame Tallien.
1935. Incendie du château.
1959. Création du Festival international de musique.

△
Voici le tableau de Madame Tallien, peint par Gérard. Carabanchel Alto, née en 1773 et fille d'un banquier espagnol, épousa à seize ans un conseiller au parlement de Bordeaux. En 1793, elle devint la maîtresse de Tallien, commissaire de la Convention à Bordeaux et elle lui suggéra plusieurs mesures de clémence. Cette attitude lui valut le surnom de « Notre-Dame de Thermidor ». Elle épousa en 1801 le comte de Caraman, futur prince de Chimay.

△
Le petit théâtre que s'était fait construire la Tallien a été remplacé en 1863 par l'actuelle salle de style néo-classique hybride. Depuis 1959, elle abrite un Festival international de musique, malheureusement interrompu en 1982. Ainsi, pendant près d'un quart de siècle, les grands solistes de notre temps ont pris le relais des invités de « Notre-Dame de Thermidor ».

*Maître incontesté de l'école vénitienne du XVI*e *siècle, le Titien atteignit la perfection, comme peintre de nus, avec la* Vénus d'Urbino. *Il existe plusieurs versions de la toile conservée au château de Chimay. Le chromatisme et l'éclat des couleurs suggèrent admirablement une beauté plastique à la fois sereine et païenne.* ▷

Vers 720. Selon la légende, saint Hubert aurait consacré une église à Héverlée.
1229. Dans l'acte de fondation de la célèbre abbaye de Parc, située aux portes de Louvain, on relève le nom de Gosuin ou Goswin, qualifié de seigneur d'Héverlée.
1288. Des documents d'archives attestent l'existence du seigneur Henri d'Héverlée, chambellan du duché du Brabant.
1371. Raes ou Raze de Grez, seigneur d'Héverlée, possède déjà un château sur ses terres.
1446. Nicolas Rolin, chancelier de l'Etat de Bourgogne, qui avait hérité en fief du domaine d'Héverlée, vend son château à Antoine de Croy, bras droit et favori du duc Philippe le Bon.
1518. Charles Quint érige la seigneurie d'Héverlée en baronnie en faveur de Guillaume de Croy, lequel fait bâtir le corps de logis principal sur les rives de la Dyle.
XVIe s. Charles de Croy crée le parc qui entoure le château.
1612. En épousant le duc Charles d'Arenberg, Anne de Croy fait entrer le domaine d'Héverlée dans cette grande famille ducale qui en reste propriétaire jusqu'au vingtième siècle.
1783. Le 21 novembre, cinq mois après l'exploit des frères Mongolfier, le professeur Minckeleers réussit ici la première expérience belge d'aérostation.
1921. Le duc d'Arenberg offre à l'Université Catholique de Louvain les vingt-cinq hectares du parc d'Héverlée, le château et toutes ses dépendances.

◁ *Admirablement situé le long de la Dyle, le château d'Héverlée conserve le moulin qui pendant des siècles a alimenté en eau l'antique demeure des Arenberg. Verdure et architecture vivent ici en parfaite harmonie.*

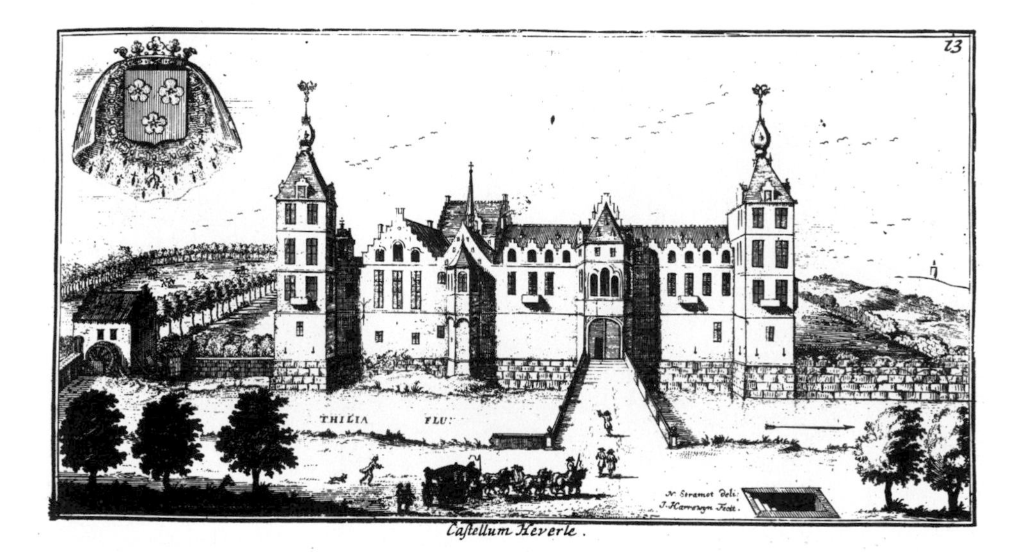

◁ *Sur cette gravure de la fin du XVIIe siècle, on remarque à gauche le moulin, les deux grandes tours surmontées de bulbes et couronnées par l'aigle bicéphale des Habsbourg, ainsi que l'ancien chevet de la chapelle.*

Château d'Arenberg

Ecoutez Monsieur de Cantillon: «Il semble que la nature ait pris plaisir à embellir la seigneurie d'Héverlée, tant le pays en est riant et agréable. Son château se trouve assis sur la douce pente d'une colline arrosée des eaux de la Dyle par devant, baignée de celles du ruisseau de la Vuere (la Voer) par derrière, et au-delà duquel on découvre les campagnes, des prairies, des bois et des fontaines qui forment le plus beau coup d'œil du monde».

Monsieur de Cantillon, qui écrit ces lignes au milieu du XVIIIe siècle, a bien raison de s'émerveiller et nous pouvons reprendre son propos, même si aujourd'hui un domaine universitaire a envahi les abords du château, même si les restaurations s'y sont succédé avec plus ou moins de bonheur.

Demeure des Croy, puis des Arenberg: les seigneurs du lieu ont coulé des jours agréables à Héverlée en écoutant chanter la roue du moulin qui caresse toujours les eaux immuables de la Dyle. Nicolas Rolin, le puissant chancelier de Bourgogne, ne voulut pas du domaine... Peut-être le château n'était-il alors qu'une austère bâtisse percée de meurtrières qui ne suffisait pas aux plaisirs raffinés de la Cour?

Les Croy ont donné à Héverlée toute sa magnificence, que les Arenberg ont tenté de conserver en dépit de quelques restaurations peu heureuses. L'aigle bicéphale des Habsbourg veille sur les puissantes tours carrées dont les toits surmontés de bulbes montent la garde devant le ciel bas du Brabant.

Ombragé par de superbes arbres, sillonné par la Dyle, le parc offre au promeneur les vastes perspectives de ses belles allées.

Entendez-vous dans le lointain le galop d'un cheval ou les cris d'une meute, celle d'un seigneur d'Héverlée qui, un jour, au bord de la Dyle a bâti ce manoir...

En saillie sur la façade, le chevet de la chapelle a été reconstruit au XIXe siècle par l'architecte Claes qui, pour sacrifier à la mode du temps, l'a restauré dans un style néo-gothique flamboyant. ▷

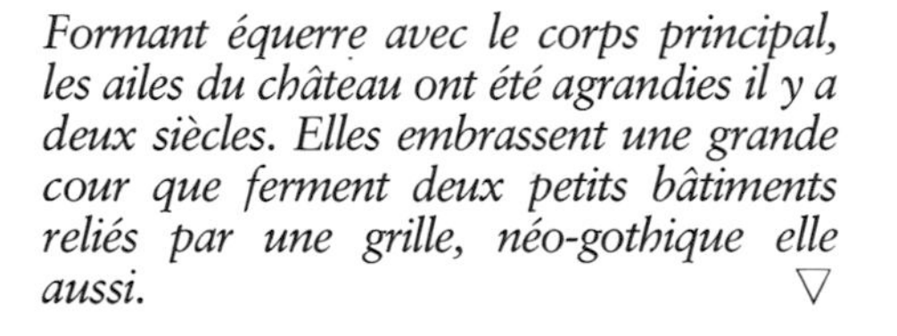

Formant équerre avec le corps principal, les ailes du château ont été agrandies il y a deux siècles. Elles embrassent une grande cour que ferment deux petits bâtiments reliés par une grille, néo-gothique elle aussi. ▽

Rixensart

Edifié sur la pente d'un vallon du Brabant wallon, le château de Rixensart développe quatre corps de bâtiment autour d'une cour centrale. A chaque angle extérieur pointe une tourelle octogonale, tandis qu'une tour-porche, coiffée d'une toiture à pans coupés et percée de tabatières, domine le centre de l'aile d'entrée. Les bâtiments ne dépassent pas deux niveaux sous les toits d'ardoise en bâtière et marient avec beaucoup de séduction la brique rose et la pierre blanche dans le plus pur style Renaissance.
Au même style appartiennent aussi les trois galeries de la cour intérieure, dont les arcades en anses de panier reposent sur des colonnes toscanes quelque peu trapues.
Le château de Rixensart frappe par sa remarquable homogénéité. Et cependant il fut bâti en quatre phases, comme en témoignent les ancres des façades intérieures datées respectivement de 1631, de 1648, de 1660 et de 1662. Mais ses créateurs ne se sont permis que de rares concessions au style baroque, comme les petits bulbes qui surmontent les tours et surtout les portails, dont le portail d'entrée en pierre bleue, qui s'ouvre entre deux colonnes toscanes portant un fronton brisé.
Si l'ensemble a tant de charme, il le doit à l'absence de tout caractère guerrier et à la multitude de croisées qui s'ouvrent sur les très beaux jardins environnants.
Quand on parcourt les salles, les salons et les chambres du château de Rixensart, le souvenir de Félix de Merode, de Montalembert et de Mgr de Merode s'impose à la mémoire.
« Plus d'Honneur que d'honneur », dit la devise des Merode. Aux journées mouvementées de l'insurrection contre le régime hollandais, le château fut étroitement mêlé à l'histoire du jeune royaume de Belgique. Le comte Félix de Merode (1791-1857) prit une part active à la révolution de 1830 ; membre du Congrès national, il fit partie de la délégation qui offrit le trône au prince Léopold de Saxe-Cobourg.
En 1836, sa fille Anne-Marie épousa à Trélon le déjà célèbre comte Charles de Montalembert, âgé alors de vingt-six ans, co-fondateur avec Lamennais de *L'Avenir*. Ce journal avait revendiqué avec fougue, outre la liberté pour les nations opprimées, la liberté de religion, d'enseignement et d'association. *L'Avenir* et la doctrine du catholicisme libéral ayant été condamnés

L'intérêt du dessin assez sommaire de Harrewyn, publié par Jacques Le Roy, est de révéler l'emplacement exact des vestiges de l'ancien château fort de Rixensart. ▽

en 1832 par l'encyclique *Mirari vos* du pape Grégoire XVI, Montalembert, à l'inverse de Lamennais, avait accepté le verdict. Dès son mariage, Montalembert séjourna plusieurs mois par an à Rixensart où une chambre lui était réservée dans l'aile orientale. Il y écrivit de nombreuses pages épiques de son *Histoire des moines d'Occident* et y reçut la visite de Mgr Dupanloup. Entré à la Chambre des Pairs en 1855, il se fit applaudir au congrès de Malines de 1863 où fut constitué le parti catholique belge.

Quant à Mgr de Merode, beau-frère de Montalembert, il fut ministre de la guerre du pape Pie IX et créateur du corps des zouaves pontificaux.

La chambre qu'occupait Montalembert constitue une réplique exacte de la « chambre des fleurs » du château bourguignon d'Ancy-le-Franc. Les boiseries Henri II de la salle à manger proviennent du château de Nérac, résidence en Lot-et-Garonne du futur Henri IV. S'offrent également à l'admiration des visiteurs plusieurs meubles rares, des tapisseries de Beauvais et des Gobelins, ainsi qu'une peinture à l'huile de Nattier, représentant le comte de Toulouse, fils naturel de Louis XIV.

△
Quelle économie de moyens dans l'utilisation des matériaux et des couleurs! La brique rose confère aux murs une beauté étonnamment rehaussée par la sobriété de la pierre blanche du porche, des bandeaux, du chaînage et des encadrements de fenêtre. Egalement de pierre blanche, le soubassement biseauté des deux niveaux de l'aile accentue la simplicité et l'horizontalité du bâtiment. Le pan de la toiture d'ardoise est percé de lucarnes.

◁ *Cette chambre à coucher de l'aile orientale du château fut habitée par Charles de Montalembert. Mais elle a été transformée au point que le disciple de Lamennais ne la reconnaîtrait pas s'il revenait hanter Rixensart. La « chambre des fleurs » doit son nom aux motifs des boiseries peintes, attribuées au Primatice, qui ont été retrouvées dans les greniers du château d'Ancy-le-Franc.*

1244. Première mention d'un seigneur de Rixensart. Godefroid de Limal porte ce titre.
1383. Par alliance, Rixensart passe aux Sombreffe.
1451. Par son mariage avec une Sombreffe, Robert de Virnembourg reçoit la seigneurie.
1536. Conon de Virnembourg vend le domaine à Eustache de Croy, évêque d'Arras, qui le cède à son frère Adrien, comte du Rœulx, pair de Hainaut, conseiller de Charles Quint, gouverneur de Flandre et d'Artois.
1586. Une descendante d'Adrien, Françoise de Croy, épouse Jean-Charles de Gavre, comte de Fresin. Le nouveau propriétaire décide d'élever un château de style Renaissance.
1646. Par son mariage avec Françoise de Grave, Philippe-Auguste de Spinola, comte de Bruay, devient seigneur de Rixensart et poursuit les travaux entrepris.
1712. Hyacinthe Spinola reçoit le domaine de Rixensart.
1715. Par héritage, Rixensart passe aux Merode-Monfort.
1778. Guillaume-Charles de Merode-Westerloo, petit-fils du Feld-maréchal Maximilien de Merode-Montfort, devient propriétaire du château.
1857. Félix de Merode, fils du précédent, est inhumé à Rixensart. Il avait légué le domaine à son fils, Mgr de Merode, qui le cède à son frère, Werner de Merode.
1920-1943. Le petit-fils de Werner de Merode, Félix de Merode (1882-1943) et son épouse Françoise de Clermont-Tonnerre entreprennent la « résurrection » du château.
1962. Décès de leur fils Henri de Merode qui avait poursuivi l'œuvre de restauration entreprise par ses parents.
1969. Sur les conseils du baron Bonaert, la princesse Henri de Merode rénove toutes les toitures du château.

Comme un signal, la tour-porche se dresse sur quatre niveaux. De petites baies de formes variées scandent les étages de hauteur inégale. Un cadran solaire agrémente le second niveau et une horloge le quatrième. La flèche à huit pans coupés se termine par une tourelle de vigie assurément plus décorative qu'utile. ▷

Rixensart

La décoration intérieure du château de Rixensart est particulièrement raffinée et homogène. La tonalité dominante est en effet donnée par les XVIIe et XVIIIe siècles. ▷

Le Roeulx

▷ *Ouvert sur la cour d'honneur, encore tout empli du souvenir des réceptions et des bals qui s'y donnèrent, le grand salon est admirable par l'harmonie de ses proportions. Les murs et le plafond voûté s'ornent de stucs dont les reliefs en rocaille sont d'une grande sobriété, même s'ils sont plus proches du rococo autrichien que du Louis XV français. Encadrant la cheminée, de curieuses cariatides en bois sculpté supportent de beaux vases en bleu de Chine. La superbe pendule en bronze doré est celle offerte par Louis XV à Emmanuel, duc de Croy et maréchal de France.*

△ *En cette fin du XVIIIe siècle, l'exotisme était à la mode et Le Rœulx, comme beaucoup de grandes demeures, eut son orangerie et ses orangers. De style classique comme le château, ce beau bâtiment en brique, aux lignes très pures, contemple la magnifique roseraie dessinée en 1961 sur plus d'un hectare. Il est postérieur d'un demi-siècle au château lui-même dont on découvre, aux pages 38 et 39, la remarquable façade, toute de noblesse et de régularité.*

Le Rœulx

Dépouillement et magnificence, voici, dans le vestibule de marbre, une superbe tapisserie des Flandres tissée au XVIe siècle aux armes d'Adrien de Croy et de son épouse Claude de Melun. Aux murs s'alignent des fanions, des épées de pairs de France et des sabres enlevés à des officiers français après Waterloo. ◁

Autour du Rœulx, en 1554, les moissons flamboient dans le grand soleil de l'été. La campagne se tait, pesante torpeur de la canicule. Mais voici, dans le silence soudain déchiré, des rumeurs qui s'entrecroisent, des cliquetis d'armes, des hennissements de chevaux. Et le paysan de tourner la tête vers le château qui flambe.

Le roi de France Henri II répondait ainsi à la destruction par Charles Quint de la place forte de Thérouanne : cette mission, n'est-ce pas au seigneur du Rœulx que l'empereur l'avait confiée ? Adrien de Croy s'en était acquitté avec tant de zèle qu'il avait mis à sac, par la même occasion, le manoir de Folembray, séjour favori de Henri II. Le roi de France n'avait pas apprécié.

1554 : une date tragique dans la longue et fastueuse histoire d'un château où défilèrent tant de ceux qui forgèrent les destins si souvent tourmentés de notre pays. Ici passèrent, qui se pressent encore dans nos mémoires d'écoliers, Philippe le Bon et Charles le Téméraire, Charles Quint et Philippe II, les archiducs Albert et Isabelle. N'est-ce pas ici que le prince d'Orange et le duc de Wellington tinrent un conseil de guerre avant Waterloo ? N'est-ce pas dans le parc du château que le prince de Ligne se vit offrir le trône de Belgique ?

Longue histoire aussi d'une illustre famille qui fut intime des grands de ce monde.

PLVS EN SERA DE CROY

Amenés dans ces provinces par les princes de la maison de Bourgogne, c'est à ceux-ci et à Charles Quint que les Croy doivent les premiers titres étincelants dont ils furent parés. Car les Croy règnent au Rœulx depuis 1432 : un demi-millénaire au cours duquel ils donnèrent beaucoup d'eux-mêmes aux siècles et aux rois.
Antoine de Croy fut grand chambellan et premier ministre de Philippe le Bon. Intime du grand duc d'Occident, il était considéré « comme l'oreiller sur quoi reposait le bon duc Philippe ». Honneur insigne, celui-ci le choisit comme parrain de son fils, le futur Charles le Téméraire. Le 10 janvier 1429, il fut parmi les vingt-quatre premiers chevaliers de la Toison d'Or à recevoir des mains de Philippe le Bon le fameux collier réservé « aux gentilshommes de nom et d'armes sans reproches ». Et, fait unique dans les fastes des familles nobles du monde, depuis 1429 il y eut toujours, dans cet Ordre, des membres de la famille de Croy. Légitime orgueil, Le Rœulx aligne les portraits des 32 chevaliers de la Toison d'Or que compte cette illustre Maison.
Ici flottent les souvenirs de souverains qui firent l'Europe aux siècles passés et avec lesquels les Croy étaient liés par l'amitié. Voici le portrait de Louis XV et, sur la cheminée du grand salon, la superbe pendule de bronze doré dont il fit don à un Croy. Cette balustrade en fer forgé qui protège le balcon de la façade principale, c'est aussi un présent du roi de France. Voici le portrait que Marie de Médicis offrit en souvenir des séjours qu'elle fit dans ce château où elle avait ses appartements. Et voici encore, dans la fameuse bibliothèque aux 6000 volumes, « Le Chevalier délibéré », ce précieux manuscrit à peintures donné à Adrien de Croy par Charles Quint qui aimait le lire et le feuilleter.
Cette illustre famille est comme un itinéraire ponctué de monuments qui attestent la pérennité de sa noblesse. Et le château du Rœulx est bien digne d'elle. Luxe, simplicité, sérénité de l'ordre. Apaisante splendeur d'une façade rythmée par 78 fenêtres. Harmonie des proportions. Magnificence, raffinement et majesté d'un château où s'attardent encore les ombres des ancêtres, parmi les meubles magnifiques, les armes et les cristaux, les tapisseries et les porcelaines, les miniatures et les tableaux. Passionnante leçon d'histoire.

Fin du IXe s. Le Rœulx appartient aux comtes de Hainaut dont un représentant célèbre fut, à l'époque, Régnier au Long Col, duc de Lotharingie (877-915).
XIe s. Richilde, régente du Hainaut, détache Le Rœulx de ses possessions et le donne en fief à Wautier, châtelain d'Ath, en récompense de services rendus.
Celui-ci marie sa fille, Béatrice d'Ath, au second fils de Baudouin II de Hainaut, Arnould, qui fonde une branche célèbre de la famille comtale, celle des Hainaut-Rœulx.
1186. Mort d'Eustache II de Rœulx, second fils d'Arnould: c'est lui qui a probablement construit les tours et les murailles de la forteresse médiévale, dans la première moitié du XIIe siècle. Il en subsiste, sur la façade arrière, les bases de deux tours d'angle et d'une courtine intermédiaire. L'une de ces tours forme le coin nord-est du château actuel.
1337. Les Hainaut-Rœulx s'éteignent à la mort d'Eustache VI, décédé sans postérité, et Le Rœulx fait retour à la branche aînée des comtes de Hainaut.
Milieu du XIVe s. Marguerite, comtesse de Hainaut, épouse Louis, duc de Bavière: le fief passe dans la maison de Bavière.
1432. Jacqueline de Bavière cède Le Rœulx à Antoine de Croy, grand chambellan de Philippe le Bon.
A partir de cette date, le château ne cessera d'appartenir à cette illustre famille.
Début du XVIe s. Adrien de Croy édifie un important corps de logis en brique et pierre bleue. De ces aménagements subsiste notamment la salle des gardes qui nous est parvenue à peu près intacte. De même, la cuisine (aujourd'hui une salle à manger remarquable) est datée de 1524-1553 par les armes d'Adrien de Croy et de Claude de Melun qui figurent à la clef de voûte. De cette deuxième étape de construction date également, sur la façade arrière, la belle loggia agrémentée de fenêtres à croisées. La demeure du XVIe siècle était selon toute apparence monumentale.
1554. Le château est en grande partie incendié par les troupes du roi de France Henri II.
Vers 1740. Ferdinand-Gaston-Joseph de Croy remanie complètement l'édifice mais conserve les parties anciennes. On lui doit la majestueuse composition de style Régence-Louis XV que l'on visite aujourd'hui. La forteresse devint une demeure seigneuriale de grande allure. Du côté de la cour, on plaqua en effet une façade classique sur les bâtiments anciens que prolongèrent deux ailes en retour d'équerre. On lui doit aussi le majestueux ensemble formé par la chapelle — coiffée d'une coupole à lanternon — et l'escalier d'honneur menant aux salons des étages.
1767. Le duc Ferdinand meurt sans postérité et c'est sa sœur, Anne-Marie de Croy, qui hérite du château.
1792. A sa mort, elle laisse Le Rœulx à Frédéric, prince de Salm-Kyrbourg.
1793. Celui-ci le laisse à son tour, et encore de son vivant, à son neveu Emmanuel de Croy, prince de Solre, qui fut lieutenant-général et capitaine des gardes de corps de Louis XVIII et de Charles X.
Vers 1820. Le prince Emmanuel marie sa fille à son neveu le prince Ferdinand de Croy-Solre, qui hérite du Rœulx.
1950. Le prince Gustave-Etienne de Croy-Rœulx relève le titre de ses aïeux.

◁ *Une cheminée monumentale, d'admirables voûtes d'ogives: en 1554, c'est dans cette salle que la garnison du château fut passée au fil de l'épée. Puis les assaillants y entassèrent des fagots « jusqu'à la hauteur des corniches à fleurs de violettes ». Mais, ajoute le chroniqueur, « la pièce résista au feu car elle est construite en pierres y compris les voûtes ».*

Le Rœulx

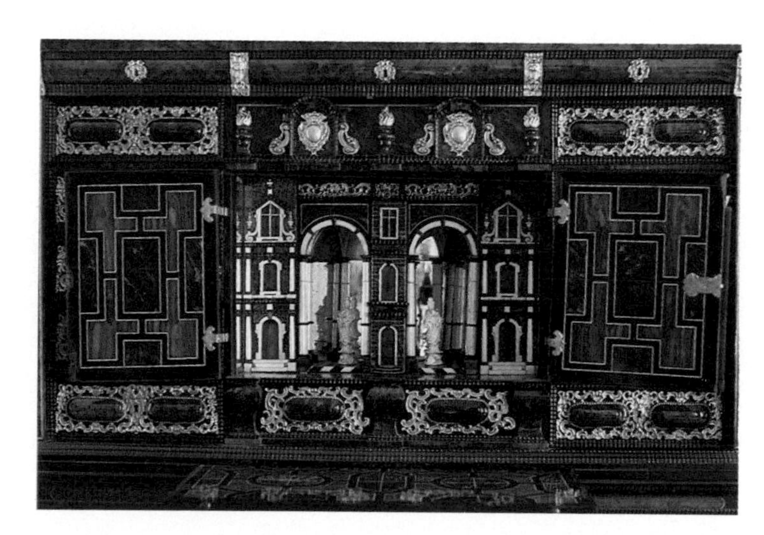

Grâce, raffinement, somptuosité: avec ce secrétaire, c'est toute la Renaissance italienne qui est entrée dans la vieille demeure des Croy, sur les pas des ensembliers qui s'affairèrent ici autrefois. ▷

Hex

Mgr Charles de Velbruck, prince-évêque de Liège de 1772 à 1784, était un homme de goût. Il eut la chance de vivre à une époque où la Cité Ardente abritait des artisans experts, des décorateurs pleins d'imagination, des ébénistes raffinés. Il mobilisa donc tous ces artistes dès 1770, quand il eut pris la décision de construire un château à Hex, paisible village situé à quelques kilomètres de Tongres, au cœur d'une campagne agréable et giboyeuse. En effet, notre homme adorait s'adonner aux plaisirs de la chasse. Ce n'est pas sans raison qu'il fit sculpter une Diane chasseresse au fronton de sa nouvelle résidence d'été. Le bon goût, mais aussi le sens pratique du prince-évêque triomphent partout.

La preuve ? La présence à Hex d'une boulangerie, d'une brasserie, d'une ferme, d'une menuiserie, d'une salle de billard, sans oublier, bien sûr, une bonne cave où le prélat conservait quelques fameux flacons de tokai, de clos Vougeot, de corton, de madère.

Le style de Hex ? Du liégeois d'agréable transition entre le Louis XV et le Louis XVI.

L'extérieur ? Après un portail d'entrée flanqué de deux jolis pavillons, on accède par une allée au corps de logis simple et raffiné, bâti en briques roses et coiffé d'un toit d'ardoises.

Le décor intérieur ? Il fait de Hex un vrai musée. Trois salons, l'un jaune, l'autre vert d'eau, le troisième blanc et or, occupent le rez-de-chaussée. Quant à la salle à manger, elle est ornée de panneaux en bois sculptés par les meilleurs artistes liégeois. Par une cage d'escalier en fer forgé, on accède au premier étage où deux chambres retiennent spécialement l'attention : la chambre de la princesse d'Orange aux somptueuses tentures de soie brochée et la chambre de la « Belle Indienne », à la décoration chinoise, dont les dessus de porte sont peints d'oiseaux par Billieux.

Et le jardin ? Il bénéficia des soins attentifs de M. Janvier, cultivateur d'une rose qui porte toujours le nom du prince-évêque.

En un mot, Watteau aurait aimé Hex. Quant à Verlaine, retrouvant les personnages des *Fêtes galantes,* il aurait évoqué

Leur élégance, leur joie
Et leurs molles ombres bleues.

△ *De l'extérieur, le château de Hex prouve que son créateur voyait grand. La noble façade fait songer à certaines résidences bavaroises de ce XVIIIe siècle si heureusement influencé par l'art français.*

Mgr de Velbruck voulait un cadre de vie ample et ouvert, comme l'était son esprit passionné par tous les progrès et toutes les nouveautés. Ce parc, ses larges perspectives et sa rigoureuse géométrie l'invitaient à la méditation loin des soucis du quotidien. ◁

Les boiseries de la salle à manger sont dues aux meilleurs sculpteurs liégeois de la fin du XVIIIe s. et représentent des putti, des rinceaux et de petites scènes très détaillées. Leur raffinement est certainement unique en Belgique. ▷

XIIIe s. La seigneurie de Hex appartient à l'abbaye de Villers.
1588. Le domaine est transmis au chapitre de la cathédrale Saint-Lambert de Liège.
1770. Construction du château pour Charles de Velbruck.
1784. A la mort du prince-évêque, son neveu Romain-Joseph, comte d'Ansembourg, hérite de la propriété et procède à différents embellissements.
Actuellement. Hex est la résidence du comte Michel d'Ursel.

◁ Dans le vaste vestibule couronné par une allégorie de la chasse due au peintre lorrain Joseph Billieux, on imagine bien l'hôte recevant artistes, personnages politiques et gentilshommes de cour.

L'architecture de cette vaste remise à voitures a harmonieusement assimilé les influences française et bavaroise. Ses dimensions et le nombre de ses portes cochères rappellent que l'on mena grand train, ici, au XVIIIe siècle... ▽

Hex

Que pensent-ils des promeneurs, ces enfants curieux qui les observent avec tellement d'attention? On raconte que, jadis, Mgr de Velbruck leur adressait toujours un bon sourire quand il passait auprès d'eux... ▽

Forteresses en ruine, forteresses vivantes

Les invasions normandes et la faiblesse du pouvoir central
suscitèrent dès le neuvième siècle un mouvement de repli autour
des hommes forts, capables de protéger leurs paysans dans des
« castrums » ou « castellums » hérités de la tradition romaine.
Nés à l'origine d'un besoin de sécurité,
les châteaux évoluèrent progressivement à l'image de leur seigneur.
Qu'il fût riche ou puissant
augmentait la splendeur des bâtiments d'habitation,
tandis que les conditions politiques générales
déterminaient leur vocation à s'ouvrir sur le paysage.
Les Flandres, ce creuset de la première civilisation industrielle,
furent plus tôt qu'ailleurs le domaine des châteaux-miroirs
protégés par une étendue d'eau
qui les emplissait de lumière et d'espace,
cependant qu'au fond des forêts ardennaises
se maintenait la tradition des forteresses
habillées de tours et de sombres murailles.
Le château entre dans le mythe quand il sort du monde utile.
A la féodalité moribonde succède le temps du capitalisme
et des guerres de religion.
Il faut l'arrivée de la raison triomphante pour qu'émane
de ces pierres abandonnées
un charme dont s'imprègne celui qui les hante
au rythme de son inconscient.

R. Vander Weyden (att. à): détail du polyptique d'Amblière.

Pour celui qui découvre le château de Corroy à travers les épaisses frondaisons de ses tilleuls centenaires, la surprise est grande. Ce qu'il voit surgir peu à peu, c'est en effet une véritable forteresse: notre touriste pacifique, le voici plongé en plein Moyen Age! Le pont de pierre et ses cinq arches, la barbacane, le puissant châtelet d'entrée, les sévères tours d'angle avec leurs toits en poivrière, les courtines aveugles, tout ici évoque le château fort de notre enfance. Les douves elles-mêmes cernent toujours la puissante fortification venue du fond des siècles.
Peu de châteaux médiévaux ont si bien résisté au temps. Est-ce parce qu'il était difficile à détruire? Ou parce que les guerres d'autrefois se déchaînaient rarement dans cette région? Corroy est en tout cas parvenu jusqu'à nous dans un état de conservation remarquable.
Certes, au siècle des lumières, la muraille sud-est et le donjon furent démantelés et des ouvertures percées dans les murs par des châtelains avides de clarté et d'espace. Mais l'aspect extérieur ne laisse planer aucun doute: le seigneur est présent, «il avale son brouet de betteraves et de choux et se prépare à jouer du tranchoir si le visiteur se hérisse». Des yeux veillent toujours derrière les meurtrières tandis que le portier est prêt à actionner le pont-levis. Des chiens de garde déambulent dans la cour. Du haut des quatre tours d'angle, des guetteurs surveillent les quatre coins de l'horizon. Et sans doute les marquis de Trazegnies, les propriétaires d'aujourd'hui, pourraient-ils résister à un siège au même titre que leurs lointains ancêtres, ces comtes de Vianden qui, à la fin du XIIIe siècle, édifièrent le château aux marches du comté de Namur.
Que d'obstacles à surmonter, pour un ennemi résolu à déboucher dans la cour! Ils sont multiples et variés, périlleux et imprévisibles. Le moindre n'était pas le châtelet d'entrée, cette «merveille de Corroy» où se concentrait tout l'appareil défensif. Flanquant l'entrée, deux archères accueillaient le visiteur belliqueux. Accroupis dans les hourds, les défenseurs déversaient sur l'assaillant pierres et matières bouillantes. L'assommoir vomissait une pluie de projectiles divers. Quant à la herse, elle pouvait peser jusqu'à 1500 kgs! Et tous ces obstacles franchis, l'ennemi n'était pas au bout de ses peines, car il lui fallait encore essuyer les tirs des courtines et du haut et puissant donjon...
Fait remarquable, si Corroy a gardé presque intacte sa cuirasse d'origine, à l'intérieur il n'a cessé de s'adapter. Les illustres familles qui se succédèrent ici, les Vianden, les Sponheim, les Nassau-Dillenburg puis les Nassau-Corroy, les Trazegnies et Ittre enfin, participèrent tour à tour aux métamorphoses du vieux château fort. Et une fois franchi le redoutable châtelet, l'austère et rude forteresse du Moyen Age se transforme, dès la cour intérieure, en un ensemble harmonieux, tout de classique beauté et de souveraine quiétude.
L'étonnement est plus grand encore quand on pénètre à l'intérieur du

Un pont de pierre qui enjambe des douves aujourd'hui presque asséchées. Un petit bâtiment introductif, la barbacane, restaurée en 1718 mais qui a conservé son aspect moyenâgeux. Et puis ce puissant châtelet flanqué de deux tours semi-circulaires: la «merveille de Corroy»! C'est de là qu'on actionnait le pont-levis. A l'heure du danger, c'est là que s'installait le seigneur afin de surveiller la défense compliquée de l'entrée et de toute la forteresse. Il disposait là, pour sa famille et son entourage, du confort élémentaire pour manger, dormir, se chauffer: le châtelet d'entrée remplaçait avantageusement le donjon. Sans doute le Moyen Age ne nous a-t-il rien laissé de comparable en Belgique ni même en Europe du Nord. ▷

Corroy-le-Château

△
Le contraste est saisissant entre l'austérité rébarbative de la forteresse et la chaude quiétude des salons. Il témoigne des aménagements qu'a connus l'intérieur du château depuis le siècle des Lumières. D'excellente facture, ces toiles, dues vraisemblablement aux peintres Van Reysschoot, évoquent les petits ports de Flandre et de Zélande au XVIIIe siècle.

Le château possède des escaliers particulièrement soignés. Ils datent de la fin du XVIIe, du XVIIIe ou du XIXe siècle, trahissant ainsi le passage des illustres familles qui firent Corroy. En voici un du XVIIIe, décoré d'un mascaron et d'un dragon, avec une rampe où s'alignent d'élégantes balustres torsadées. ▽

XIIe s. Corroy appartient à la maison d'Orbais: le plus ancien seigneur connu ici est en effet Siger d'Orbais, mort en 1127.
1200. Son arrière-petite-fille, Marie d'Orbais, épouse Guillaume, sire de Perwez: par cette union, le domaine devient la propriété d'une branche des ducs de Brabant.
Vers 1240. Corroy passe à la famille de Vianden par le mariage de leur petite-fille, Marie de Brabant, avec Philippe, comte de Vianden. Celui-ci édifie un donjon.
Vers 1270. Corroy devient un important bastion aux frontières du comté de Namur lorsque Philippe de Vianden construit le château actuel avec l'aide financière du duc de Brabant, Jean 1er.
Fin du XIIIe s. Des aménagements apportés à la forteresse lui confèrent un visage plus humain. Un bâtiment est adossé au mur nord-ouest: il renferme notamment les grandes cuisines seigneuriales.
Vers 1350. La maison de Sponheim devient propriétaire du domaine lorsque l'arrière-petite-fille de Philippe de Vianden épouse le comte de Sponheim.
1416. Leur fille Elisabeth, sans descendance, désigne pour héritier son cousin Englebert de Nassau-Dillenburg et la seigneurie de Corroy entre dans la célèbre famille de Nassau. Son arrière-petit-fils, Henri de Nassau, épousera Claudine de Châlons, princesse héritière d'Orange, dont il aura un fils, René de Nassau.
1540. Celui-ci cède Corroy à son frère illégitime Alexis de Nassau (mais légitimé par Charles Quint en 1545!), fils bâtard d'Henri de Nassau. Corroy passe ainsi à la famille de Corroy-Nassau dont les représentants se succèdent de père en fils pendant plusieurs générations.
1718-1743. C'est l'un d'eux, Joseph-Ignace de Nassau-Corroy, qui apportera au château les transformations les plus notables. Il abat la courtine sud-est, libérant ainsi une perspective vers la campagne environnante. Le donjon est démoli, la barbacane restaurée. Des fenêtres trouent les murs des ailes d'habitation et du châtelet d'entrée, vers la cour, mais aussi vers l'extérieur. On crée au nord un jardin à la française qui sera remplacé au XIXe siècle par un majestueux parc à l'anglaise.
1803. L'arrière-petite-fille de Joseph-Ignace, Amélie de Nassau-Corroy, épouse Gillion, marquis de Trazegnies et d'Ittre.
1809. A la mort de Charles-Florent, père d'Amélie et dernier comte de Nassau-Corroy, le domaine passe ainsi à la famille de Trazegnies et d'Ittre.
1848-1863. Des travaux sont entrepris pour rendre les appartements habitables: on aménage notamment une salle à manger aux murs garnis de marbres verts. En face de l'entrée, on édifie une galerie dans un néo-gothique contestable et on habille la chapelle de 1270 dans un style de cathédrale un peu anachronique.
1957-1959. Le marquis Jean de Trazegnies procède à des aménagements intérieurs et installe le confort moderne.
1982. A sa mort, ses enfants, les marquis de Trazegnies et d'Ittre, deviennent propriétaires du château.

château, dans ce majestueux hall néo-gothique qui précède la chapelle. Celle-ci a gardé ses voûtes et ses ogives d'autrefois: nous sommes dans l'oratoire de Philippe de Vianden, la chapelle privée sans doute la plus ancienne de Belgique puisqu'elle remonte à 1270. Plus loin, la salle à manger, avec son décor de marbres verts et son plafond peint à caissons, a beaucoup de charme et même de somptuosité. L'enfilade des salons, ce sont des paysages fluviaux du XVIIIe siècle, des meubles et des objets rassemblés avec beaucoup d'amour et un goût très sûr.
Car ce n'est pas le moindre mérite des marquis de Trazegnies que d'avoir accommodé la vieille forteresse à la vie du XXe siècle tout en lui conservant son caractère d'origine: de la bâtisse guerrière à la demeure souriante, il y a ici une transition aussi surprenante que digne d'admiration.

Corroy-le-Château

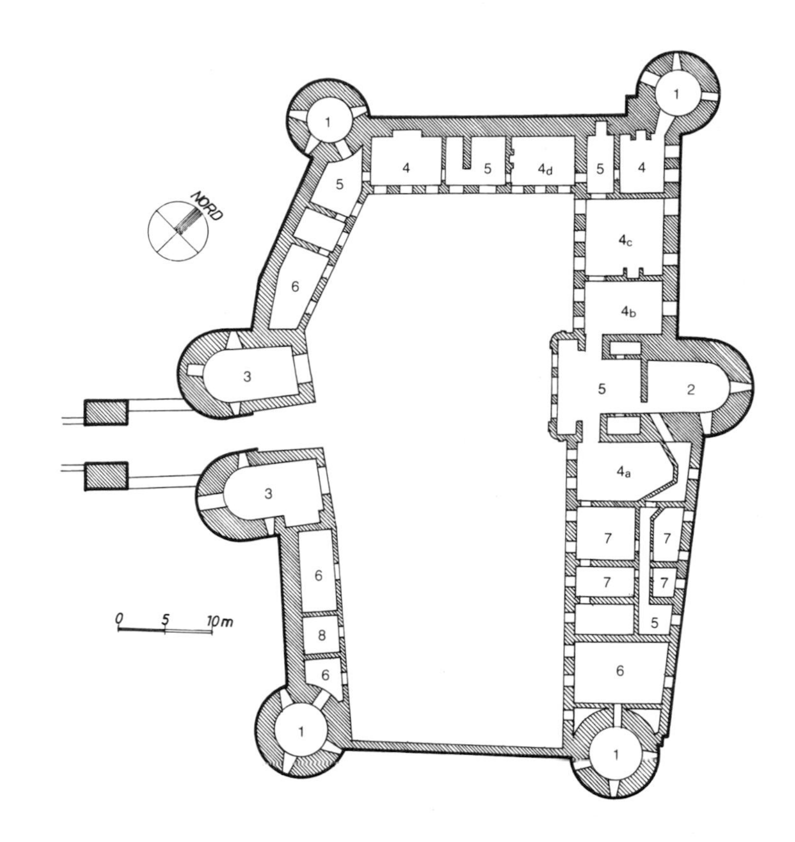

1. Tour de guet
2. Chapelle
3. Salles de garde
4. Pièces de réception
4a. Salle de marbre
4b. Salon aux toiles
4c. Grand salon
4d. Fumoir
5. Cages d'escaliers
6. Anciennes écuries
7. Anciennes cuisines
8. Sellerie (XIXe s.)

Hourds et mâchicoulis

Parvenus au pied des courtines, les assaillants d'un château fort pouvaient se croire hors de portée du tir des défenseurs. Aussi eut-on l'idée, lorsqu'un siège s'annonçait, de ménager des orifices dans le haut des murailles. Pour cela, on entreprit d'y accrocher des poutres saillantes destinées à supporter des échafaudages amovibles, des balcons-galeries en bois pourvus d'un toit et d'un parapet: les hourds.
Le plancher de ces hourds fut percé d'ouvertures à travers lesquelles on pouvait tirer de haut en bas et déverser des projectiles qui parvenaient aux défenseurs de l'intérieur, par des fenêtres-archères. Encore fallait-il que l'assiégé ne fût pas atteint lui-même par les tirs décochés par l'ennemi... de bas en haut! Aussi les défenseurs s'empressaient-ils, après avoir lancé leurs traits au travers des trappes... de refermer immédiatement celles-ci!
Ces hourds présentaient de sérieux inconvénients. Faits de bois, ils étaient faciles à incendier. Ils se trouvaient placés devant les créneaux... qu'il n'était donc pas aisé de défendre. A l'heure du danger, il fallait les installer rapidement, ce qui représentait un rude travail. Enfin leur exposition, parfois prolongée, aux aléas de notre climat pluvieux les endommageait très rapidement.
Aussi s'orienta-t-on vers un nouveau système défensif visant à remplacer les hourds par des constructions permanentes plus solides. On imagina donc un crénelage en maçonnerie porté par des corbeaux en pierre: ainsi apparurent les mâchicoulis.

Ceux-ci étaient parfois incorporés directement à la construction, le parapet apparaissant en surplomb, c'est-à-dire en avant du mur de courtine. Par la suite, on s'efforça d'améliorer leur efficacité en supprimant les angles morts qui subsistaient sous les contreforts de soutien. C'est ainsi que les constructeurs introduisirent au sommet de ces contreforts des sortes de loggias ou

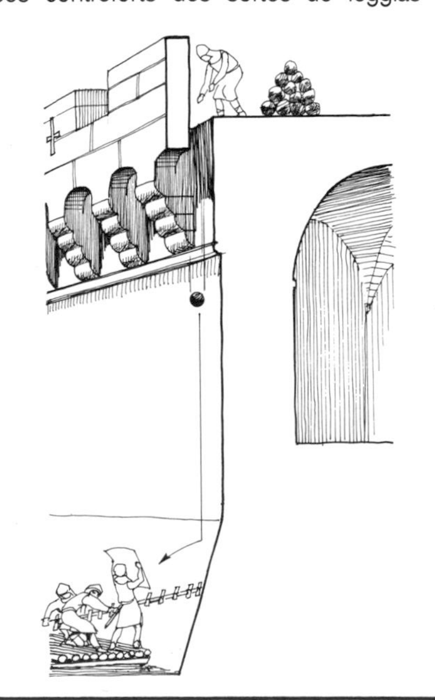

bretèches, surtout aux endroits les plus vulnérables, portes et baies.
Au XIVe siècle, un nouveau type de mâchicoulis vit le jour: le parapet fut alors supporté, non plus par de massifs contreforts, mais par une succession de petits arcs ou de linteaux posés sur des consoles ou sur des corbeaux en maçonnerie. Ce procédé avait le grand avantage d'éliminer les angles morts à la base.
Les hourds de bois ont parfois subsisté fort longtemps: ceux qui couronnaient l'étage supérieur du château de Corroy ne furent sacrifiés qu'au début du XVIe siècle... La vieille forteresse a donc perdu les hourds qui lui permirent de résister autrefois. Malgré cela, ils ont pu être soigneusement étudiés par un talentueux médecin-archéologue, le docteur William Ubregts, qui a reconstitué patiemment l'aspect ancien de ces cages de bois où s'abritaient les défenseurs. Mais on trouvera un magnifique exemple de mâchicoulis — sans doute unique en Belgique — à Solre-sur-Sambre (p. 122).

Le 29 octobre 1468, six cents Franchimontois partirent du village pour s'emparer de Louis XI et de Charles le Téméraire. Ils furent tous tués ou arrêtés.

C'est par cet épisode épique de notre histoire nationale que Franchimont est entré dans nos cœurs. Mais visiter les ruines imposantes de son château constitue aussi un plaisir pour l'esprit.

Construit sur un éperon barré d'où l'on domine un immense panorama, le château fort est protégé par les vallées de la Hoëgne et du Pré l'Evêque. Au XIe siècle, la forteresse aurait servi de marche orientale aux princes-évêques de Liège et serait devenue une de leurs douze résidences-refuges. Un donjon initial plusieurs fois remanié fut l'amorce de la forteresse actuelle. Au XVIe siècle, pour résister à l'artillerie des assaillants, on lui adjoignit une grande enceinte, une tour et des casemates. Mais le château fort perdit au XVIIe siècle son caractère guerrier, au profit du confort résidentiel.

A l'évidence, nul visiteur ne reviendra déçu de ses pérégrinations dans ce dédale de pierres et de briques. Et s'il possède un peu d'imagination, peut-être percevra-t-il l'écho des fêtes brillantes que donna ici Adolphe de la Marck il y a quelque six cents ans.

▷

Une fois le portail d'entrée franchi, on débouche sur le donjon du château. Quadrangulaire à l'origine, il fut flanqué de deux tourelles de six mètres de diamètre et d'un éperon. L'utilisation de moellons en grès sableux très tendre permettait de tailler une carapace lisse sur laquelle ricochaient les boulets.

Plan de Franchimont (d'après F. Lohest)

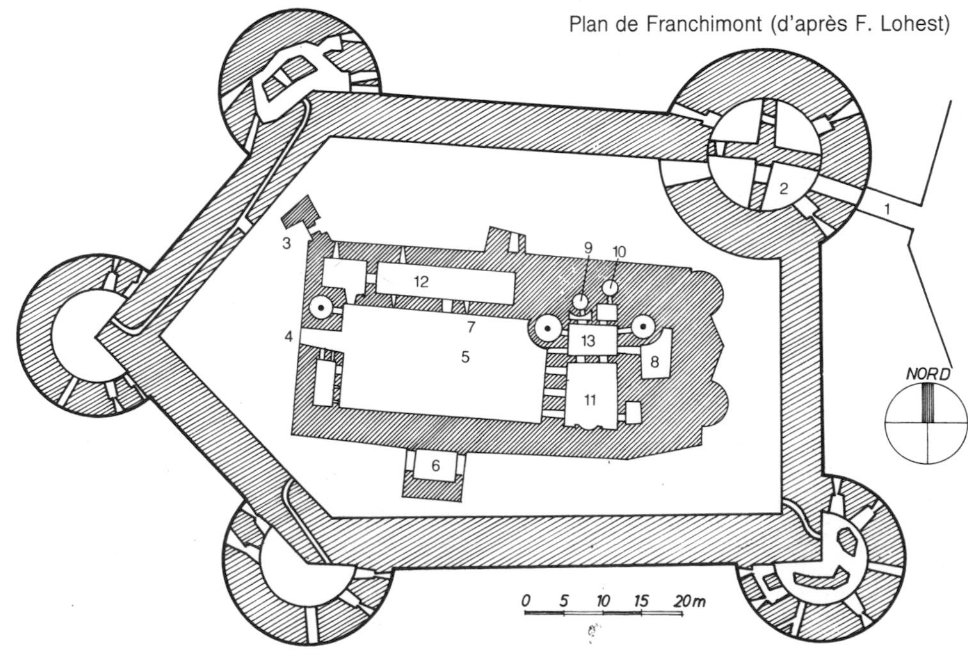

1. Unique entrée de la forteresse - 2. Tour de garde d'entrée de 26 m de diamètre - 3. Seconde porte fortifiée - 4. Entrée proprement dite du château avec jadis, sans doute, un deuxième pont-levis - 5. Cour intérieure autour de laquelle se disposaient l'habitat, le donjon et les remises - 6. Tour, chapelle - 7. Citerne - 8. Donjon, logis du seigneur, arsenal - 9. Puits - 10. Four - 11. Cuisine - 12. Logement des gardes - 13. Cour intérieure du «donjon»

Maquette du château avant 1758 due à P. Hoffsummer de l'Université de Liège. ▽

Les châteaux forts et l'artillerie

L'artillerie à feu apparut en Occident vers 1325 et se diffusa assez rapidement. En 1346, Edouard III utilisa pour la première fois des canons sur le champ de bataille de Crécy.
Cet armement lourd et coûteux fut d'abord l'apanage des souverains et des grandes villes.
Mais progressivement, les catapultes furent remplacées par l'artillerie. Le canon, en effet, s'affirmait comme une arme efficace lors des sièges. S'il ne permettait pas aux assaillants de détruire les épaisses parties basses des forteresses, il était capable de causer de gros dégâts aux mâchicoulis et aux parapets. Quant aux assiégés, ils l'utilisèrent d'abord du haut des murs pour disperser les agresseurs; ensuite, après avoir agrandi les archères et les meurtrières des parties basses, ils purent effectuer un tir rasant plus valable.
L'on peut affirmer que, dès la seconde moitié du XIVe siècle, la plupart des châteaux et des villes de nos régions étaient dotés de pièces d'artillerie. Outre leur coût élevé, un long délai de fabrication et un transport difficile en rendaient l'acquisition malaisée.
Enfin, l'approvisionnement en projectiles posait des problèmes tels... qu'on vit parfois des soldats récupérer les boulets après la bataille !
A la fin du Moyen Age, les armes à feu firent d'énormes progrès. Par exemple, le fameux « Dulle Griet » gantois, long de 5,80 m et lourd de 16 t, projetait des boulets de plus de 300 kg à 1000 m. Si bien que les constructeurs durent adapter les châteaux forts : ils s'orientèrent vers des formes plus rondes et plus trapues, ils écartèrent les tours, ils firent appel à des matériaux plus résistants, ils creusèrent de véritables canonnières.
Franchimont, Bouillon et La Roche furent dotés de plates-formes, de barbacanes et de bastions destinés à recevoir des armes à feu.
Cela ne suffit pas et, pour la première fois, la défense perdit l'avantage de sa position retranchée. Pour résister aux assaillants toujours plus menaçants, les assiégés furent contraints de bâtir des forteresses au niveau du sol et d'enterrer les fortifications. Ce système resta d'application jusqu'à la Grande Guerre. Les forteresses durent s'adapter ou perdre toute valeur stratégique. Dépouillées de leurs garnisons, elles se transformèrent en demeures ouvertes et résidentielles, que les propriétaires se hâtaient d'abandonner en cas de danger...

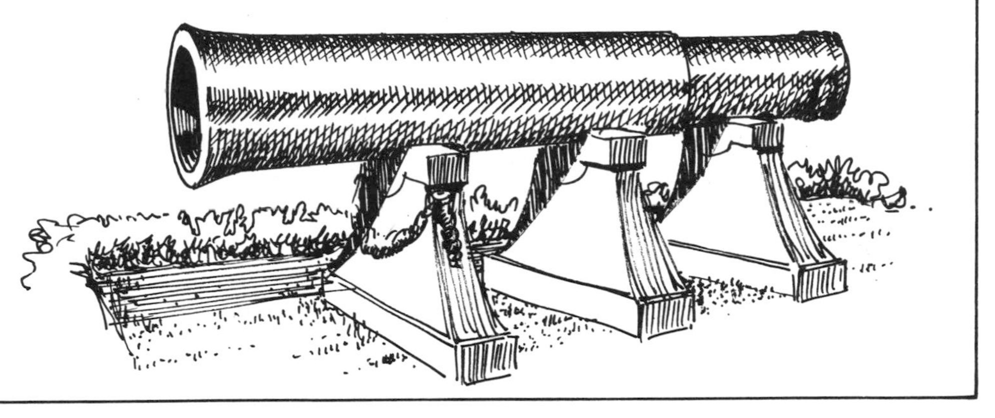

Franchimont

La forteresse semble occuper une position stratégique de premier ordre. Et cependant, cette photo prise du sommet de la colline de Franchimont prouve que les assaillants pouvaient dominer aisément le château, ce qui constitue une faiblesse évidente de son système défensif. ◁

1155. Le « castrum Franchiermont » fait partie des terres de la principauté de Liège.
XIIIe s. Impliqué dans des rivalités féodales, le château est en partie détruit.
XIVe s. Le prince-évêque Adolphe de La Marck fortifie le château lors de la guerre des Awans et des Waroux.
1387. Après un incendie, Arnould de Hornes rebâtit et agrandit Franchimont.
1477. Guillaume de La Marck reçoit en gage la châtellenie et renforce sa défense.
1504. Le prince-évêque de Liège désigne Robert de Boulant comme nouveau châtelain.
1578. Franchimont devient l'apanage de la famille Lynden.
1676. Louis XIV détruit le château.
1692. Après un tremblement de terre, on procède à de multiples réparations du château qui devient prison.
1794. Mise à sac, la forteresse est bien national de la République française.
1899. L'Etat belge acquiert le château progressivement tombé en ruines.
1959. Devenu bien communal de Theux, le château est l'objet d'une restauration sous l'égide des « Compagnons de Franchimont ».

Un mauvais sort avait-il été jeté sur les premiers propriétaires du château de Cleydael, situé près d'Aartselaar ? Doit-on l'attribuer à cette monstrueuse anguille aux neuf yeux inquisiteurs qui hante les douves et que la légende a nommé *De Negen Oogen ?* On pourrait le croire en lisant la chronique de la forteresse. En effet, l'un des châtelains fut assassiné et un autre, Corneille Sanders, fut décapité sur ordre du duc de Bourgogne Philippe le Bon, pour avoir commis l'erreur de s'allier à l'impétueuse Jacqueline de Bavière, comtesse de Hainaut. Le spectre du décapité hanterait toujours le domaine...

De tout temps, Cleydael fut le siège de la Cour judiciaire du quartier qui s'étend d'Aartselaar à Arkel, ce qui explique la présence de la maison du bailli qui flanque la porte d'entrée du château.

La forteresse en brique s'ordonna au XVe siècle suivant un plan carré cantonné de quatre tours. Le XVIe siècle la vit s'aménager en résidence plus plaisante, dotée à l'ouest d'un nouveau corps d'habitation à quatre niveaux.

Au XVIIe siècle, les Eyckelberg dits Hooftman, une famille apparentée aux Cromwell, possédaient le château. C'est pourquoi en sa jeunesse le lord-protecteur d'Angleterre fut envoyé à Cleydael chez sa tante Anne Hooftman, pour y réfléchir sur les conséquences de sa déplorable conduite.

Plongeant ses murs dans l'eau d'un étang alimenté par le Struisbeek, Cleydael Hof s'impose comme l'un des plus beaux châteaux de plaine de la province d'Anvers. Sa tour du nord-est, dite « du Renard », est couronnée d'un toit bulbeux et de quatre bretèches inattendues. Ses murailles d'un mètre d'épaisseur font croire qu'il s'agit du donjon initial de la forteresse médiévale. La

Cleydael

La Renaissance et les châteaux belges

Notre pays n'a malheureusement conservé aucun château purement renaissant. Alors que le grand architecte wallon Jacques Dubroeucq avait merveilleusement exprimé le nouvel art de bâtir dans les splendides palais de Boussu, de Binche et de Mariemont, les troupes d'Henri II détruisirent en 1554 ces témoins irremplaçables. Les historiens de l'art constatent que la Renaissance ne s'est que progressivement insinuée dans les édifices de nos régions à partir de 1525-1530. Les traditions gothiques locales, fort vivaces, limitèrent le développement des thèmes italiananisants renaissants à des éléments architecturaux parfois secondaires. Même si le plan médiéval qui disposait les ailes d'habitation autour d'une cour quadrangulaire se modifia en plan en L ou en équerre, maints édifices ne perdirent que peu à peu leur caractère défensif et militaire au profit d'une destination plus confortable et plus résidentielle, conforme à l'esprit humaniste du temps.

En matière d'ornementation, la mode nouvelle ne s'imposa que timidement. Certes on se mit à défendre de nouveaux principes et de nouvelles techniques: utilisation d'appareils mixtes de pierre et de brique pour souligner les structures horizontales des façades; recherche de symétrie; remplacement des étroites ouvertures médiévales par des fenêtres plus larges et plus nombreuses, tantôt ornées de croisillons de pierre, tantôt surmontées de frontons triangulaires ou cintrées pour ouvrir l'édifice sur le monde extérieur; percement des toits d'ardoise par des lucarnes de grandeur décroissante; aménagement de corniches saillantes, de pignons à gradins, de galeries ouvertes et voûtées.

Mais en règle générale, on constate que cette décoration renaissante vient se greffer sur un substrat médiéval sans pour autant en changer fondamentalement l'esprit.

Il est facile d'illustrer cette symbiose. Outre Cleydael, on peut citer Ooidonk où la Renaissance apparaît dans les façades donnant sur la cour, Bossestein qui n'eut que fort tard sa cour intérieure caractérisée par ses arcades à la toscane. Au château de Beauvoorde à Wulveringen, de larges fenêtres rectangulaires à croisillons et une couverture d'ardoise en bâtière égaient une habitation de campagne fortifiée. Et on pourrait encore citer la Follie d'Ecaussines d'Enghien, Jehay ou Horst près de Louvain, qui tous connurent des modifications au XVIe siècle.

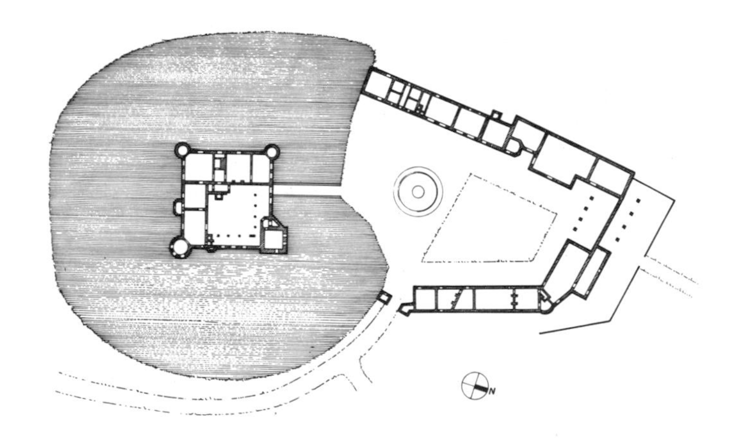

Comme beaucoup de châteaux de plaine, Cleydael fut édifié au milieu de marais et de terres spongieuses que l'on transforma en étangs. Si le château a conservé sa structure de forteresse médiévale, les murs ont été ajourés de baies. En outre, depuis le XVIe siècle, lucarnes, tourelles et poivrières agrémentent sa silhouette.

tour « de la chapelle », au sud-est, domine évidemment une chapelle à la jolie voûte en étoile. Les deux autres tours cornières, fort élégantes d'allure, débordent sur les contreforts et semblent protéger les ailes d'habitation. On y retiendra surtout la salle à manger du XVIe siècle dont la paroi méridionale s'ouvre sur un âtre gigantesque où l'on pouvait rôtir des sangliers entiers. Dans le salon, d'impressionnantes têtes d'ange du XVIIIe siècle veillent sur les hôtes et, qui sait? éloignent peut-être les sortilèges de l'anguille aux neuf yeux et le fantôme de Corneille Sanders van Hemessen...

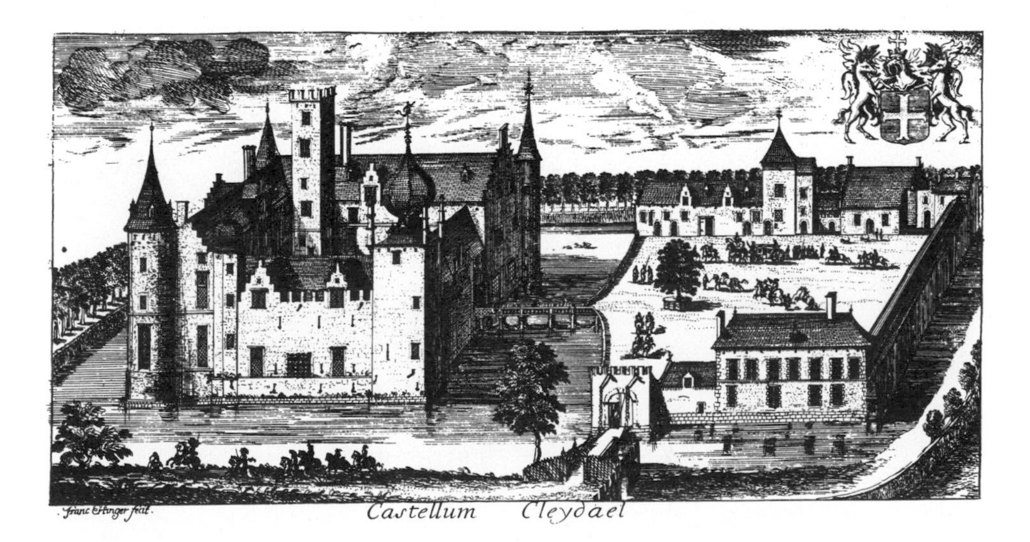

◁ *La tour dite « du Renard » a été coiffée au début du XVIIe siècle d'une toiture bulbeuse renouvelée, en 1782, par un certain Meyer, ardoisier d'Aartselaar.*

Cleydael

1331. Alexandre de Cleydael, le premier propriétaire, construit la forteresse.
1401. Assassinat de Philippe van der Elst, seigneur de Cleydael.
1459. Décapitation de Corneille Sanders van Hemessen et occupation du château par le Grand Bâtard Antoine de Bourgogne.
1518. Après avoir récupéré leur bien, les Sanders van Hemessen le vendent à l'Anversois Pieter van der Straeten.
XVIe s. Restauration et agrandissement du château.
1557. Cleydael devient la propriété de l'Espagnol Antonio de Rio, connu pour son amour des beaux livres.
1576. Pillage du château lors des troubles politico-religieux.
Fin du XVIe s. Cleydael passe aux Eyckelberg dits Hooftman.
1662. Pierre Helleman acquiert Cleydael.
Fin du XVIIe s. Les Helleman transforment le château et font placer leurs armoiries et leur devise « Ex Walle Pingwedo » au-dessus du portail d'entrée.
Vers 1782. Légers aménagements aux bâtiments. On comble les fossés et on abat l'arbre de justice.
Actuellement. Le château est la propriété de Jean-François Leitner.

Au nord de la forteresse, la basse-cour, entourée de douves, date du XVIIe siècle. Jadis un arbre de justice en occupait le centre. Quant au bâtiment en brique qui jouxte la demeure du bailli, il comporte un joli pignon à gradins et semble avoir servi de logement à une garnison. ▷

Sous le regard séculaire de ce donjon aux proportions harmonieuses, un pont de pierre franchit de larges douves. A partir du châtelet d'entrée, les courtines, encore allongées par leurs cordons de grès blanc, s'étirent vers les tours d'angle à plan octogonal. Le porche, au linteau « en anse de panier » soutenu par des pilastres, laisse deviner à l'arrière-plan la façade du corps de logis. Tous les volets peints en croix de saint André rythment joyeusement cette remarquable composition. ▷

Les salles du rez-de-chaussée, tant dans le donjon que dans les deux bâtiments qui le prolongent, sont d'une ampleur peu commune. L'imposante perspective de leur enfilade est encore accentuée par le damier du sol où alternent les roses et les ocres des dalles de Maastricht. Les stucs qui décoraient autrefois les poutres et les solives du donjon ont disparu, mais subsistent dans les autres salles. Dans ce cadre, s'intègre parfaitement un beau mobilier très sobre des XVe, XVIe et XVIIIe siècles, provenant des anciens Pays-Bas. ▽

Une longue avenue rectiligne de plus d'un kilomètre mène à Bossenstein... Ainsi, peu à peu, se révèle la fière beauté de cette noble demeure. Des douves, des courtines sévères, des tours octogonales dominées par un imposant donjon rectangulaire lui confèrent grande allure. Si le portail n'est pas sans rappeler le pont-levis qui isolait autrefois le château, Bossenstein a résolument abandonné la rudesse des temps médiévaux et, le porche franchi, on ne peut que se laisser prendre au charme du décor de la cour intérieure. Une façade remarquablement équilibrée, d'un style Louis XIII très pur, fait face au porche. Bordant les trois autres

côtés, une colonnade aux fines arcades enserre l'avant-cour d'un promenoir très évocateur de la vie monastique. Sur la gauche, un peu en retrait, le donjon monte la garde. Malgré ses tourelles d'angle et son chemin de ronde pourvu de mâchicoulis, il a perdu de sa rudesse antérieure. Sans lui retirer son aspect imposant, les aménagements du XVIIe siècle, notamment son grand toit pentu, le rendent beaucoup plus avenant.
Surmontée d'un œil de bœuf, l'entrée dessert un ample rez-de-chaussée. Une chambre occupe le premier étage de la tour tandis que le second est réservé à une salle de tortures entourée de grillages très suggestifs.

Bossenstein

XIIIe s. Pour sa sécurité, Anvers s'entoure d'une ceinture d'avant-postes. Aux côtés d'Artselaar et de Cleydael, la place forte de Broechem est constituée par un donjon unique appelé steen.
1346. Son propriétaire, Jean de Busco ou van den Bosch, donne son nom à Bossenstein. Adam de Berchem, au XIVe s., rehausse d'un étage en brique le donjon primitif, bâti en pierre.
XVe s. Les Berchem construisent les corps de logis. A cause des guerres de religion, ils vendent le domaine, en 1544, au secrétaire communal d'Anvers, Guillaume van der Rijt.
1638. En vue de la joyeuse entrée de Ferdinand d'Autriche, le château est somptueusement décoré, ses plafonds sont rehaussés de stucs et de peintures de l'école de Rubens.
1655. Marguerite 't Seraerts apporte en dot le château à Guillaume d'Halmalle. Celui-ci construit l'avant-cour et donne aux bâtiments leur aspect actuel, entre 1660 et 1662.
1665. Neefs exécute une gravure de l'Allemanshof, déformation de Halmalle's Hof.
1952. Alors qu'il était voué à la ruine, le domaine est acquis par la famille Charon qui l'a parfaitement restauré dans un profond respect de son authenticité.

Beauvoorde

Furnes n'est pas loin. Les polders déroulent leurs surfaces planes, quadrillées de canaux et piquées de saules têtards. Dans ce paysage majestueux à force d'être uniforme, un aimable petit village, Wulveringem, et un château, caché par les arbres d'un grand parc. Une grande discrétion. Et pourtant Beauvoorde est un exemplaire précieux de ces quelques maisons seigneuriales typiquement flamandes qui ont résisté à la fuite du temps.
Le château de style espagnol — voyez les pignons à redents — est construit en grandes briques claires, le matériau traditionnel de la région côtière. Une belle demeure, assurément, élevée au début du XVIIe siècle sur les restes d'un premier manoir incendié en 1584 par les « Gueux de la mer ».
De larges douves la baignent et les pignons à redents y retrouvent leur image. Un petit pont les enjambe : nous voici dans la cour intérieure clôturée de murs crénelés. Au-dessus de l'entrée se détachent le vieux blason des Bryarde, les constructeurs, et, un peu plus haut, celui du dernier propriétaire, Arthur Merghelynck.
Mais la modestie de Beauvoorde n'est qu'apparence. Et elle s'efface, dès les portes ouvertes, devant les œuvres d'art patiemment rassemblées ici par celui qu'on appela « le fou des antiquités ». Un peu irrévérencieusement, car ce Merghelynck était un mécène hors du commun. Grâce à lui, chaque salle renferme des objets d'art qui sont autant de moments de bonheur. Rêvons donc devant cette petite horloge zélandaise (dc 1480 !), devant ces ravissants bénitiers de porcelaine ou ces secrétaires à tiroirs secrets. Voici que défilent, superbe galerie de tableaux, les familles qui firent autrefois ce coin de Flandre. Balustres en chêne, armoires à parchemins go-

◁ *Voici Beauvoorde, majestueux comme le cygne blanc qui fend l'eau des douves. Des pignons que rythment d'élégantes fenêtres à meneaux, une ravissante petite tour à huit pans, des toits qui déchirent le ciel confèrent à l'ensemble une silhouette gracieuse et svelte.*

Que d'inestimables trésors Merghelynck n'a-t-il pas rassemblés ici ! Cette belle statue en bois de la Vierge Marie est en gothique tardif et il y a dans ce léger déhanchement beaucoup de naturel, signe d'un métier affirmé et d'un sens artistique très sûr. ▷

thiques, porcelaines chinoises et japonaises, tout ici est digne d'admiration.

Surprise et ravissement devant les poutres séculaires de ce magnifique plafond timbré aux armes des Bryarde, devant ces lambris sculptés avec tant de maîtrise, devant ces cheminées monumentales aux céramiques remarquables.

Impressionnante « Salle des Chevaliers » ! Là s'alignent dix chaises, toutes différentes, spécialement exécutées en 1637 pour les premiers dirigeants de cette confrérie « De Sodaliteit » qui organise depuis le XVIIe siècle la fameuse procession des Pénitents de Furnes.

Et que penser de la petite chapelle ? Rien n'y manque : même l'orgue est prêt à jouer.

Il y a ici une harmonie peu ordinaire entre la beauté de l'architecture extérieure, l'agrément du cadre de verdure et la richesse intérieure. Et on se prend à évoquer Keats lorsqu'il disait : « A thing of beauty is a joy for ever »...

1408. Le duc de Bourgogne Jean sans Peur donne le domaine en fief à Jehan de Valuwe.
1550. Pierre van den Bampoele est propriétaire du château de Wulveringem.
1573. Sa fille Marguerite épouse Antoine de Bryarde, seigneur de Beauvoorde.
Cette famille devient ainsi propriétaire du château.
1584. La lutte contre l'Espagne apporte la désolation aux Pays-Bas. Antoine de Bryarde, resté fidèle à Philippe II, doit fuir. Les Gueux incendient son château. Brisé, il meurt la même année.
1596-1617. Jacques de Bryarde fait restaurer Beauvoorde sous la direction de l'architecte Boullain, maître d'œuvre des archiducs Albert et Isabelle.
De l'ancienne construction ne subsistent que les meurtrières à hauteur des caves et une fenêtre côté sud, avec le blason de la famille. Jacques de Bryarde est un grand voyageur : on le trouve dans la marine espagnole (1598-1599) puis en Italie (1601-1602).
C'est aussi un homme cultivé et Beauvoorde connaît une période brillante.
1838. Les Bryarde quittent Beauvoorde et le château est cédé à un agriculteur.
1875. Le chevalier Arthur Merghelynck achète le château abandonné et le restaure entièrement. L'aile nord-ouest est reconstruite un peu plus courte qu'à l'origine.
1908. A sa mort, Arthur Merghelynck lègue Beauvoorde à l'Académie Royale de langue et de littérature flamandes.
Celle-ci y tint sa réunion annuelle pour la première fois en 1948.

Beauvoorde a conservé intacte sa cuisine d'autrefois. A côté de l'évier, le vieux fourneau fonctionnait au charbon de bois et était surtout utilisé comme chauffe-plat. Les céramiques bleues, elles aussi, ont bien résisté à l'usure du temps : elles sont vieilles ◁ d'au moins trois siècles !

△
Sur le côté nord-ouest du château, ce bâtiment en arc de cercle étonnera peut-être. Lorsqu'il reconstruisit cette aile, en 1879, Arthur Merghelynck décida en effet d'y inclure une chapelle (qui ne fut d'ailleurs jamais consacrée). Il voulait ainsi donner au château de ses rêves un cachet supplémentaire.

La « Salle des chevaliers » renferme une cheminée monumentale en pierre bleue réalisée en 1617 par le sculpteur brugeois Stalpaert. Les boiseries sont surmontées d'un revêtement en cuir repoussé et doré, exécuté à Malines. A l'avant-plan, quelques chaises de la célèbre confrérie « De ◁ Sodaliteit ».

Ombre immatérielle de la comtesse Berthe s'abîmant dans les eaux torrentueuses, légionnaires romains, Pépin de Herstal, Petit chevalier à la sombre armure, Henri Ier de Namur, duc d'Albe... tout un passé historique!
Masse sombre se profilant dans la brume hivernale qui monte de l'Ourthe... tout un climat fantastique! A La Roche, histoire et légendes s'entremêlent dans une fascinante saga.
Quelle force mystérieuse, quelle puissance occulte se dégagent de ces formes austères qui semblent surgir du roc où elles s'accrochent comme le chêne à la terre!
Découvrir le château des hauteurs de Corumont ou du Deister suffit à révéler sa merveilleuse position stratégique et sa puissance dans ce coin d'Ardenne. Plantées à l'extrémité de l'arête schisteuse dévalant du Deister vers l'Ourthe, ses tours rondes et ses murailles dominent, ou plutôt écrasent, d'une hauteur de quarante mètres, une petite ville sise au confluent de six vallées. Les marchands de laines anglaises, en route vers la Lombardie au XIIe siècle, ne devaient pas se faire trop de souci sur cette portion de leur itinéraire.
Les siècles ont apporté dégradations ou aménagements. Néanmoins, telle quelle, la forteresse conserve une puissance d'évocation peu commune.
Même si les remparts crénelés, les portes bardées de fer, le pont-levis ou les toits coniques ardoisés ont disparu, tout un monde médiéval resurgit dès le châtelet d'entrée.
Et l'histoire défile de plate-forme en plate-forme à travers les basses-cours, les courtines, la haute-cour ou la terrasse aux tournois. Les tours — tour du Guet, tour de la Prison, tour des Sarrasins — témoignent d'un passé agité.
De toute manière, ni les transformations voulues par les troupes du Roi-Soleil pour adapter la forteresse à la guerre d'artillerie, ni le vandalisme du XIXe siècle n'ont réussi à gommer le souvenir de tous ceux qui, de l'*oppidum* celtique au castel des grands féodaux, se succédèrent sur la « Rupes in Arduennan » (Roche en Ardenne).

Les toits en éteignoir des tours de défense ont disparu, l'enceinte crénelée n'est plus qu'un souvenir, mais les moignons subsistants, évoquent encore la puissance de La Roche. L'imposant appareil de dalles de schiste, bloquées par un mortier de chaux et de sable, se confond avec le roc et semble s'y accrocher pour l'éternité. ▽

La tour dite de la prison et les murs du château proprement dit dominent toujours la grande terrasse de Clairue. Là, sur un sol jadis pavé, retentirent pendant des siècles le bruit et la fureur des tournois et des départs pour la chasse ou les expéditions guerrières. ▷

La Roche

Période gallo-romaine. Existence d'un fortin romain succédant à un oppidum celtique.
Fin du VIIe - début du VIIIe s. Pépin de Herstal transforme l'oppidum en « maison de chasse » qu'utiliseront les Carolingiens.
XIe s. Edification du château féodal, dont l'aménagement se poursuivra jusqu'au XIVe siècle.
1102. Henri Ier, cadet de Namur et comte de La Roche, se fixe au château.
XVe-XVIe s. Grâce à Maximilien d'Autriche et à Charles Quint, la forteresse devient propriété des Habsbourg.
1529. Renforcement des murs d'enceinte et élargissement du chemin d'accès.
1682-1698. Après la prise du château par Louis XIV, l'ingénieur Candeau, disciple de Vauban, adapte la forteresse à la guerre moderne. Il creuse des souterrains capables de résister à l'artillerie, il démolit les quartiers du Prévôt et du Receveur.
1704. Après l'incendie de la halle communale, son horloge est installée dans la tour gauche de l'entrée (tour de l'Horloge).
XVIIIe s. Pendant la période autrichienne, le château est laissé à l'abandon.
1789. Incendie du château.
XIXe s. Les habitants de La Roche puisent des matériaux dans les ruines de la forteresse.
1852. Les Domaines rachètent le château à des particuliers.
Actuellement. Le château est concédé par bail au Syndicat d'initiative de la commune de La Roche.

1. Accès au châtelet 2. Tour de l'horloge 3. Tour du corps de garde 4. Première basse-cour 5. Seconde basse-cour 6. Tour de la prison 7. Tour de la chapelle 8. Petite terrasse de Clairue 9. Tour du pilier 10. Haute-cour 11. Tour du guet 12. Belvédère.

Ecaussinnes-Lalaing

Ce n'est pas par hasard ou par caprice des seigneurs que les forteresses abondent dans le « Centre ». Dès le Moyen Age, cette région du Hainaut fut une terre de passage, une voie d'invasion entre la France des Capétiens et nos principautés.
A l'origine, la seigneurie d'Ecaussinnes s'étendait sur les deux versants de l'indocile Sennette. La forteresse, établie sur un éperon rocheux, contrôlait bien la vallée; mais du côté du plateau, la position était moins bonne et il fallait en renforcer la défense.
Vers 1200, Eustache de Rieux lègue à chacun de ses deux fils la moitié de la seigneurie. L'aîné reçoit, en plus, la forteresse. C'est à cette époque que l'on commence la construction d'une maison forte que l'on appelle château d'En Bas, pour le distinguer du premier château fort qui prend naturellement le nom de château d'En Haut. Seul cependant le châtelain d'En Haut exerçait le droit de haute, basse et moyenne justice.
Quelque cent ans plus tard, un mariage entre cousins rassemble les deux Ecaussinnes. Mais cette réunion est momentanée puisque 1386 voit la scission définitive de la seigneurie: Simon II de Lalaing devient propriétaire du château d'En Haut, tandis que sa sœur Marie, épouse d'Englebert d'Enghien, hérite du château d'En Bas. Ces patronymes différents expliquent évidemment les dénominations « Ecaussinnes-Lalaing » et « Ecaussinnes-d'Enghien ».
Au cours de ces tribulations, on n'avait pas manqué de renforcer les défenses de la forteresse d'En Haut, les Rieux lui adjoignant une haute courtine et des tours flanquantes de forme carrée et polygonale, les Lalaing des tours rondes.

△
Bâti sur le roc, suivant une tradition qui remonte à la préhistoire, Ecaussinnes-Lalaing multiplie ses hautes murailles et ses fossés du côté du plateau, où se situe le défaut de sa cuirasse. Les tours sont plantées comme des chevaliers impassibles.

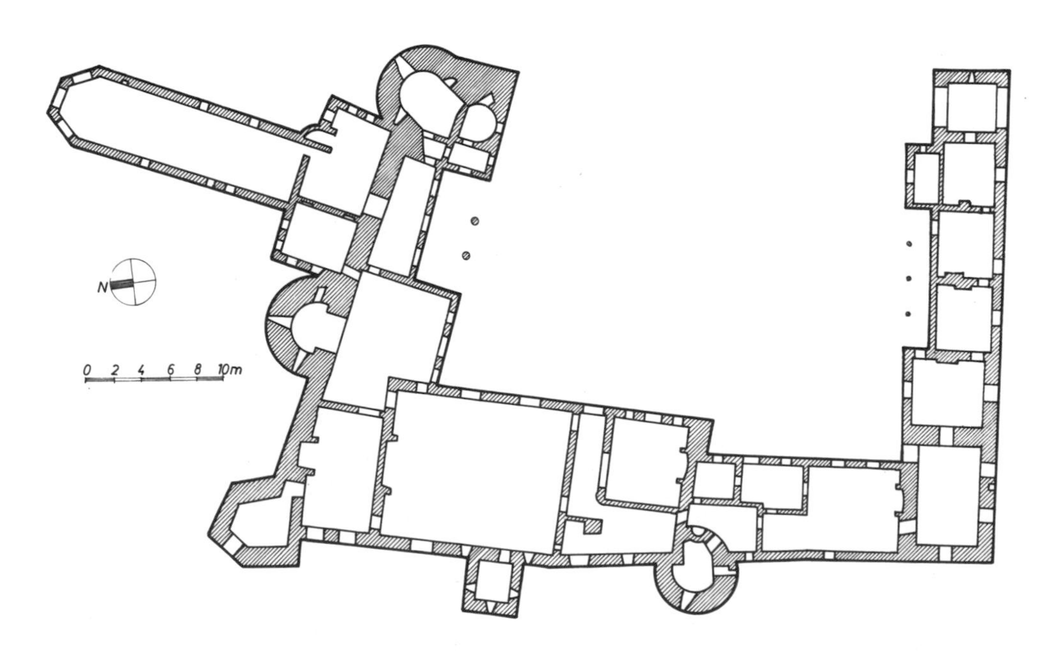

Plan du château dans sa configuration actuelle.

Passé aux Croy au milieu du XVe siècle, le château change d'aspect puisque Michel de Croy construit un nouveau logis en L qui englobe la muraille occidentale, la tour polygonale et la courtine septentrionale. La façade sur cour présente désormais le jeu harmonieux de galeries gothiques aux arcades moulurées en tiers-point et de baies à croisée ou à simple traverse.
Au XVIe siècle, on construit une longue chapelle de style gothique tardif à l'extérieur du logis. Comme l'usage le voulait, une tribune creusée dans le mur mitoyen permettait à la famille seigneuriale d'assister aux offices religieux sans quitter ses appartements.
En 1624, le comte Philippe van der Burch acquiert Ecaussinnes-Lalaing. Huit van der Burch vont s'y succéder et donner au château son aspect définitif. Au XVIIe siècle, ils construisent au-dessus des dépendances de la conciergerie des appartements dans le goût de l'époque. Au XVIIIe siècle, ils coiffent l'élégante tour-porche de style classique d'une toiture à quatre pans surmontée d'un lanternon ajouré. Son portail surbaissé porte un cartouche aux armes de la famille et le millésime 1720.
Pendant la Première guerre mondiale, le château va connaître beaucoup de vicissitudes: de caserne allemande, il se transforme en lazaret et en dépôt de munitions, avant de devenir prison. Livré aux intempéries et au vandalisme, il est sauvé par le chanoine Puissant et revendu au comte Adrien van der Burch qui le restaura.
Ainsi le château redevenait la propriété de la famille qui l'avait possédé de 1624 à 1856.
Aujourd'hui le château abrite un attrayant musée qui rassemble grès anciens, boiseries, céramiques, armes, instruments de mesure, tableaux et sculptures.
Le château d'Écaussinnes, de pierre dure, a le cœur tendre puisque, chaque lundi de Pentecôte, il assiste, du haut de sa position, au fameux goûter matrimonial qui rassemble les célibataires de la région. Et, là-bas, à Ecaussinnes, on prétend que cela le rend très heureux...

△
Le parement de la façade sur cour diffère très fort du rude moellonage des murs extérieurs. Il est en petit appareil de granit régional. Une galerie gracieusement envahie par la vigne-vierge coupe la stricte ordonnance du rez-de-chaussée. Ses colonnes en pierre bleue, comme l'archivolte, soulignent l'arc de la porte du bâtiment perpendiculaire.

Etiré, incurvé, plié à tous les caprices de l'homme, le verre a la transparence de l'eau, mais il se taille comme la pierre, se cisèle comme l'argent, se colore comme la toile. C'est sans doute pourquoi il nous fascine dans les vitrines ou sur les tables. La clochette de cristal nous rappelle qu'il est temps de boire dans les deux Römer hollandais, prêts à accueillir le vin du Rhin pour ◁ *lequel ils ont été conçus.*

705. Première mention d'une seigneurie d'Ecaussinnes.
1184. Le comte Baudouin V de Hainaut renforce la forteresse.
Vers 1200. Eustache IV, seigneur de Rieux et d'Ecaussinnes, lègue le château d'En Haut à son aîné Eustache V.
1386. Simon II de Lalaing devient le seigneur d'Ecaussinnes-Lalaing.
1450. Marie de Lalaing épouse Jean de Croy, grand bailli du comté de Hainaut et conseiller influent de Philippe le Bon.
Fin du XVe s. Michel de Croy modifie le château.
1517. Les Lalaing reprennent possession d'Ecaussinnes.
1624. Madeleine de Lalaing, petite-fille de Guillaume de Croy et fondatrice du monastère du Berlaymont, vend le château au comte Philippe van der Burch «grand bailli portatif de la noble et souveraine Cour du comte de Hainaut».
1854. Les van der Burch vendent la propriété aux d'Arenberg qui, à leur tour, la cèdent aux Sarsina-Aldobrandini.
1920. Le château est racheté par le chanoine Puissant qui en entreprend la restauration.
1927. Le comte Adrien van der Burch acquiert le château et poursuit sa restauration.
1948. Création de la Fondation van der Burch, aujourd'hui propriétaire d'Ecaussinnes-Lalaing.
1955. Le château est habité par Freddy Cartuyvels, administrateur-délégué de la Fondation van der Burch depuis sa création et président depuis 1975.

La beauté de cette Vierge en pierre l'a fait attribuer à l'atelier d'André Beauneveu. Ce sculpteur né à Valenciennes durant la première moitié du XIVe siècle fut très actif dans nos provinces. C'est à lui que le comte de Flandre Louis de Male commanda son monument funéraire qui aurait dû être érigé à Courtrai. André Beauneveu exécuta plusieurs tombeaux de la basilique de Saint-Denis et le mausolée du roi de France Charles V. Il semble avoir terminé sa carrière comme enlumineur au service du duc de Berry. ▷

Ecaussinnes-Lalaing

◁ *L'âtre ouvert est un des éléments essentiels du décor des châteaux. Dans ce corps de logis, deux cheminées monumentales gothiques en pierre du pays, jugées parmi les plus parfaites du Hainaut, se font face. Celle-ci porte les armes de Michel de Croy accompagnées de l'arbre de vie biblique qu'entourent Adam et Eve. Sur son pendant, on peut admirer le «cheval marin» cuirassé et une sirène au miroir.*

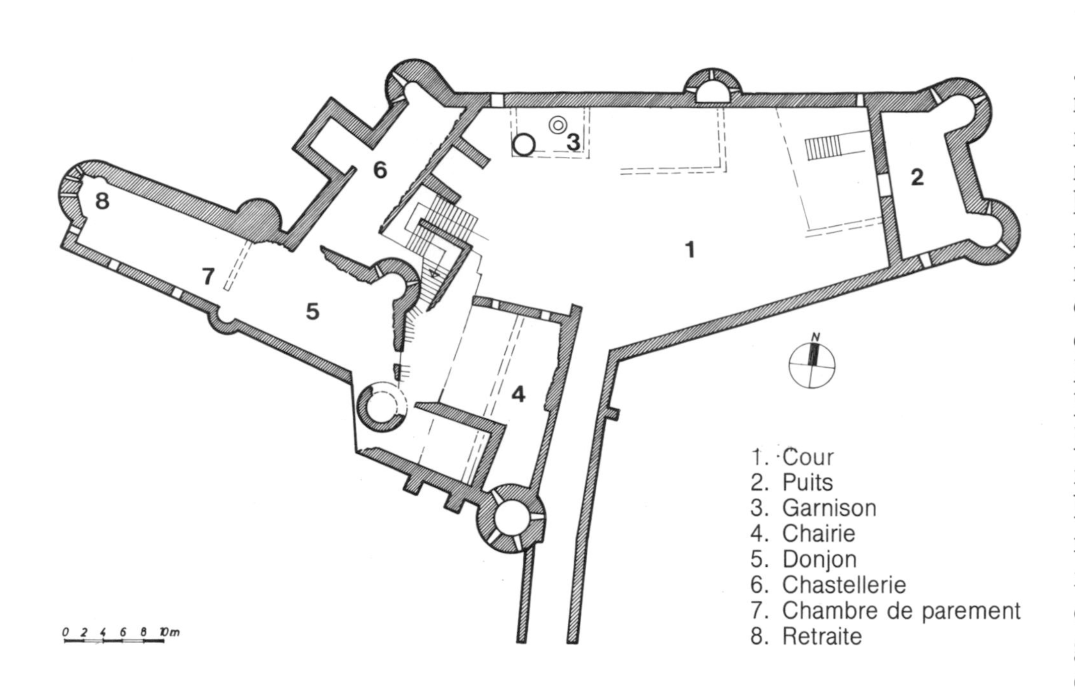

Montaigle

Montaigle ! Un nom qui sonne opiniâtre et perçant, comme un regard de rapace. Un cri qui réveille l'écho de mille rumeurs, mêlant ici, à l'aube du XIVe siècle, le cliquetis des épées, le chant des ménestrels et les clameurs des hommes d'armes. Un château perché comme le nid de l'autour, à la cime d'un roc à pic.

Mais nous voici en 1554, en juillet. Henri II a envahi la vallée de la Meuse. A Montaigle, la garnison a reçu l'ordre de se replier sur Namur : c'est un château abandonné que vont investir les soldats du roi ! Ils ne laisseront derrière eux que des murailles démantelées, de grandes salles gothiques éventrées, des tours décapitées dressant vers le ciel leurs pauvres moignons. Montaigle ne se relèvera jamais.

Il faut rendre hommage aux « Amis de Montaigle » qui ont retrouvé, dissimulé sous quatre siècles de folle végétation, le plan de ce qui fut autrefois une solide forteresse. Grâce à eux, voici que s'anime le vieux donjon : le seigneur vient d'en franchir l'entrée et il va donner audience. Aux murs pendent les écus, les armes et les cornes de cerfs portant les ustensiles de chasse. Il retrouvera ensuite sa famille dans la chambre de parement, aux murailles tapissées de tentures et de boiseries. Tout à l'heure, il passera dans son boudoir, cette « retraite » où, à la fenêtre ouverte sur la vallée, il s'accoudera longuement. Voici encore la chastellerie, aile domestique occupée par le capitaine. Et enfin la chairie, cette salle où étaient perçues les redevances du bailliage : le bureau des contributions de l'époque...

◁ *Ces ruines romantiques ont inspiré bien des poètes. Camille Lemonnier est venu à Montaigle et a trouvé pour le dire des accents lyriques : « Quand l'histoire, comme c'est ici le cas, se mêle à des beautés de la nature, elle finit par s'effacer, elle la transitoire et l'éphémère... pour se concentrer dans la contemplation des immuables rocs, témoins de tant de gloire et de fragilité ». L'harmonie du site, il est vrai, est si parfaite que l'on se prend à se demander si la ruine a été édifiée pour le rocher ou si Dieu a créé le rocher pour soutenir la ruine...*

△
Sur cette lithographie de Burggraaff datée de 1829, un énigmatique nuage de fumée s'échappe de la tour sud-est. Les ruines étaient en effet habitées par une jeune veuve de 39 ans. Madame van den Bogaerde, qui avait acquis Montaigle deux ans auparavant et qui passait l'été dans une sorte de pavillon aménagé dans l'ancien logement de la garnison. Que d'efforts ne déploya-t-elle pas pour sauver Montaigle! Mais à cette époque, les hommes de loi n'étaient guère sensibles au romantisme des vieilles pierres: elle perdit un procès intenté à un vandale qui, en quête de matériaux de construction, avait abattu tout un pignon du vénérable monument...

1215. Montaigle, qui dépendait du comté de Namur, est donné en fief à Gilles de Berlaymont.
1298. Il redevient propriété des comtes de Namur lorsque l'un d'eux, Guy de Dampierre, rachète le domaine aux Berlaymont.
1300-1310. Date vraisemblable de la construction d'un nouveau château par son fils Guy de Flandre.
1429. Endetté, le comte de Namur Jean III vend son comté à Philippe le Bon.
1455. Le château relève définitivement de la Maison de Bourgogne à la mort de la veuve du comte de Namur Guillaume II.
XVe s. Montaigle est assiégé à plusieurs reprises: vers 1429, 1465 et 1480.
1554. La forteresse est détruite par les troupes du roi de France Henri II.
XVIe-XVIIIe s. Les ruines restent biens nationaux: après la Maison de Bourgogne, elles appartiendront successivement à l'empire de Charles Quint, aux Pays-Bas espagnols puis autrichiens et enfin à la France. Montaigle passera ensuite par ventes à...
1798. ... Pierre Hermal, un salinier dinantais.
1827. ... Colette van den Bogaerde - du Rot.
1854. ... Comte Amédée de Beauffort.
1865. Ce fut sa veuve qui vendit Montaigle à Emmanuel del Marmol: cette famille est encore aujourd'hui propriétaire des ruines.

Antoing

A la fin du XIXᵉ siècle, le prince Eugène de Ligne fit d'Antoing une résidence véritablement princière, à quelques mètres du porche de la collégiale... qui était située à l'intérieur de l'enceinte du château! La colline devenait trop petite pour deux monuments de cette ampleur et l'église fut reconstruite ailleurs grâce à une donation du prince de Ligne. Ce bâtiment néo-gothique, ce sont les écuries qu'il construisit en 1870 sur l'emplacement de l'ancien sanctuaire. ▷

Coiffé d'un toit à poivrière et accolé à une étrange tourelle à échauguette, le donjon de la vieille forteresse atteste du rang élevé qu'occupaient les seigneurs d'Antoing à la fin du Moyen Age. Il « a la plus fière allure qu'on puisse rêver à un castel batailleur et s'enlève avec crânerie dans le ciel ». C'est ainsi que Camille Lemonnier voyait ce château historique dont les styles disparates vont du XVᵉ au XIXᵉ siècle. ▽

Lundi 14 octobre 1565, dans l'après-midi. Chevauchant côte à côte, suivis d'une escorte magnifique, trois grands seigneurs pénètrent au château d'Antoing. Ils viennent assister au mariage de Floris de Montmorency, gouverneur du Tournaisis, avec Hélène de Melun, fille du seigneur du lieu. Il y a là, pour servir de témoins, le comte d'Egmont, Guillaume le Taciturne et le comte de Hornes, frère du marié.
Sans doute le festin nuptial fut-il pantagruélique. Sans doute le tournoi d'Antoing a-t-il laissé de grands

souvenirs dans les chroniques de l'époque. Mais derrière ces apparences de fête, une révolution se préparait. « Chaque matinée de ces jours, écrit un témoin, est consacrée à des conférences secrètes ». Et le 15 novembre, les mêmes gentilshommes rédigent à Antoing l'acte célèbre par lequel ils s'engagent à obtenir de Philippe II l'abolition de ses édits contre les protestants. Ce fut le fameux Compromis des Nobles.
Philippe II se vengera. Les comtes d'Egmont et de Hornes seront guillotinés le 5 juin 1568 sur la grand-place de Bruxelles. Guillaume le Taciturne sera assassiné sur l'ordre du roi. Et le jeune marié étranglé au garrot dans une prison espagnole...
Il n'avait pas fallu attendre 1565 pour voir l'histoire prendre ses quartiers à Antoing. Le 30 novembre 1327 déjà, c'est en présence de Philippe le Bel qu'Isabelle d'Antoing épousa ici ce Jehan de Melun qui devint grand chambellan du roi de France.
Son petit-fils Jean Ier de Melun fut élevé en compagnie de Philippe le Bon dont il resta toute sa vie l'ami écouté. C'est à Antoing, au premier étage du donjon, que logea, le 28 novembre 1464, le duc de Bourgogne en route vers Ath mais désireux de revoir son ami d'enfance. Charles le Téméraire fut reçu ici le 6 août 1468. Sièges de Tournai de 1513 et de 1517 : on voit arriver au château Maximilien d'Autriche puis Henri VIII d'Angleterre...
Aujourd'hui, à Antoing, le calme a succédé aux remous de l'histoire. On montre au visiteur la salle des chevaliers et la chambre du seigneur. La chapelle aussi, où errent encore, parmi les gisants et les mausolées, ceux qui vécurent ici : Les Antoing, les Melun et les Ligne.

◁ *L'entrée du château est impressionnante! Châtelet et barbacane - appelée ici bollewerk — sont des témoins exceptionnels de l'art militaire du bas Moyen Âge. Conçus pour l'utilisation des armes à feu, ils défendaient l'entrée par six grilles, ponts-levis et herses, et par une étonnante collection de canonnières, créneaux et réduits de tirs.*

Antoing

1082. Zefer d'Antoing est le premier représentant connu de la famille d'Antoing qui va régner ici jusqu'au XIVe siècle.
XIIIe s. De cette époque date l'enceinte médiévale, très bien conservée sur plus de la moitié de son pourtour.
1354. La famille d'Antoing s'éteint à la mort d'Isabelle d'Antoing qui avait épousé en 1327 Jehan de Melun. Le château va ainsi passer à cette illustre Maison.
XVe-XVIe s. On doit à la puissante famille de Melun une bonne part des constructions médiévales. Ainsi, le donjon (1432) est l'œuvre de Jean de Melun, de même que la fameuse barbacane d'entrée, appelée ici «bollewerk».

L'échauguette

Longtemps utilisé pour désigner une sentinelle, le terme d'échauguette devint rapidement, dès le bas Moyen Age, synonyme de poste de garde. Placé en encorbellement, ce petit pavillon s'accrochait aux tours ou aux murailles des châteaux, flanquait les portes des villes, surmontait les beffrois.
Parfois l'échauguette n'abritait qu'un guetteur chargé de sonner du cor en cas de danger. Il s'agit alors d'une simple tourelle qui domine les alentours mais ne participe pas à la défense de la place.
D'autres échauguettes, posées aux angles saillants des courtines, accueillaient, répartis sur un ou deux petits étages, plusieurs gardes qui pouvaient prêter main-forte à la garnison en cas d'assaut.
Le XIVe siècle vit les tours des châteaux forts s'espacer. Les échauguettes défendirent des murailles de plus en plus longues. Elles devinrent ainsi de véritables petits corps de garde fermés d'où les sentinelles laissaient choir des corps lourds et lançaient, par des archères, des traits d'arbalète.
Les échauguettes survécurent à l'artillerie. Mais, dès le XVIIIe siècle, elles n'eurent plus qu'une fonction décorative et d'agrément.

Antoing, c'est d'abord une échauguette en encorbellement et cette pittoresque silhouette de belvédère d'où l'on découvre tout le Pays blanc. C'est ensuite ce donjon colossal édifié en 1432 par Jean de Melun, à cette époque une des personnalités les plus riches et les plus fastueuses de Flandre. C'est aussi ce corps de logis bâti par Yolande de Werchin, veuve de Hugues V, mais qui a subi de profondes modifications au XIXe siècle. ▷

Au siècle suivant, un corps de logis et une haute tourelle vinrent s'adosser au donjon.
1565. C'est au château d'Antoing que sont jetées les bases du Compromis des Nobles.
1634. Les Melun s'éteignent à la mort de Marie de Melun qui avait épousé en 1584 le prince Lamoral Ier de Ligne. Cette succession donna lieu à d'interminables contestations entre les Melun et les Ligne. A plusieurs reprises, le château va passer d'une famille à l'autre !
1714. Finalement, Antoing revient à la Maison de Ligne.
1860-1875. Les Ligne remanient et amplifient le château proprement dit en style néo-gothique.

La famille de Ligne

Les premiers documents authentiques mentionnant les seigneurs de Ligne datent de la fin du XIe siècle. Dans ces actes, rédigés en latin, ils sont appelés Héribrand, Walter, Thiéry et on les dit «de Lignia», c'est-à-dire originaires de la localité de Ligne, entre Ath et Tournai.
La présence des seigneurs de Ligne est attestée aux Croisades. On les trouve parmi les conseillers des comtes de Hainaut. Les voici à la célèbre bataille de Bouvines, en 1214, au premier rang de la chevalerie. «Hommes d'honneur et de grand nom», ainsi les qualifie-t-on déjà alors.
Quoi de plus éloquent que la simple énumération des titres dont les souverains se plurent à les parer? Barons dès le XIIe siècle, comtes de Fauquemberghe en 1503, princes d'Epinoy en 1592, princes de Ligne et du Saint-Empire en 1601-1602, princes d'Amblise en 1608, Grands d'Espagne en 1643, hommes d'Etat, maréchaux de France, chambellans du roi d'Espagne ou de l'empereur d'Autriche: que de gloire leurs exploits guerriers — mais aussi politiques — ne leur valurent-ils pas! Tous ne furent-ils pas revêtus, sans exception depuis le XVe siècle, du fameux collier de l'Ordre de la Toison d'Or?
Très tôt, leur carrière militaire se doubla d'interventions diplomatiques et lorsque Lamoral de Ligne, en 1601, est chargé, au nom de Philippe II, de remettre la Toison d'Or au roi Sigismond de Pologne, il revient chargé de présents et d'honneurs. Faut-il rappeler l'étonnante figure du grand Charles-Joseph? Et plus près de nous, voici Eugène de Ligne, ambassadeur du roi des Belges et président du Sénat pendant près de vingt-cinq ans.
C'est à ce prince qu'on offrit, en 1830, le trône de Belgique. Mais sa femme le poussa à refuser! Il demanda — mais sans succès — à pouvoir consulter les grandes puissances et la négociation fut rompue. Surlet de Chokier devint régent du Royaume... et Eugène de Ligne emmena sa famille en voyage, en Suisse et en Italie...
Les princes de Ligne sont enterrés sous l'église de Belœil. Le prince Florent, cependant, repose depuis 1622 dans la chapelle du château d'Antoing où il est représenté à genoux. Le mausolée est surmonté des armes des Ligne dont la devise est «Quo res cumque stat semper linea recta».

Unique! Quel autre adjectif employer pour qualifier la forteresse de Reinhardstein? Son origine, son site, son histoire, son aura légendaire, son architecture, sa reconstruction même, en font un château sans équivalent en Belgique. A le découvrir, dans son écrin de collines, dominant une gorge étroite taillée par la Warche, on comprend pourquoi les mythes s'accrochent au «château de Renaud»: l'épopée des quatre fils Aymon, la légende de la fée Mélusine, la tradition de la châsse de saint Hubert enfouie au plus profond de ses murs.
Mais si les légendes sont éternelles, les châteaux ne le sont pas. Là où, aujourd'hui, se dresse une orgueilleuse forteresse médiévale ne subsistaient, il y a quelques années, qu'un amas de pierres et des moignons de murailles. La ténacité et le talent du professeur Overloop sont à l'origine de la reconstruction, en matériaux de récupération, du seul *Burg* existant en Belgique comparable à ceux de l'Eifel. Certes le dispositif qui veillait, au XIVe siècle, sur la tranquillité des habitants de Waimes et protégeait la route vers l'Allemagne n'a pas encore été entièrement relevé. De la zone extérieure de défense ne subsistent, sur le versant nord, qu'une ancienne grange et une

1354. Sur un site où l'on a retrouvé des vestiges néolithiques et celtiques et où se sont succédé Romains et Francs, Wenceslas de Luxembourg autorise Renaud de Waimes à bâtir un nouveau château à la place d'une construction antérieure dont semblent subsister une salle voûtée et la base de certaines tours.
1442. Après l'extinction des Waimes, le château passe successivement aux Zivelle, aux Brandscheidt et aux Nassau.
1550. Par le mariage d'Anne de Nassau avec Guillaume de Metternich, Reinhardstein devient propriété de cette famille rhénane.
1677. Le donjon est raccourci pour échapper à l'ordre de démantèlement des *Burgs*, donné par Louis XIV.

La petite cour intérieure s'encastre entre le donjon, le logis et la tour contenant la chapelle au premier étage. La toiture épouse les contours irréguliers de la tour dont les saillies imposantes, sans utilité précise, ◁ *respectent le plan originel.*

demi-tour reliées jadis par un porche. Par contre, sur l'éperon rocheux au confluent de la Warche et du ruisseau d'Ovifat se dressent, dans leur intégralité, donjon, murs, tours et logis, construits en gros moellons et coiffés d'ardoise.
La salle des Gardes, la chapelle, la salle des Chevaliers et les chambres du « Pallas », le logis aux cloisons en colombage, regorgent de collections de meubles, de tapisseries, d'armures, de sculptures. Le médiéval y voisine avec le XVIIIe siècle, et cet amalgame crée une impression de vie intense.
Faire revivre le prestigieux passé international de Reinhardstein pour mieux comprendre l'avenir, telle était l'ambition de ceux qui ont relevé le château de ses ruines. Ce n'est pas pour rien que sur le « Burg Metternich », devenu un symbole, flotte depuis 1973 le drapeau de l'Europe.

Une approche véritable de la grandeur de Reinhardstein ne se conçoit que des collines environnantes. La vue du sud-est permet de distinguer au premier plan la tour restaurée dominant une terrasse gazonnée, ornée d'une fontaine du XIVe siècle. A l'arrière s'articulent le donjon à neuf niveaux et le « Pallas » reliés par une galerie, au-delà desquels trône la grosse tour nord. ▷

XVIIIe s. Les Metternich occupent Reinhardstein jusqu'à la Révolution française.
1812. Le comte de Metternich, le père du chancelier, vend le château qui va progressivement se dégrader.
1921. Vaine tentative de classement de la forteresse.
1969. Le professeur Overloop entreprend, dans le cadre d'une a.s.b.l., la reconstruction du « château de Renaud ». Il s'inspire de gravures du XVIIe s. et des *Burgs* allemands.
1971. Reconstitution du centre défensif.
1973. A la demande de l'arrière-petit-fils du prince de Metternich, la forteresse restaurée devient le « Burg Metternich ».
1977. Le site est finalement classé.
1983. Restauration de la tour sud-est.

Reinhardstein

Remontant à la nuit des temps, des marches irrégulières, taillées à même le roc, longent la base du donjon et donnent accès à la cour intérieure. ▷

Le prince de Metternich

Le prince Clément-Wenceslas de Metternich est sans conteste le membre le plus illustre de cette famille qui posséda Reinhardstein de 1550 à 1812.
Né en 1773 à Coblence, il assista, nostalgique, à l'écroulement de l'Ancien Régime en France, signe avant-coureur de la rupture de l'équilibre européen qu'allait consommer l'épopée napoléonienne. Cela ne l'empêcha pas d'entreprendre une brillante carrière diplomatique à Vienne. D'abord ambassadeur à Paris et artisan du mariage de Napoléon avec Marie-Louise d'Autriche, il devint chancelier d'Autriche en 1809. Dans cette haute fonction qu'il exerça pendant quarante ans, il incarna à merveille la défense de l'ordre établi et la résistance du conservatisme aux aspirations au changement. Lui-même d'ailleurs résuma sa position, la veille de sa mort, par son fameux «J'ai été un rocher de l'ordre».
Le nom de Metternich est indissociablement lié au Congrès de Vienne (1814-1815) où les vainqueurs de Napoléon redessinèrent l'Europe et rétablirent les souverains légitimes dans un esprit d'«alliance du trône et de l'autel». Grâce à l'habileté du chancelier, l'Autriche put faire prévaloir ses vues face aux Grands qui restaient profondément divisés.
En remodelant la carte européenne, le Congrès de Vienne sacrifia volontairement les aspirations nationales alors que les classes bourgeoises, sorties renforcées de l'industrialisation, réclamaient des Etats nationaux et des institutions libérales. Malgré une répression militaire impitoyable, l'autorité ne put empêcher les complots révolutionnaires qui, progressivement, minèrent la Sainte-Alliance réactionnaire du tsar de Russie, du roi de Prusse et de l'empereur d'Autriche. Les révoltes des colonies espagnoles d'Amérique latine, le soulèvement des Grecs contre les Turcs et la révolution belge allaient sonner le glas de ce directoire européen voulu par Metternich. Agé de septante-cinq ans, le prince tenta encore d'affronter les tumultes révolutionnaires de 1848 en s'appuyant sur l'armée, la police, le clergé et la noblesse, ses alliés de toujours. La réaction l'emporta: l'ordre fut rétabli en Autriche, les révolutions libérales nationales italienne et allemande enrayées. Il n'empêche que le vieux Metternich, forcé de démissionner de son poste de chancelier et de partir en exil, avait dû payer de sa personne pour que l'autorité des Habsbourg et la puissance autrichienne sortent renforcées de cette épreuve.
Rentré d'exil, Metternich s'éteignit à Vienne en 1859... juste à temps pour ne pas assister à l'écroulement du rêve de sa vie tout entière. Bientôt, en effet, le libéralisme et le nationalisme d'abord, le socialisme ensuite, allaient renvoyer à plus tard la nécessité d'une Europe à laquelle il s'était si obstinément dévoué.

◁ *Deux lions en pierre pré-romans, regardant vers la vaste cheminée gothique, ornent la base de l'escalier qui mène à la salle des Chevaliers. Armures, tapisserie, coffres, hallebardes, lutrin du XVe siècle ou encore Christ en bois du XVe siècle garnissent cette vaste pièce à l'ambiance toute médiévale.*

Reinhardstein

Au rez-de-chaussée de la tour nord, une cheminée du XVIIe siècle, contemporaine de la tapisserie de Bruxelles et d'une statue de Charlemagne en bois, orne la salle des Gardes. Dans le fond, on distingue un panneau qui regroupe les armoiries de toutes les familles régnantes du « Burg Metternich ». ▷

Bouillon

△
A l'endroit le plus étroit de la presqu'île formée par la Semois se dresse l'extrémité méridionale du château, surveillant les routes de Liège et de France. Tour d'Autriche, tour de guet et Batterie de France s'élevèrent successivement depuis le XVIe s. sur les anciennes fondations féodales. A remarquer, la curieuse échauguette d'époque Louis XV accrochée à la muraille et qui permettait de balayer du regard tous les arrières de la forteresse.

Cerclée de collines mais apparaissant elle-même telle une montagne, Bouillon est une des plus formidables forteresses d'Europe étalée sur près de 350 mètres de roche. Chaque pierre, chaque muraille, chaque tour y recèlent une parcelle d'une histoire millénaire. Ni les destructions, ni les transformations subies au cours des siècles, n'ont réussi à altérer sa grandeur. ▽

Godefroid de Bouillon, un nom flamboyant au firmament de l'Histoire et de la fabuleuse épopée de la première croisade! A Bouillon, le visiteur a tôt fait de constater que le « pèlerinage » aux sources de ce mythe peut être aussi une merveilleuse leçon d'architecture militaire. Le château des ducs de Basse-Lotharingie apparaît comme une des plus magnifiques forteresses féodales d'Europe. Si les siècles ont certes adapté et modifié le manoir édifié par Godefroid III le Barbu, son état actuel permet de retrouver les objectifs qui prévalurent lors de sa construction. Une boucle de la Semois, qui enserre une masse rocheuse de près de 350 mètres de long dominant la rivière de plusieurs dizaines de mètres, sert d'écrin au château. Pour s'isoler complètement, il suffisait aux bâtisseurs d'entailler la crête au sud et au nord. Entre ces deux coupures, la roche elle-même servit de fondations. Vus des hauteurs environnantes, fortins, murs et tours semblent ne faire qu'un avec le sol. Tous ceux qui, des chroniqueurs du XIIe siècle à Vauban, eurent à juger de la qualité du site, convinrent de son excellence. Le donjon haut de trente mètres, la chapelle castrale et la maison ducale ne subsistent qu'à l'état de vestiges, mais telle quelle, la forteresse conserve un souffle médiéval à nul autre pareil.

A l'extrémité sud du château, le fortin appelé « tour d'Autriche », restauré en 1551 par le prince-évêque Georges d'Autriche, retiendra spécialement l'attention. Tout commença ici. Les seigneurs de Bouillon édifièrent à cet emplacement, à l'époque carolingienne, un véritable nid d'aigle creusé à même la roche schisteuse. Quel témoignage!

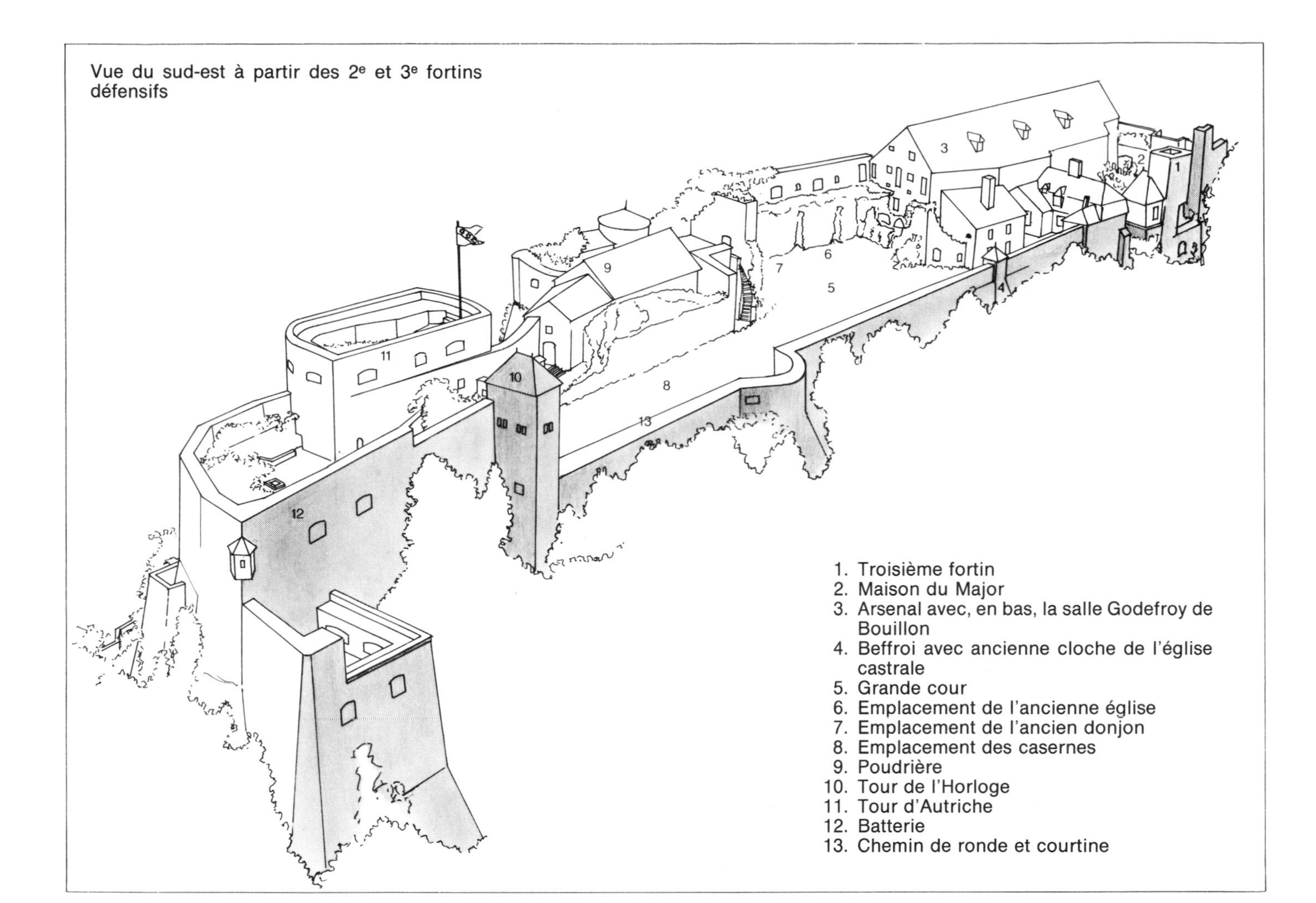

988. Existence d'un manoir fortifié.
1050-1067. Godefroid III le Barbu construit le château actuel.
1077-1095. Godefroid de Bouillon vit dans la forteresse.
1095. Les princes-évêques de Liège achètent la propriété.
XIIIe-XIVe s. De nombreux seigneurs disputent à Liège la possession de Bouillon.
1430. Les La Marck, avoués de Bouillon pour le compte de Liège, se considèrent comme les propriétaires de Bouillon.
1485. Robert Ier de La Marck devient officiellement duc de Bouillon.
1521. Défié par Robert II de La Marck, Charles Quint démantèle le château et le restitue aux princes-évêques.
1551. Georges d'Autriche relève les ruines et aménage des plates-formes pour adapter le château à la guerre d'artillerie.
1652-1653. Pendant la Fronde, Mazarin se réfugie à Bouillon.
1677. Après s'être emparé du château, Louis XIV l'offre à la famille de la Tour d'Auvergne, alliée par mariage aux La Marck. Vauban renforce le système défensif et procède à différents aménagements.
1795. La propriété des la Tour d'Auvergne passe à la République française.
1815. Quinzième et dernier siège avorté.
1815-1830. Sous le régime hollandais, aménagement de l'arsenal et des casernes, démolition de la chapelle, du donjon et de la maison du gouverneur.
1853. Déclassement de la forteresse dont la destinée devient touristique.

Godefroid de Bouillon

Le château de Bouillon évoque immédiatement la figure fameuse de Godefroid de Bouillon. On comprend que la jeune Belgique, à la recherche de héros nationaux, lui ait élevé en 1848 une fière statue équestre sur la place Royale de Bruxelles. Chef d'une des quatre armées de la première croisade, il s'illustra par son ardeur au long des combats qui jalonnèrent cette rude aventure.
Après la prise de Jérusalem, but ultime des Croisés, il se vit offrir le titre de roi, qu'il refusa par humilité. Il lui préféra le simple titre d'avoué du Saint-Sépulcre qu'il porta un an, jusqu'à sa mort en Terre Sainte en 1100.
Les origines familiales de Godefroid le destinaient-elles à cette gloire?
Il descend d'un autre Godefroid, comte de Verdun ou d'Ardenne, propriétaire dans la région de Bouillon et de Paliseul. Il fut en outre créé, en 960, premier duc de Basse-Lotharingie (ou de Lothier) par l'empereur du Saint-Empire d'Allemagne. Quelques années plus tard, quand le cœur du domaine des Verdun-Ardenne se déplaça à Bouillon, la famille fit bâtir une forteresse sur ce site que la nature semblait avoir voué au passage de troupes. Malgré la révolte, au milieu du XIe siècle, de Godefroid IV le Barbu contre son suzerain, le titre de duc de Lothier fut encore porté par Godefroid le Bossu et par son neveu, Godefroid de Bouillon.
Ce dernier, face aux dépenses énormes occasionnées par la préparation de la croisade, vendit à prix d'or la forteresse au prince-évêque de Liège Otbert qui dotait la principauté d'une bonne défense contre le royaume de France.

△
Certains spécialistes pensent que les parties les plus anciennes du château de Laarne, qui remontent au XIVe siècle, reprennent des structures contemporaines de la première croisade. Les flèches hexagonales de pierre qui coiffent étrangement les grosses tours seraient, dès lors, le résultat d'une réminiscence mauresque.

Laarne

Enjeu d'âpres luttes entre les comtes de Flandre dont il relevait et les turbulentes milices gantoises, le pentagone du château de Laarne inclut dans ses murailles un donjon carré, haut d'une vingtaine de mètres, et dispose de trois tours circulaires d'environ cinq mètres de diamètre intérieur, chacune coiffée d'une flèche hexagonale et entourée d'un chemin de ronde crénelé.
Les XVIIe et XVIIIe siècle transformèrent partiellement la forteresse en résidence seigneuriale. Gérard van Vilsteren, créé baron du lieu en 1676, aménagea une cour d'entrée avec deux ponts, dessina une cour d'honneur entourée d'un mur et pourvue de quatre pavillons réservés aux gens de service, et orna la tour orientale d'un portail à loggia Renaissance.
Comme beaucoup de châteaux, celui de Laarne s'enorgueillit d'un fantôme aux exploits légendaires. Le plus fameux se situe en 1457. Contraint d'héberger des personnages de marque, le châtelain logea l'un d'eux dans la chambre hantée. Vers deux heures du matin, l'invité fut réveillé en sursaut : tout de blanc

Comment se présentaient les châteaux du comté de Flandre aux XIe et XIIe siècles?

Il s'avère malaisé de répondre à cette question, parce que, faute de vestiges archéologiques, on connaît mal les plus anciens châteaux flamands. Pour s'en faire une idée, il faut dès lors recourir soit aux sources narratives de cette époque, souvent d'origine ecclésiastique, soit aux sources iconographiques, comme par exemple la célèbre «broderie de Bayeux» exécutée vers 1100.

En général le château flamand était construit en bois dans ce comté où la pierre faisait souvent défaut. Il s'élevait au sommet d'une motte, colline artificielle entourée de fossés profonds. Le plateau supérieur de cette butte était enclos d'une palissade de planches solidement assemblées, flanquée de tours de défense. A l'intérieur de cette enceinte se dressait une tour-forteresse, le donjon, accessible uniquement par un pont mobile enjambant le fossé. A titre d'illustration, citons le château de Merkem, situé près de Dixmude.

Une source précise nous fournit par chance la description intérieure du château d'Ardres (actuel Pas-de-Calais). Construit sur une haute motte entourée de fossés, il apparaissait sous la forme d'une tour de défense en bois à trois niveaux, érigé par les seigneurs du lieu dès le XIe siècle. Grâce à l'habileté d'un charpentier voisin, la multiplicité de passages, d'escaliers et de couloirs reliant les nombreuses pièces entre elles rendait la circulation très malaisée, ce qui, le cas échéant, aurait entravé la progression de l'ennemi. Si le rez-de-chaussée servait de cave, de réserve et de remise à outils, le premier étage comprenait la salle commune, la chambre à coucher du seigneur, le chauffoir et les locaux d'office.

Il est évident que ces donjons et ces enceintes en bois offraient peu de résistance à l'assaillant et que le feu constituait leur principal ennemi, si bien qu'en Flandre le classique château en pierre apparut au XIIe siècle. Ce changement fit progresser l'art de la guerre et développa l'usage des deux armes lourdes de l'attirail offensif: le bélier et l'échelle double.

Bayeux - tapisserie de la Reine Mathilde - Détail - Le château de Dol.

On a tenté, non sans succès, de recréer à Laarne l'atmosphère d'une résidence confortable en décorant les pièces du corps de logis d'un mobilier de provenances diverses. ▽

vêtu, un cierge allumé à la main, le fantôme s'approchait de lui. Terrorisé, le malheureux fit semblant de dormir. Quand il ouvrit à demi les yeux, il vit le fantôme percer silencieusement la muraille et en extraire de nombreuses pièces d'or et d'argent. Sa vérification minutieuse faite, le spectre remit le trésor dans sa cachette et disparut après avoir soufflé la flamme de son cierge. Le lendemain matin, l'hôte raconta sa mauvaise nuit au châtelain. Celui-ci s'empressa de faire ouvrir le mur et découvrit ainsi un fabuleux trésor. Si depuis belle lurette le fantôme de Laarne ne s'est plus manifesté, c'est peut-être parce que le château ne recèle plus de trésor. De trésor caché, en tout cas, puisque depuis 1963, Laarne abrite le prestigieux trésor d'argenterie ancienne donné par Claude d'Allemagne.

Des trois forteresses qui assuraient, dans la plaine flamande, la défense avancée de Gand, celle de Wondelgem a disparu et celle d'Oydonk a pris l'allure d'un castel de plaisance. Seul Laarne a conservé l'essentiel de son caractère féodal. ◁

L'argenterie est abondante dans plusieurs demeures seigneuriales belges. Trésor familial qui s'est constitué lentement au cours des générations, il résulte d'achats dans les villes productrices les plus proches, mais aussi de cadeaux. Le « musée de l'argenterie civile » du château de Laarne a une origine différente. Il est le fruit de la passion de Claude D'Allemagne qui, encore professeur d'athénée, furetait inlassablement dans les boutiques d'antiquaires et suivait attentivement les ventes publiques. Un jour, il abandonna l'enseignement pour se consacrer tout entier à sa collection. ▽

△
Cette tapisserie de Bruxelles de 1515-1520 évoque chaleureusement différents aspects de la vie quotidienne d'une famille seigneuriale du XVIe siècle: jeu d'échecs, broderie, conversations amoureuses, garderie d'enfants, alimentation du feu ouvert.

Laarne

Vers 1150-1157. Dierik van Massemen, seigneur de Laarne, se fait bâtir une maison forte.
Fin du XIIe s. Début de l'érection d'un château dont subsistent quelques éléments dans le sous-sol du châtelet.
1199. Bétrix de Massemen, héritière de Laarne, épouse Gérard de Sottegem.
Début du XIVe s. La forteresse de plaine sur plan pentagonal est érigée en pierre de Ballegem.
Fin du XIVe s. La chapelle établie au premier étage, dans la salle voûtée d'ogives sur culots, reçoit une décoration murale représentant les apôtres, la Nativité, le meurtre d'Abel par Caïn, le sacrifice d'Isaac.
XVe s. Laarne passe des Sottegem aux de Vos.
1452. Prise par les «chaperons blancs», les milices gantoises révoltées contre le comte de Flandre, la forteresse résiste aux assauts de l'armée bourguignonne.
1515. Jean van de Woestyne meurt sans enfant.
Par héritage, Laarne passe successivement aux de Gavere, aux de Schouthete et aux van Vilsteren.
XVIIIe s. La famille van Vilsteren-van der Meye transforme la forteresse en résidence.
1952. Propriété des Ribeaucourt, Laarne est acquis par l'Association des Demeures historiques de Belgique.
1962. Début d'une campagne de restauration.
1963. Année de la donation d'argenterie Claude d'Allemagne.

Lorsque le promeneur s'attarde au château de Gaasbeek et dans le parc vallonné de quarante hectares qui lui sert d'écrin, il ne se rend certes pas compte que s'y sont déroulés des malheurs à n'en pas finir. Peu de nos châteaux ont en effet été les témoins d'autant de vicissitudes.

Et cependant la naissance de la forteresse résulte, en quelque sorte, de la reconnaissance du duc de Brabant. En effet, le futur constructeur de Gaasbeek, Godefroid de Louvain, fils aîné du duc Henri Ier, renonça à la succession paternelle en faveur de son frère Henri. Il reçut de ce dernier, en marque de gratitude, la seigneurie de Gaasbeek, avec un revenu de mille livres de Louvain, assuré sur les territoires de Lennick et de Leeuw-Saint-Pierre.

Vingt-six ans plus tard, les malheurs commençaient puisqu'à la suite d'une sombre histoire de famille, la duchesse douairière Alice de Bourgogne mit à sac le château.

En 1336, Guillaume de Hornes succéda aux seigneurs de la maison de Louvain. Il donna à une de ses filles la seigneurie de Gaasbeek. De son union avec Gisbert d'Abcoude naquit le turbulent et vindicatif Sweder d'Abcoude qui fit beaucoup parler de lui dans le Payottenland. Alors que, maître d'une position stratégique essentielle, il était censé endiguer les attaques des comtes de Flandre et de Hainaut contre Bruxelles, Sweder d'Abcoude tenta d'étendre sa domination à quelques villages dépendant de Bruxelles. Mal lui en prit, car il trouva en face de lui l'échevin Everard 't Serclaes. Les Bruxellois accusèrent le seigneur de Gaasbeek d'avoir hébergé les assassins de leur héros. Ils entreprirent un siège long de cinq semaines et détruisirent la forteresse.

Maximilien de Hornes reconstruisit le château. Mais à peine Lamoral d'Egmont en était-il devenu le châtelain qu'un nouveau malheur ternit l'histoire du domaine: le 5 juin 1568 Lamoral d'Egmont et Philippe II de Hornes furent décapités sur la place du Marché à Bruxelles.

Confisquée en même temps que tous les biens du comte d'Egmont, la seigneurie fut achetée, au début du XVIIe s., par René de Renesse. Une gravure d'époque, publiée par J. B. Grammaye, nous montre un château fort encore ceinturé de douves dont le châtelet est flanqué de deux massives tours d'angle. La tour dite de Charles Quint, dont l'érection est attribuée à Maximilien

La restauration entreprise de 1887 à 1898 par la dernière marquise Arconati-Visconti a accentué le raffinement des façades donnant sur la cour intérieure. Le mariage de la brique rose et de la pierre blanche correspond au goût de Gérard de Nerval. Mais les incongruités ne manquent pas. Au centre de l'aile occidentale, deux pignons à gradins cohabitent curieusement avec des éléments décoratifs classiques. A l'angle gauche du bâtiment, une échauguette ne doit son existence qu'à l'influence de Viollet-le-Duc. Dans le parc, le puits constitue une réplique de celui du musée de Cluny à Paris. ▽

△
Du côté des douves, la tour d'angle, massive à souhait, révèle encore le caractère défensif de la forteresse médiévale. Sous la toiture, l'alignement des meurtrières a été maintenu, comme a été maintenu le soubassement en moellons de la muraille qui rejoint une tour sortie de l'imaginaire des restaurateurs. Celle-ci offre un véritable catalogue d'architecture militaire: corbeaux, créneaux, merlons, tourelle de guet...

Gaasbeek

L'échevin de Bruxelles et le châtelain de Gaasbeek.

Il n'est sans doute pas un Bruxellois qui n'ait, un jour, caressé de la main, à l'ombre de l'hôtel de ville, le gisant de cuivre d'Everard 't Serclaes.
L'heure de gloire de ce héros né vers 1320 sonna en 1356. Le comte de Flandre Louis de Male s'opposa à la succession au duché de Brabant de sa belle-sœur Jeanne et envahit les principales cités brabançonnes. Everard commanda un habile coup de main qui libéra Bruxelles de l'occupant flamand. Cette victoire lui valut d'être fait échevin de sa bonne ville.
En 1388, Jeanne de Brabant donna en gage des terres brabançonnes au redoutable Sweder d'Abcoude, seigneur de Gaasbeek, ce qui provoqua la colère de 't Serclaes. La fatalité voulut que, un jour de mars, l'échevin bruxellois croisât, à Vlezembeek, sur la route de Lennick-Saint-Quentin, le bailli de Gaasbeek et un des bâtards de Sweder. Les deux hommes se jettèrent sur leur ennemi et lui tranchèrent un pied et une partie de la langue. Ramené à Bruxelles, le vieillard mourut exsangue dans la maison de l'Etoile d'où il avait arraché, trente-deux ans plus tôt, l'étendard de Flandre.
Cependant ce crime odieux ne devait pas rester longtemps impuni puisque les concitoyens d'Everard s'en furent aussitôt incendier le château de Gaasbeek. La tradition rapporte que, tout à leur esprit de vengeance, les Bruxellois n'en avaient pas pour autant oublié d'emporter des provisions de bouche, en l'occurrence des monceaux de volailles. Cette préoccupation leur valut de porter désormais le prosaïque sobriquet d'« avaleurs de poulets » (« Kiekefretters »)!

◁ *Un châtelet d'entrée monumental précède un imposant donjon en pierre, surmonté d'une tourelle de guet. Le lourd tympan a été doté au XIXe siècle d'un lion brabançon totalement démesuré, mais qui impressionne toujours...*

de Hornes, est coiffée d'une toiture pyramidale, tandis qu'un toit conique couronne la tour dite de Lennick.
Mais le malheur était de nouveau proche: en 1684, les Français brûlèrent Gaasbeek et les villages voisins; en 1695, ils bombardèrent le château.
En 1695, Gaasbeek passa aux Scokart qui modernisèrent le château en abattant une partie des tours et des énormes murailles. En épousant en 1767 le marquis Galéas Arconati-Visconti, Henriette Scokart ramena au château un climat de conspiration, puisqu'en 1821 Joseph Arconati fut condamné à mort par contumace en Italie pour avoir suscité la révolte « contre le gouvernement légitime autrichien. »
Heureusement, un demi-siècle plus tard, la fantasque Marie Peyrat, devenue par son mariage marquise Arconati-Visconti, entreprit la restauration du château en s'inspirant des principes de Viollet-le-Duc: la nouvelle galerie semble copiée sur celle du château de Compiègne et la salle des chevaliers sur celle du château de Pierrefonds. L'« ange de l'athéisme », comme l'appela Gambetta, accueillit à Gaasbeek les militants les plus actifs de la laïcité et rassembla quelque 1100 œuvres d'art de grande valeur, notamment des sculptures originales, des orfèvreries, des peintures anciennes comme le célèbre portrait de Marie de Bourgogne au faucon, des meubles d'époque, des étoffes rares, des tapisseries de Bruxelles.
Grâce à elle, et au-delà des vicissitudes de l'Histoire, le château de Gaasbeek est actuellement un riche musée que l'on visite avec beaucoup de plaisir. En été, son magnifique parc est une attraction de choix.

Vers 1240. Construction de la forteresse par Godefroid de Louvain et son épouse Marie d'Audenaerde.
1262. La duchesse Alice de Bourgogne met à sac le château.
1336. Gaasbeek passe à Guillaume de Hornes qui donne la seigneurie à une de ses filles.
1388. Les Bruxellois assiègent le château et le saccagent.
Début du XVe s. Reconstruction du château.
XVIe s. Edification par Maximilien de Hornes d'une résidence seigneuriale de style Renaissance.
1565. Lamoral, comte d'Egmont, achète le domaine.
1615-1633. René de Renesse, comte de Warfusée, rachète le château, le restaure et construit de nombreuses dépendances.
1695. L'artillerie du maréchal de Villeroy bombarde Gaasbeek.
1695. L. A. Scokart rachète le château à J.P. l'Escornet et le modernise.
1803. Construction de l'arc de triomphe par le marquis Arconati-Visconti, en hommage à Napoléon.
1921. Gaasbeek, domaine de l'Etat.

L'espace intérieur du château de Gaasbeek a été habilement remodelé, tout en gardant certains éléments originels du XVIe siècle. De toute évidence, les restaurateurs se sont ingéniés à recréer l'esprit du musée de Cluny, notamment pour les escaliers et les portes. ▷

Les armures à la Renaissance

Les armures connurent un grand essor au XVe siècle. Deux styles différents se développèrent: la façon allemande ou gothique, reconnaissable à ses lignes brisées, et la manière italienne, tout en courbes, qui allait faire la fortune des fabricants milanais. Dans nos régions, les deux styles se combinèrent.

Pour les gens fortunés, il était aisé de commander une armure sur mesure: il suffisait d'envoyer à un armurier des habits, grâce auxquels le fabricant garantissait un travail minutieux et ajusté!

Mais, plus qu'objet de mode, l'armure était un moyen de protection au combat. A ce titre, elle devait résister aux carreaux d'arbalète et aux projectiles des premières armes à feu. Sur certaines cuirasses de collection, la trace de la balle d'essai est toujours repérable.

Pour devenir plus efficace, l'armure finit par compter jusqu'à cent pièces. Un casque d'un nouveau modèle, l'armet, s'imposa. Sur sa partie supérieure hémisphérique étaient fixées, par des charnières, deux pièces latérales amovibles qui se verrouillaient au menton. Complété par un gorgerin qui protégeait le cou, il rendit quasi superflue la fameuse cotte de mailles chère au chevalier médiéval.

Des plaques métalliques de complément, les tassettes, prolongèrent vers le bas le plastron qui couvrait la poitrine et la dossière à l'arrière.

Les armuriers portèrent également un intérêt accru à la sauvegarde des articulations du combattant: les épaulières, les genouillères et les cubitières devinrent plus amples et se cintrèrent.

Tous ces perfectionnements n'empêchèrent pas les armes à feu portatives de s'imposer sur les champs de bataille dès le début du XVIe siècle. Comme les fabricants ne pouvaient renforcer les cuirasses sans rendre leur poids insupportable, l'armure de guerre tomba en désuétude. Seule l'armure d'apparat allait continuer à exercer sur la noblesse son pouvoir de fascination.

1. Crète
2. Timbre
3. Vue
4. Ventaille
5. Gorgerin
6. Épaulière
7. Arrêt de lance
8. Plastron
9. Brassard
10. Cubitière
11. Gantelet
12. Tassette
13. Cuissard
14. Genouillère
15. Jambière

△ *Le donjon qui, dès le XIIe siècle, se dressait au confluent de la Lys et de la Lieve occupait une position tout à la fois stratégique et commerciale. Sa construction favorisa le développement du* portus gandavum, *noyau de la cité de Gand, bien que le Gravensteen ait été construit dans le secteur occidental de la ville médiévale.*

La gravure de Sanderus ne permet pas seulement de mesurer la transformation du « Steen » depuis le XVIIe siècle; elle nous détaille avec autant de précision que de charme son environnement. Maisons et boutiques du Vieux Bourg cernent littéralement une partie des murailles de la forteresse. ▽

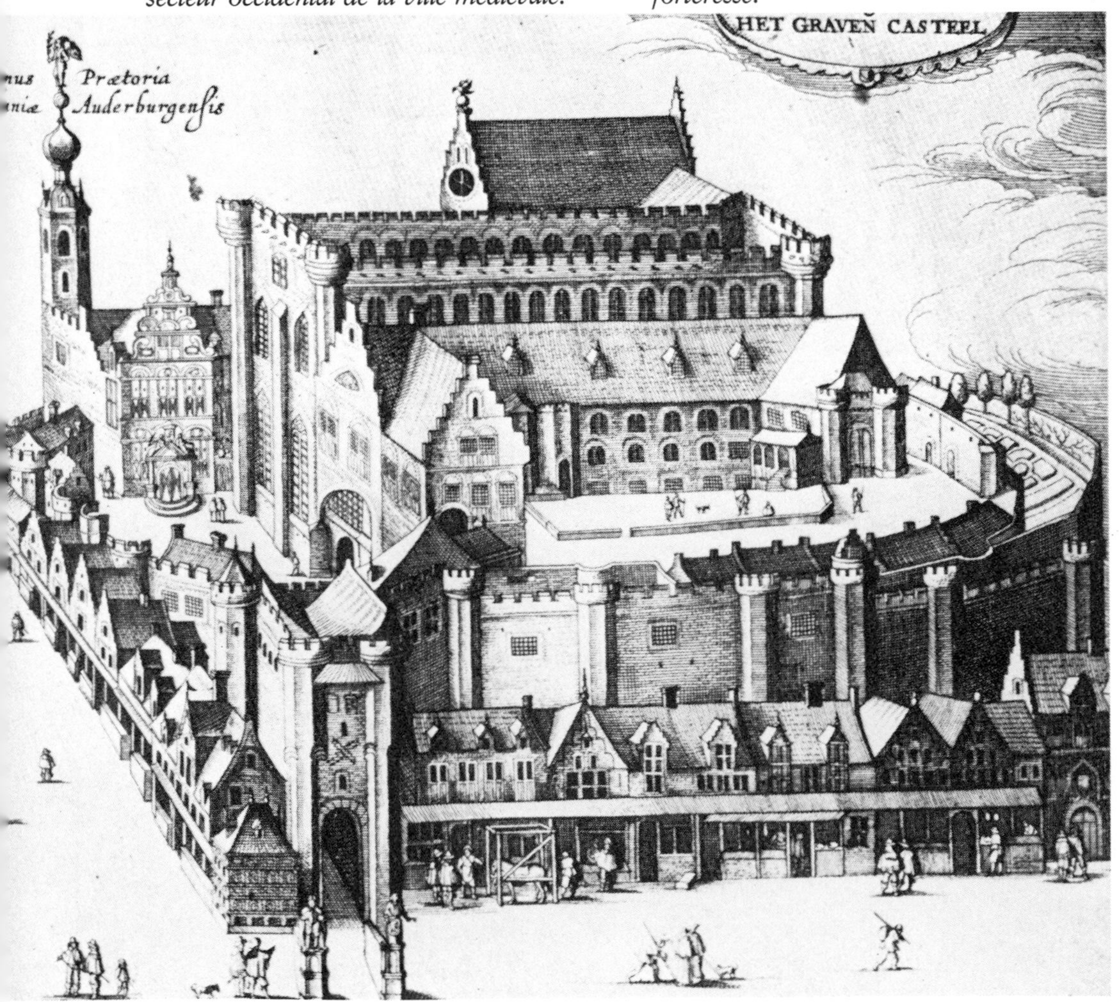

Est-il vrai, selon le poète, que le nombre vingt-quatre soit sacré à Gand ? On pourrait le supposer puisque vingt-quatre tourelles défendaient la cité scaldienne et que l'enceinte du château des Comtes en totaliserait autant. S'il faut en croire l'inscription latine qui surmonte la porte d'entrée du châtelet, Philippe d'Alsace, comte de Flandre et de Vermandois, entreprit en 1180 la construction du château fort dans la partie occidentale de la ville. Le chroniqueur Gislebert de Mons assure qu'il ne s'agissait pas seulement de jouer le rôle traditionnel d'une forteresse, mais aussi de « mater l'arrogance excessive des Gantois orgueilleux de leurs richesses ».

Etablie dans l'axe de la Lys, la forteresse de Gand passait pour la plus redoutable du pays. Du haut du donjon, on surveillait tout le trafic fluvial.

Au cours de son histoire, le château connut divers heurs et malheurs.

En 1302, les échevins de la ville se rallièrent à l'occupant français et décidèrent un nouvel impôt. Pris à partie par la population déchaînée, ils cherchèrent refuge au château, mais durent se résoudre à se rendre quand les Gantois boutèrent le feu à une partie de la forteresse.

En 1338, au début de la guerre de Cent Ans, le comte Louis de Nevers décida, par loyauté envers ses alliés, de rompre avec l'Angleterre. Cette résolution condamnait évidemment l'industrie et le commerce gantois. Jacques van Artevelde déclencha l'insurrection.

Quand les émeutiers réussirent à ouvrir une brèche dans le mur d'enceinte du château, Louis de Nevers fut contraint d'accepter les conditions de ses sujets.

Après 1355, les comtes de Flandre abandonnèrent le Gravensteen. Ceci n'empêcha pas Philippe le Bon, en 1455, d'y donner, dans la salle inférieure du donjon, un somptueux banquet lors du septième chapitre de la Toison d'Or. Et aujourd'hui ? Le château des Comtes reste planté en plein cœur de la cité flamande. Même les Gantois ont perdu leur « arrogance excessive » !

Tout comme le palais ou « maison du comte », la galerie romane date du XIIIe siècle. Sa beauté réside dans la rigueur romane du jeu des arcs et des colonnettes à chapiteaux, qui se répètent à des profondeurs et des niveaux différents. ▷

L'actuel donjon, du type des keeps *anglo-normands, mesure environ vingt-sept mètres sur dix et s'élève à une trentaine de mètres de hauteur. Depuis sa plate-forme crénelée on a vue sur Gand, dont le chroniqueur Froissart disait qu'elle « est assise et située en la croix du ciel ».* ▽

Château des Comtes

Fin du Xe s. - début du XIe s. Erection d'une construction en bois.
Fin du XIe s. De cette époque datent les vestiges de la résidence comtale dans les caves du donjon.
1128. Thierry d'Alsace s'empare du donjon qu'occupaient les partisans de Guillaume de Normandie.
1180. Philippe d'Alsace modifie et renforce le château.
Fin du XIIIe s. Le château des Comtes est enclavé dans la ville, ce qui entraîne la suppression d'une partie des douves.
1355. Le comte Louis de Male, beau-père du duc de Bourgogne Philippe le Hardi, délaisse le château, qui abrite désormais l'hôtel des monnaies, le tribunal princier et la Cour judiciaire pour la châtellenie.
1407. Installation du greffe du Conseil des Flandres.
1778. A la suite du déménagement du Conseil des Flandres, une partie des bâtiments est vendue à l'architecte Denis Brismaille. Une filature de coton y sera établie.
1872. La Ville achète le châtelet d'entrée avec l'appui de la Province et de l'État.
1889. A la suite de l'acquisition de l'ensemble du monument par l'Etat, la ville de Gand et la province de Flandre orientale, début d'une campagne de restauration qui se poursuivra jusqu'en 1912.
Novembre 1949. Des étudiants de l'université de Gand s'emparent du château. Leur farce ne durera que quelques jours...!

Les mœurs étaient belliqueuses dans le Condroz du XIIIe s. et les prétextes de bagarres ne manquaient pas. Un exemple ? Un jour, un certain Engoran offrit en vente, à la foire d'Andenne, une vache volée. Rigaud, un paysan, reconnut son bien. Criailleries, coups de poing. Appelé sur les lieux, Jean de Haloy, bailli du Condroz, força le voleur à avouer son forfait et lui enjoignit de reconduire l'animal là où il l'avait dérobé. A peine Engoran eut-il posé le pied sur le sol condruzien que les quatre sergents chargés de l'escorter l'empoignèrent et, sans autre forme de procès, le pendirent haut et court ! C'était cependant attenter aux droits de haute et basse justice du seigneur de Goesnes de qui relevait Engoran. Pourquoi cette anecdote ? Parce qu'il n'en fallut pas davantage pour déchaîner une guerre qui, de 1275 à 1277, coûta la vie à 15 000 personnes et causa la ruine de plus de cent villages !

Un des épisodes de cette « guerre de la vache » mit aux prises les Dinantais, sujets du prince-évêque de Liège, et les hommes du comte de Namur, défenseurs du donjon de Spontin aux robustes murailles hautes de 17 m.

Forteresse d'une seigneurie parmi les plus puissantes du comté de Namur, ce rectangle de trente mètres sur quarante fut maintes fois assiégé, mais les assauts les plus fougueux des gens de Huy, de Dinant, de Fosses, de Liège ou du duc de Nevers ne réussirent pas à altérer l'aspect que lui avaient donné progressivement les différentes phases de sa construction.

Le donjon en gros moellons de calcaire a gardé l'essentiel de son dispositif initial, ses percements soignés, son puits, et même le réduit du deuxième étage qui abritait une latrine. Toutefois, au XVIe s., on creusa des fenêtres à croisée ou à traverse aux deux niveaux supérieurs.

Le châtelet date de la fin du XIVe siècle. Ses deux tours circulaires se terminent par un étage en encorbellement et les mâchicoulis s'ouvrent sur un pont-levis qui donne accès au portail en plein cintre. Les tours d'angle de l'ancienne enceinte, plus fines que celles du châtelet, présentent également un étage en saillie. Le XVIe siècle vit la forteresse se transformer en résidence; un élégant corps de logis remplaça les courtines qui s'élevaient de part et d'autre du châtelet. Au rez-de-chaussée, l'une des plus vastes pièces de l'aile sud s'ordonne autour d'une imposante cheminée baroque que l'on croit de facture liégeoise. Si la restauration entreprise en 1850 par l'architecte Auguste Van Assche a quelque peu modifié certains éléments du château de Spontin, du moins n'a-t-elle pas défiguré cet incomparable complexe castral le long duquel continuent à cascader les eaux limpides du Bocq.

Au centre de la façade principale qui donne sur la haute cour, les deux tours du châtelet veillent sur un passage étroit de 2,20m, couvert d'une voûte surbaissée. Le niveau supérieur de ces tours et l'étage des tours d'angle, en brique, sont postérieurs à l'ensemble de la construction qui date de la fin du XIVe s. ◁

△ *Les abondantes eaux vives qui enserrent une partie du château rappellent qu'à l'origine Spontin était une maison forte construite sur un îlot du Bocq.*

Spontin

Cette pièce joliment proportionnée a conservé une cheminée du XVIe s. dont les montants prismatiques sont terminés par une tête humaine. ▽

1266. Renaud, sire de Han, donne le fief de Spontin au comte Henri de Luxembourg.
1275-1277. «Guerre de la vache».
1289. Henri de Luxembourg cède Spontin au chevalier Guillaume de Beaufort.
1313. Enlevée par les Dinantais et les Hutois, la forteresse est reprise, quatre jours plus tard, par le seigneur de Spontin.
1380. Le «chastial, le ban et la terre» de Spontin relèvent de la prévôté de Poilvache.
1429. Les Liégeois assiègent en vain le château.
1465. Les Dinantais ravagent Spontin.
1518. Spontin passe par alliance aux Glymes de Florennes.
1554. Le duc de Nevers fait le siège de la forteresse.
1577. Occupation par les troupes des Etats, lors de l'insurrection contre Philippe II.
1571-1587. Rénovation du château.
1753. Les Beaufort-Spontin récupèrent le château.
1850. Restauration entreprise par l'architecte Auguste Van Assche.
Actuellement. Les Pierpont-Surmont sont propriétaires du château.

Les quatre figurines du puits de Spontin, traitées largement et dont les torses surgissent de colonnettes ornées de dessins géométriques, font immédiatement songer au « Bassinia » qui orne la grand-place de Huy. Si nous datons ces diablotins du début du XVe s., la fine dentelle de fer forgé dont la pyramide se termine en couronne est nettement postérieure.

Vèves

La description qu'Englebert Desbois, évêque de Namur, donne vers 1630 du château de Vèves convient toujours parfaitement: « Ung beau fort chasteau basty de pierres avec six a sept tant tours que tourillions flanquans de tous costez, le tout couvert d'ardoises, scitué sur un rocher. »
Au premier abord, on est frappé par son élégance et sa sveltesse. Accroché à la masse rocheuse qui commande les vallées du Ry de Vèves et de la Mirande, le castel construit en forme de pentagone irrégulier semble plus appartenir à un monde féérique que guerrier. Et pourtant certaines de ses caractéristiques prouvent qu'il s'agit bien d'une forteresse. Donjon avant qu'on ne la perce de fenêtres à linteaux triangulaires, une grosse tour de 38 m de hauteur et de 8 m de diamètre aux multiples meurtrières domine l'entrée; une courtine la relie aux quatre autres tours.
La tradition (que ne confirme aucun texte) rapporte que le premier château de Vèves fut construit au VIIe s. par Pépin de Herstal, qui avait été attiré dans cette région par l'ermitage de saint Hadelin. Le nom du village de Celles rappelle d'ailleurs que le saint homme y occupait une « cellule ».
Il est certain, par contre, qu'une forteresse existait au XIIe s. et que, détruite vers 1200, elle fut reconstruite à partir de 1230. Les Beaufort resteront les seigneurs de Vèves jusqu'en 1761, date à laquelle Marie-Robertine de Beaufort épousa Jacques-Ignace de Liedekerke.
Le château de Vèves a subi de nombreuses modifications au cours des siècles. Citons par exemple la construction d'une galerie ouverte de style Renaissance qui longe la cour intérieure, du côté de la façade nord-ouest. Ses deux balcons en bois et son colombage font penser à la Normandie ou à l'Eifel!
L'intérieur du château retrouva sa beauté d'antan grâce à la restauration entreprise par le comte Christian de Liedekerke Beaufort. Il restitua à la « fort grande salle d'armes » sa cheminée gothique du XVIe s. et son dallage en grès de Chevetogne et de Spontin, à la vieille cuisine la crémaillère ornée d'un poisson. Quant aux appartements « pour loger princes et grands seigneurs », ils ont été décorés dans les styles Louis XV et Louis XVI; tableaux, porcelaines et gravures anciennes révèlent encore le soin apporté à la rénovation du château.

Hérissé de tours qui prolongent l'abrupt de l'éperon rocheux, le château fort de Vèves semble encore répondre au jugement que l'évêque Englebert Desbois donnait vers 1630: « Ne se peut saisir icelluy chasteau qu'a force de canon ou par surprise autrement ».

La remarquable galerie en colombage de la cour comporte deux mezzanines superposées. Le torchis rose y est égayé par les avant-soliers qui soutiennent chaque étage en encorbellement et les décharges, pour la plupart en croix de Saint-André. L'évêque de Namur ne parle pas de cette galerie dans sa description de 1630. Il semble pourtant qu'elle existait depuis la fin du XVe siècle et qu'elle se prolongeait alors, en retour d'équerre, à l'emplacement de ◁ l'actuelle salle d'armes.

Vers 660. Fondation du monastère de Celles par saint Hadelin, moine de Stavelot.
XIIe s. Le château de Vèves appartient aux seigneurs de Celles, issus de la lignée des Beaufort, par suite du mariage du chevalier Wauthier de Beaufort avec Ode de Celles.
Vers 1200. Destruction du premier château.
XIIIe-XIVe s. Construction de la nouvelle forteresse.
XVe-XVIe s. L'artillerie de l'époque impose la construction de gros murs en calcaire qui renforcent les anciennes courtines.
Fin du XVe s. Création d'une galerie ouverte du côté de la façade nord-ouest.
XVIIe s. Edification d'un portail Renaissance avec bossage à pointes de diamant.
Début du XVIIIe s. Reconstruction de la façade en brique de l'aile orientale de la cour.
XVIIIe s. Une nouvelle voie d'accès permet de monter au château en carrosse.
1761. Par le mariage de Marie-Robertine de Beaufort avec le comte Jacques-Ignace de Liedekerke, le château passe aux Liedekerke.
1793. Le château est ravagé par les révolutionnaires français.
1914. Destruction de la ferme extérieure.
Actuellement. Le comte Christian de Liedekerke Beaufort anime l'activité de la «Ligue des Amis du Château de Vèves», dont il est le président.

Vèves

Devant la cheminée dont le trumeau représente naïvement le château de Vèves, la table a été dressée avec raffinement. Porcelaine fine, verres de Baccarat, nappe à dentelle, tout est prêt pour le dîner. Le comte Auguste de Liedekerke Beaufort que Napoléon venait de nommer sous-préfet à Amiens, aurait pu y inviter sa toute jeune femme Charlotte de la Tour du Pin. Mais c'est au proche château de Noisy qu'il s'arrêta pour sa nuit de noces. ▷

Dans l'aile gauche du château, la grande salle d'armes a retrouvé, depuis quelques années, son impressionnante cheminée gothique du XVIe siècle. On pouvait y brûler d'immenses bûches; la chaleur dégagée permettait au moins de chambrer le vin, faute de réchauffer les hôtes! Le pavement de champ en grès de Chevetogne et de Spontin est d'une qualité exceptionnelle. ▷

Beersel

Un jour de 1887, dans la salle de la herse située au premier étage du château, un visiteur illustre écrivit :

Il gît là dans le val, le manoir solitaire;
Le moindre bruit s'est tu sous ses mornes arceaux
Et chaque heure du jour voit tomber une pierre
De ses sombres créneaux.

Victor Hugo — car c'est de lui qu'il s'agit — aimait rêver dans les ruines, et le château de Beersel lui plut beaucoup.
Dix ans plus tard, le 15 septembre 1897, les membres de la Société d'Archéologie de Bruxelles visitèrent à leur tour Beersel. Ils n'avaient pas l'âme romantique du poète, et leur désolation fut à l'image du délabrement de la forteresse. Dans son rapport, Paul Saintenoy nota : « Dans la cour nous avons vu les débris d'une riche verrière paraissant dater de la fin du XVe siècle par ses formes très flamboyantes. »
Quelques années auparavant, le célèbre architecte Viollet-le-Duc se serait intéressé à la restauration du château. Il aurait exécuté un beau dessin de la forteresse, mais par une étrange méprise, aurait fait du château en brique une construction en pierre !
Heureusement, le château put renaître de ses ruines.
Il eût été tragique que disparaisse ce précieux vestige de l'art militaire brabançon du XIIIe siècle, ce témoignage extraordinaire d'une époque où une ligne de châteaux de plaine ceinturait Bruxelles.
Pour Herman Teirlinck, écrivain flamand qui vécut à quelques centaines de mètres du château, Beersel apparaît comme une grande caravelle. C'est vrai que, vu de l'ouest, le château invite à l'évasion à travers les siècles. Cette forteresse de forme elliptique bénéficie d'un beau système défensif. Grâce à ses épaisses murailles, grâce à ses larges douves alimentées par deux ruisseaux, grâce à sa zone de marécages vers l'est, le sud et l'ouest, elle donna beaucoup de fil à retordre à ses assaillants.
Au cours de sa longue histoire, Beersel ne fut pris qu'une seule fois, en 1489, par les milices bruxelloises révoltées contre l'empereur Maximilien d'Autriche. Et encore durent-elles s'y reprendre à deux fois ! Mais devant l'artillerie et les échelles de Philippe de Clèves, Guillaume de Ramilly qui défendait la forteresse dut se rendre.
Beersel, toutefois, fut bien vengé : restauré aux frais des Bruxellois que Maximilien avait acculés à une sanglante défaite, le château vit ses archères s'élargir pour accueillir des couleuvrines, petits canons très en vogue et d'un maniement aisé. En outre, le seigneur de Beersel, Henri III de Witthem, créé chevalier de la Toison d'Or et chambellan de Charles Quint, devint un des grands personnages de son temps.
Au XVIIe siècle, le château changea d'aspect puisque ses trois tours, jusque-là terminées en plates-formes, furent surmontées d'un toit pointu couvert d'ardoises.
Toujours intact à la fin du XVIIIe siècle, en ruine au XIXe siècle, le château bénéficia en 1927 d'une restauration destinée à lui rendre son aspect du XVIIe siècle.
Flâner aujourd'hui à Beersel permet de donner libre cours à l'imagination et à la fantaisie. Hergé, le père de Tintin, promenait volontiers ici ses rêveries peuplées d'aventures...

◁ *La tour ouest dont le pignon se découpe sur le ciel brabançon et la courtine couverte qui y donne accès confèrent à cet ancien château de plaine une impression de force alliée à la grâce.*

Voilà comment, depuis des siècles, les hirondelles voient le château de Beersel. On comprend que les assaillants aient souvent hésité à entreprendre un siège qu'ils savaient voué à l'échec. ▷

XIIIe s. Construction du château par Godefroid de Hellebeke.
1357. Endommagé par les troupes de Louis de Male, le château fort subit quelques réparations.
1357. Jean de Witthem épouse Marie de Stalle qui lui apporte la seigneurie de Beersel en dot.
1488-1489. Sièges des milices bruxelloises et reconstruction partielle.
1585-1606. Pendant les troubles religieux, les moines de Sept Fontaines se réfugient à Beersel.
1640. La forteresse passe par héritage au duc d'Arenberg.
1745. Le capitaine Vellemans est locataire du château.
1818. Etablissement d'une manufacture de coton dans les bâtiments.
1927. Le château est offert à la «Ligue des Amis du château de Beersel» qui charge Raymond Pelgrims de Bigard de sa restauration.
1948. Don du château fort de Beersel à l'Association royale des Demeures historiques de Belgique.

Avec ses douves profondes où se reflètent les chemins de ronde à mâchicoulis, ses trois tours à échauguettes et ses pignons à redans, le château de Beersel a retrouvé une allure qui plairait aux romantiques. ▷

La tour d'entrée, vue de la cour intérieure, n'a pas l'aspect impressionnant de l'extérieur. Il est vrai qu'au second étage se trouvait la chambre à coucher des châtelains, et il a donc fallu allier la rudesse ◁ *militaire à une certaine élégance civile.*

Beersel

◁ *Les pièces intérieures impressionnent autant que les murailles extérieures du château. La salle de justice située au rez-de-chaussée du donjon propose des instruments de torture qui en disent long sur la cruauté de l'époque.*

Douves, ponts-levis, herses et portes.

Le Moyen Age guerrier ne connaissait que le combat rapproché: la porte constituait donc le talon d'Achille de la défense du château fort. Aussi était-elle habituellement percée entre deux tours, de manière à croiser vers l'entrée les tirs des assiégés. Lors de l'attaque d'une forteresse, les assaillants avaient d'abord à franchir des fossés inondés, les douves. Il leur fallait ensuite s'attaquer à une barbacane, petit fortin avancé situé dans le prolongement de l'entrée. S'ils s'en emparaient, ils se trouvaient nez à nez avec un autre fossé muni d'une simple passerelle amovible.
Un dispositif plus complexe remplaça ensuite cette passerelle qui partait toujours du bord extérieur du fossé (ou contrescarpe) mais s'arrêtait à un échafaudage de bois (ou pile) émergeant du milieu des douves. Cette pile était elle-même reliée à la porte d'entrée par un pont-levis enjambant l'autre partie du fossé. Articulé sur charnière, ce pont-levis était bien entendu manœuvré de l'intérieur. Et, on s'en doute, en cas de siège, la passerelle était démontée et le pont-levis relevé! Si l'ennemi était venu à bout de tous ces obstacles, il se trouvait devant une herse barrant l'accès de la porte. Cette grille, faite de pièces de bois renforcées par des lames de fer, coulissait verticalement le long de rainures pratiquées dans les murs latéraux. Sa partie inférieure était pourvue de dents d'une quarantaine de centimètres de hauteur revêtues de sabots de fer. La herse pouvait être relevée au moyen de câbles et de poulies ou par un treuil placé à un endroit particulièrement bien protégé de l'étage. Il arrivait même que l'on raffinât la défense en prévoyant deux herses successives dont la manœuvre se faisait depuis deux postes de commande bien séparés! Quant au dernier rempart, c'est-à-dire la porte proprement dite, il était fait de vantaux de bois dur, parfois blindés et renforcés par des clous à grosse tête et longue tige. Du côté intérieur, une forte poutre coulissait à mi-hauteur de la porte, dans des cavités pratiquées dans les ébrasements latéraux. Dans les derniers siècles du Moyen Age, le pont-levis se transforma souvent en une sorte de pont à bascule: la manœuvre des portes basculantes, munies d'un contrepoids, n'exigea plus l'utilisation d'un treuil de levage. Ce nouveau type de pont-levis, dit aussi à flèche ou à fléaux, devint courant en Europe occidentale vers le milieu du XVe siècle.

INVITATORIU REGEM CUI OMIA VIVUNT VENITE ADOREM'
VENITE EXULTEM' DNO IUBILEM' DEO SALUTARI NRO

Tours-donjons et maisons fortes

L'Histoire, comme la mer, est toujours recommencée.
Lorsque l'empire de Charlemagne se désagrégea, on vit une multitude de petits seigneurs profiter de l'affaiblissement du pouvoir central pour affirmer leur autorité.
Et au XIIIe siècle, donjons et maisons fortes pullulaient sur notre sol.
Car nous n'avons rien inventé.
Au Moyen Age déjà, on se mesure aux terres que l'on possède, à la forteresse que l'on détient.
Et, curieusement, à la hauteur du donjon que l'on édifie !
Le chevalier s'impose ainsi au-dessus de la piétaille qui, elle, doit se contenter de vivre au niveau du sol.
Sans doute le souci de défense l'emportait-il souvent sur ces considérations de prestige.
Voici des douves, des hourds, puis des créneaux et des mâchicoulis.
Quel malin plaisir ne prenait-on pas à parsemer d'obstacles le chemin des Normands, pillards et autres visiteurs belliqueux !
Dans ces donjons inconfortables, aux murs nus et où caquetait la volaille, l'atmosphère était austère. Et la vie bien fruste.
Imagine-t-on que seule une échelle permettait de se hisser d'un étage à l'autre ? Notre escalier ne la remplace qu'au XIVe siècle, en même temps qu'un manoir venait s'accoler au donjon.
Au siècle suivant, l'artillerie bouleverse une architecture faite pour le combat rapproché.
Les donjons sortent alors des brumes du Moyen Age, étonnés d'avoir été si utiles.

J. Fouquet : « Les Heures d'Etienne Chevalier » (Chantilly)

Lavaux Ste-Anne

△
Contre l'aile sud, cette tourelle à cinq pans abrite la chapelle. A côté, surplombant les douves, une annexe plus basse: elle servait d'embarcadère.

En ce lointain Moyen Age, que d'obstacles dressés par les seigneurs de Lavaux pour retarder l'assaillant qui veut s'emparer de leur château fort! Ces douves, il doit les franchir. Il lui faut aussi suivre cette digue courbe, sous une pluie de projectiles lancés des murailles. Voici les quatre courtines. Et puis des tours. Trapues, rébarbatives. L'une d'elles est le puissant donjon: quand, en 1464, les Dinantais s'y frottèrent, il résista. Ce qui n'est pas pour surprendre. Car il y a d'abord cette couronne de mâchicoulis, ininterrompue, menaçante. Il y a ensuite l'accès, diabolique: ne se fait-il pas par une poterne ouverte dans le vide, au premier étage, et munie d'un pont-levis?

Curieuse césure, le château, en 1627 et 1630, fut vendu deux fois coup sur coup, comme pour séparer dans le temps les deux longues lignées de seigneurs, ceux de la forteresse et ceux de la demeure de plaisance.

Les Rouveroy firent un château conçu pour l'agrément: cour d'honneur soulignée d'arcades, salons décorés dans le goût français, tout ici parle d'une existence facile, distinguée, subtile. Amateurs d'art, ils ornent les fenêtres d'élégants fers forgés. Le raffinement leur fait même aménager un bain «à la romaine», en marbre noir! La musique y est à l'honneur: Henri de Rouveroy est un amateur éclairé et sa bibliothèque musicale est impressionnante. Ambassadeur de Vienne à Paris, son neveu est intime de Marie-Antoinette à la cour de Versailles. C'est un grand souvenir pour Lavaux qui est alors au sommet de sa gloire.

Mais les successeurs des Rouveroy se désintéressèrent du château. Les meubles furent dispersés ou pillés. Et ce sont des toits percés que recueillit finalement la «Ligue des Amis du Château». Hommage soit rendu à ceux qui, dès 1934 — et avec toute leur âme — relevèrent la vieille forteresse venue du fond des âges.

Aujourd'hui, le château abrite un intéressant musée de la chasse. Le dernier visiteur parti, une ombre s'attarde longuement parmi les cerfs, les sangliers et les oiseaux. C'est, assure-t-on, celle de Jean de Berlo, bâtisseur de Lavaux et grand chasseur devant l'Eternel...

«Entouré d'eau profonde qu'enjambe, sous la protection d'une tour massive, un pont moyenâgeux, ce castel râblé, ramassé puissamment entre ses tours trapues, est le type du château fort de plaine» (Adrien de Prémorel). ▷

◁ *Voici une des trois façades de la cour intérieure, en ce style Renaissance où bandeaux et meneaux de pierre rehaussent sobrement la brique rouge. C'est au XVIIe siècle aussi que le flanc nord s'ouvrit vers la campagne. Mais la colonnade tendue ici date de 1934!*

Lavaux Ste-Anne

1193. Jacques de Lavaux construit ici une tour, probablement fort modeste.
Début du XIVᵉ s. Le domaine passe dans la famille de Schönau par le mariage de son arrière-petite-fille avec Jean I de Schönau.
Vers 1350. Une pierre portant les armes des Schönau permet de dater la première forteresse du milieu du XIVᵉ s., époque de Jean II de Schönau.
Fin du XIVᵉ s. Lavaux devient la propriété de la famille de Berlo par le mariage de sa fille, Marie-Helwy, avec Thierry de Berlo.
Vers 1450. Jean II de Berlo construit la forteresse actuelle: ses armes sont gravées sur une cheminée du donjon.
1482. A la mort de Jean II de Berlo, le château passe à son gendre, Lambert Du Bois.
1500. Par le mariage de sa fille Adrienne avec le baron Reinold de Merode, Lavaux passe à la famille de Merode.
1574. Leur arrière-petite-fille, Anne de Merode, épouse le baron Siger Louis de Groesbeek dont la famille hérite du domaine.
1627. Leur fils Ernest vend Lavaux à Denis de Poitiers...
1630. ... qui le revend à Jacques de Rouveroy.
1634. Celui-ci conserve les tours et les courtines du XVᵉ s. mais trois nouvelles ailes d'habitation s'adossent à celles-ci. Le flanc nord est habilement ouvert pour aérer la cour intérieure. Apparaissent d'élégantes toitures en cloche, des fenêtres à meneaux et ce portail Renaissance gravé aux armes de Rouveroy et porteur du millésime 1634. La galerie et la ferme datent de la même époque.
Vers 1730. On doit à Henri de Rouveroy la chapelle et le grand escalier d'honneur: il fait coïncider le palier avec l'entrée du sanctuaire.
1753. Sa fille Amour-Désirée épouse le prince François de Gavre.
1810. Leur fils Charles-Alexandre vend Lavaux à Sébastien et Henri Malacord, négociants à Stavelot, et à leur sœur Anne qui épouse Jean Fischbach. Le château appartient alors successivement à ...
1843. Anne-Elisabeth Fischbach, épouse de François Massange.
1869. Caroline Massange, épouse d'un Van Volxem.
1900. Caroline Van Volxem, épouse d'Alfred Orban.
1924. Vendu à la Société Immobilière Bernheim, le domaine est morcelé et loti.
1927. Donation du château aux «Amis de la Commission Royale des Monuments et des Sites».
1934. Cession à la «Ligue des Amis du Château de Lavaux Ste-Anne» et restauration grâce au mécénat éclairé de la baronne Lemonnier.

La forteresse édifiée par les Berlo au XVᵉ siècle a bien résisté à l'usure du temps. On retrouve ici le chemin de défilement qui relie l'entrée du château à la cour de la ferme, à cette époque également entourée ◁ *d'eau.*

L'art du charpentier d'autrefois.

Une charpente, nous apprend le dictionnaire, est un assemblage de pièces de bois destiné à soutenir la construction d'un bâtiment. C'est un art très ancien et, longtemps, les charpentiers restèrent fidèles au vieux procédé de couverture consistant en une suite de fermes portant des pannes sur lesquelles reposaient des chevrons. Cet appareillage exigeait des murs fort épais et ceux-ci devinrent caractéristiques des constructions romanes. Les parois devaient, en effet, avoir une assiette assez large pour recevoir la superposition des bois des fermes.

Par la suite, on assembla de solides charpentes de combles non visibles de l'intérieur des édifices. Pour les constructions importantes, on choisit en effet, dans un premier temps, de fermer les nefs et les salles par des voûtes dont la forme initiale fut le berceau. La voûte en arc d'ogive, qui atteignit sa perfection vers 1200, allait permettre diverses combinaisons de charpentes de combles, alliant la solidité à la légèreté. En même temps, on s'orientait vers la charpente dite à chevrons portant fermes : elle allait remplacer le vieux procédé de charpentes avec pannes. Cette évolution permit de coiffer les bâtiments élevés de charpentes très légères, la pente des combles étant portée jusqu'à 60-65°.

Les grandes salles des châteaux n'étaient généralement pas voûtées : les murs ne pouvaient être renforcés par des contreforts qui auraient gêné la défense. Quant aux charpentes coniques qui surmontaient les tours, si fréquentes dans les châteaux, elles présentaient de grandes difficultés d'assemblage et de levage que les charpentiers résolurent avec ingéniosité.

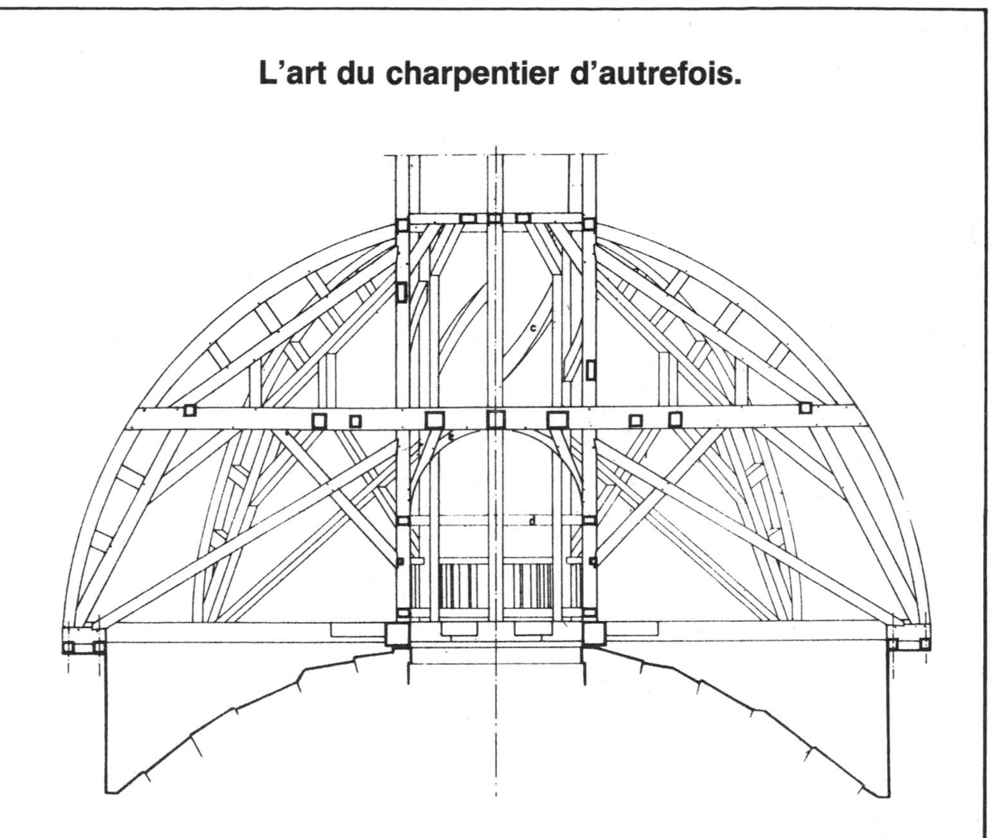

Leur savoir-faire était tout aussi étonnant dans la construction des maisons particulières. La place étant mesurée, chaque étage prenait plus de largeur que le précédent, selon le procédé dit en encorbellement. Quant aux planchers, ils étaient formés de poutres posées sur les murs de soutien et munies de solives. Mais ces poutres étaient armées, c'est-à-dire renforcées par une seconde pièce de bois courbe posée sur la première, de manière à éviter le fléchissement lorsque la portée dépassait dix mètres.

Pour rencontrer le château d'Izier, il faut quitter les grandes voies nationales. Mais le jeu en vaut la chandelle, et en arrivant par Vieuxville, on découvre un décor rural authentique.
Le village d'Izier s'étale sur un plateau dominant la vallée de l'Ourthe. Ici, pas d'orgueilleux château à la grâce renaissante ou à la rigueur classique, mais un de ces manoirs campagnards qui poussèrent comme des champignons au Moyen Age.
Appelé « Ferme de la Tour », l'ensemble castral d'Izier couronne une butte voisine de l'ancien cimetière. Le château se compose de deux parties bien distinctes : d'une part la ferme proprement dite, en forme de coin et qui enserre une cour triangulaire, d'autre part un donjon indépendant flanqué d'une tourelle d'escalier. La construction de ces bâtiments couvre plusieurs siècles, mais le calcaire régional utilisé partout confère à l'ensemble une belle unité.
Certains éléments de la « Ferme de la Tour » présentent un réel intérêt. Le logis situé au nord du château-ferme, par exemple, construit au XVIe siècle, est flanqué aux angles de trois tourelles de taille inégale, recouvertes de toitures polygonales en poivrière. De multiples aménagements ultérieurs ont laissé une marque indélébile, comme des ouvertures à linteau, une porte surmontée d'un écu ou des canonnières.
Mais la gloire d'Izier, c'est bien sûr le donjon, un des derniers exemples en Belgique de ce type de construction.
Aujourd'hui restauré, il produit une impression de puissance étonnante. On comprend la crainte qu'il inspira, voici quelques siècles...

◁ *Le donjon, fleuron de la « Ferme de la Tour », a été construit aux XIVe et XVe siècles. Ses quatre niveaux, éclairés par des fenêtres à linteau droit ou à meneaux, sont accessibles par l'imposante tourelle d'escalier.*

Le confort dans les châteaux d'autrefois

Comment se passait la vie quotidienne dans les châteaux, il y a quelques siècles?
En temps de paix, la grande salle du premier étage du donjon constitue le cœur du château fort. Mais le seigneur s'y trouve confronté avec deux problèmes essentiels: le froid et le peu de clarté.
Le feu brûle quasi constamment dans la grande cheminée, mais il n'arrive guère à dissiper l'humidité et le froid. Dès lors, pour réchauffer l'atmosphère, les murs sont tendus de lourdes étoffes. On peut encore voir dans la maçonnerie de quelques châteaux les anneaux métalliques qui soutenaient les tringles sur lesquelles coulissaient ces tentures. Au sol, on pose des dalles vernissées prises dans une épaisse couche de mortier qui assure une certaine élasticité et un minimum d'isolation thermique. Il arrive même que ce revêtement soit jonché de paille hâchée, voire d'herbes parfumées.
La salle baigne dans la pénombre: d'étroites et rares fenêtres recouvertes par des plaques de corne ou des toiles huilées ne laissent filtrer que peu de lumière. Il faudra attendre le XVe siècle pour que se généralise l'usage du verre, d'abord peu courant et coûteux. En cas d'intempéries, des volets basculants permettent de clore les baies. Pour augmenter la luminosité de la pièce, les murs sont recouverts d'un enduit blanchâtre composé de chaux et de paille. Mais, très tôt, il faut allumer des bougeoirs, des flambeaux et des torches, qui produisent autant de fumée que de lumière!
Dans la muraille, devant les fenêtres, sont ménagées des banquettes simples ou doubles, d'où l'on peut regarder à l'extérieur. On a parfois repéré des graffiti sur la paroi proche des banquettes. On imagine leurs auteurs, gagnés par la rêverie ou l'ennui... Ainsi, au donjon d'Amay, on distingue nettement un type bien précis de bateau qui navigua sur la Meuse vers 1400.
Dans les pièces d'habitation, les meubles demeurent longtemps rares. On n'y trouve que des planches posées sur des tréteaux, faisant office de table, et des coffres qui servent de siège et de fourre-tout. Quand l'épaisseur des murs le permet, on installe des niches et des armoires. A différents endroits, on voit encore des rainures latérales destinées à supporter les planchettes intermédiaires.
Les cuisines semblent en général équipées d'une importante batterie en bronze, vu la rareté du cuivre et de l'étain. Certains ustensiles portent le nom de leur propriétaire et se transmettent de génération en génération, au même titre que les armes personnelles et les bijoux de famille.
Les éviers ne manquent pas. Installés près des sources de lumière, ils sont munis de décharges d'écoulement vers les douves.
Par souci d'hygiène, les latrines sont placées à l'écart des pièces d'habitation. Il est fréquent de les voir en encorbellement contre un flanc du donjon. Leurs conduits d'écoulement descendent également vers les douves.
Bref, dans les châteaux d'autrefois, les seigneurs bénéficiaient d'un certain confort, plus grand que ce qu'on imagine parfois. Mais était-il suffisant pour dissiper l'ennui des heures interminables et la monotonie du quotidien?

Izier

A l'intérieur du donjon règne une obscurité assez grande, malgré les fenêtres à simple ou à double banquette du premier étage. Elles permettent en tout cas d'apprécier l'épaisseur des murs. ▷

1124. Siège d'une seigneurie au profit d'Evrard d'Izier.
XIVe-XVe s. Construction en deux phases du donjon actuel.
1501. Le manoir passe aux mains de la famille de Sarter, qui édifie le corps de logis nord flanqué de trois tourelles.
1580. A la suite d'un mariage, le domaine est scindé entre les Sarter et les de My.
XVIIe s. Face au logis du XVIe siècle, construction de deux ailes de dépendances regroupant granges et étables.
XVIIIe s. Réunification de la seigneurie à la tête de laquelle se succèdent les familles de Sarter, de Fraipont, de Rahier et de Maisières.
Fin du XIXe s. Propriété de Mme Lelièvre.
XXe s. Restauration des dépendances.
1980. L'Etat classe l'ensemble de la ferme-château et rachète le donjon qu'il restaure.
Actuellement. Les bâtiments sont utilisés par M. Jacot à l'exploitation agricole d'un domaine de 110 ha.

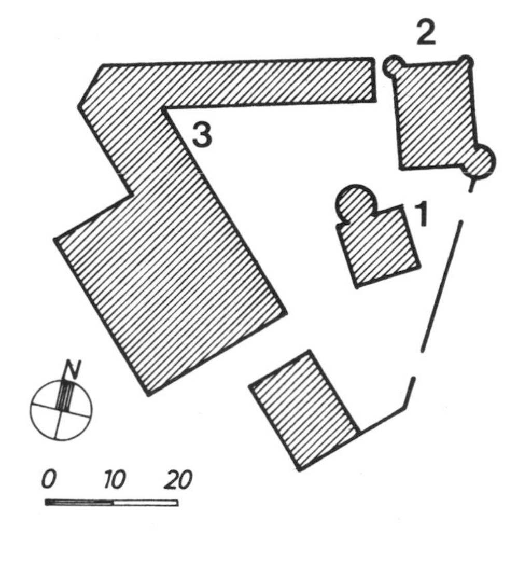

1. Donjon des XIVe et XVe s.
2. Logis du XVIe s.
3. Dépendances du XVIIe s.

Jehay-Bodegnée

Le château de Jehay a conservé son visage serein des XVIe et XVIIe siècles. Mais quand le soleil et les nuées se mettent à jouer avec la demeure seigneuriale, plus d'un joueur d'échecs éprouverait le vertige devant le damier irrégulier de la façade extérieure où les grosses pierres blanches se mêlent à de petits blocs de grès !

Tout ici, cependant, n'est pas des XVIe-XVIIe siècles ; sous les fondations abondent les vestiges des temps les plus reculés : murs celtes d'allure cyclopéenne, éléments d'un *castrum* romain, tour carolingienne et colonnes de la même époque sur lesquelles prennent appui des voûtes gothiques.

En fait, on connaît mal l'évolution architecturale du château. Moins bien, en tout cas, que l'histoire mouvementée de Jehay, qui fut longtemps jalonnée d'événements tragiques. Quelques exemples rapides illustreront le destin tourmenté de cette région.

Au XIIIe siècle, Arnould enterra vif le sire de Fize, coupable de n'avoir pas respecté une trêve. Cet acte abominable lui valut d'entrer dans l'histoire avec le surnom, combien mérité, de « Sanguinaire ».

Au XIVe siècle, Jehay connut la tyrannie de Wauthier d'Athin, un seigneur si redoutable, rapportent les chroniques de Liège, que l'on n'osait rien entreprendre sans son

Vu du sud-est, le corps de logis offre généreusement aux regards son appareil en damier, devenu très rare dans ces contrées, tandis qu'à l'arrière-plan, telle une sentinelle, la tour de l'église castrale Saint-Lambert semble surveiller discrètement le château.

△
Des nymphes nonchalantes appuyées sur l'escalier d'eau nous mènent à l'embarcadère et à la demeure seigneuriale qui, vue du parc, révèle les différents styles de la tour du corps de logis et de l'aile donnant sur la cour.

Jehay-Bodegnée

◁ *Quoi de plus ravissant que cette nymphe vêtue d'une seule onde jaillissante! Elle rappelle qu'à Jehay, au départ forteresse élevée sur un terrain très marécageux, l'eau reste omniprésente.*

△
Bordant la basse-cour, la ferme domaniale a été ornée tardivement de lucarnes, d'ancres et de pignons à gradins, tout en conservant son tracé primitif et ses tours cornières. Quant à l'étrange bulbe qui coiffe la tour-porche du XVIIe siècle, il porte une girouette récente qui indique la direction du vent par un « Le voilà » forgé dans le fer.

accord. Notre homme alla même jusqu'à interdire aux métiers de travailler pour les membres du chapitre cathédral, pour la simple raison que son fils, chanoine de Saint-Lambert, avait eu un démêlé avec des confrères ! Précisons toutefois que ces métiers prirent une éclatante revanche en 1428 : Wauthier d'Athin banni et ses biens confisqués, ils se partagèrent une belle rente de blé.

Avec Gérard de Beyne, bourgmestre de Liège en 1456, l'histoire de Jehay demeura associée au destin de la Cité ardente. En 1479, Quentin de Towin, seigneur de Jehay et bourgmestre de Liège, prit parti pour les Hornes contre les La Marck. Le trop célèbre Guillaume de la Marck, mieux connu sous le nom du « sanglier des Ardennes », lui fit payer cette alliance de sa vie.

Pendant les neuf ans que dura cette guerre, le château de Jehay fut maintes fois endommagé. Heureusement, Marguerite de Falloise et son mari Jehan Holmant de Sart en entreprirent la reconstruction. Sur les bases d'une forteresse médiévale, ils construisirent un corps de logis sur plan en L. Le bel habillage de pierre calcaire de la façade qui donne sur la cour contraste avec le damier des façades extérieures et des deux tours d'angle. La tour d'entrée est postérieure et fut construite au XVIIe siècle par Marie-Constance d'Aspremont-Lynden, veuve de Jean de Merode. Quant à l'aile droite du château, elle fut bâtie par leur fils qui, en outre, restaura le donjon carré en 1646.

La ferme domaniale date du XVIe siècle par son tracé et ses deux tours cornières. Sa tour-porche surmontée d'une curieuse flèche bulbeuse ne remonte qu'au XVIIe siècle. Précisons que sa girouette posée sur une sphère épineuse est, bien sûr, plus récente.

En 1680, Jehay passa aux van den Steen qui, par la suite, organisèrent les jardins. L'actuel comte van den Steen les a redessinés et les a agrémentés de fontaines à l'italienne et d'un escalier d'eau de trois cents vasques.

C'est aussi au comte van den Steen que l'on doit la restauration de l'intérieur du château et son aménagement en musée. On y admire des tapisseries de Bruxelles, des Gobelins et des Aubusson, des tableaux de Lambert Lombard, de Breughel de Velours, de Murillo, un Christ de del Cour. Enfin le comte Guy van den Steen, qui s'est imposé à tous les spécialistes par l'audace de ses exploits spéléologiques, a offert à son château-musée la plus riche collection privée archéo-spéléologique d'Europe.

Au temps des princes-évêques bâtisseurs et batailleurs

La position stratégique du diocèse de Liège, circonscription de l'ancienne Lotharingie située très près de la frontière du Saint-Empire germanique, devait inévitablement orienter le destin de cette région.
Bientôt happé par son puissant voisin, ce simple diocèse se transforma, par la volonté des empereurs, en une véritable principauté.
En effet, conférer des privilèges territoriaux aux évêques qu'ils nommaient personnellement permettait aux empereurs de contrebalancer la toute-puissance de la féodalité laïque.
Avant le règne d'Otton Ier, couronné en 962, l'évêché de Liège ne possédait que le seul château de Thuin.
Mais Notger, prince-évêque de 972 à 1009, fort d'avoir obtenu le droit de posséder des forteresses dans les vallées de la Sambre et de la Meuse, s'appropria le château de Huy et édifia un château intégré dans la première enceinte de Liège.
Ses successeurs s'installèrent progressivement mais solidement à Waremme et à Aigremont, puis à Bouillon, à Couvin et à Clermont-sur-Meuse.
Devenue le dévoué défenseur du flanc ouest du Saint-Empire germanique, l'Eglise liégeoise mérite bien l'appellation d'« Eglise impériale » que les historiens lui ont conférée. Le déclenchement de la « querelle des Investitures », lutte féroce entre papes et empereurs qui ensanglanta la fin du XIe et le début du XIIe siècle, ne mit pas un terme à la « politique castrale des princes-évêques de Liège », pour reprendre l'expression de R. Deprez. Henri de Leez, par exemple, consolida vers 1150 le château de Franchimont. Ses successeurs annexèrent encore les places-fortes de Duras (près de Saint-Trond), de Moha (non loin de Huy) et de Waleffe (voisine de Jehay-Bodegnée).
Ces nouvelles conquêtes ne répondaient cependant plus à l'ancienne politique de défense de l'empire germanique, mais bien à la volonté de résister à un nouvel ennemi, le duché de Brabant. Profitant de l'affaiblissement de l'influence impériale à Liège et du développement économique de leurs cités, les ducs tentaient en effet de contrôler la route Bruges-Cologne, nouvel axe commercial fondamentalement lié à la prospérité brabançonne, mais dont les princes-évêques détenaient toujours les débouchés. Après l'acquisition du duché de Limbourg (bataille de Woeringen en 1288), les Brabançons enserrèrent comme dans un étau la principauté de Liège, maîtrisant dès lors toute la région comprise entre la Meuse et le Rhin. A cette défaite extérieure s'ajouta, au XIVe siècle, un péril intérieur, puisque la bourgeoisie des grandes villes revendiqua sa part de pouvoir. Grâce à ses privilèges et aux milices qu'elle levait, elle put passer à l'assaut de plusieurs châteaux épiscopaux, détruisant même Moha et Clermont. Contraints par la force, les princes-évêques durent accepter des compromis qui affaiblirent définitivement leur puissance.
Elle était bien révolue, l'époque glorieuse des vingt-quatre citadelles de la principauté liégeoise...

Jehay-Bodegnée

« Celui qui craint les eaux qu'il demeure au rivage », a dit un poète du XVIIe siècle. Qu'il s'abstienne, en tout cas, de vivre à Jehay où elles partagent le pouvoir souverain avec la pierre et les jardins. Près des arches du pont, un corps de nymphe se livre à elles. Autant en emporte ◁ l'amour...

△
Une importante collection de témoignages de la préhistoire a été réunie dans la cave dont les voûtes gothiques prennent appui sur des colonnes carolingiennes. La présence de celles-ci confirme l'ancienneté de l'occupation des lieux.

1083. Première mention dans la chronique de la seigneurie de Jehay. Elle relève de la Cour féodale de Liège.
XIIe s. Jehay est la propriété de la famille d'Awans.
1210. Libert de Lexhy devient le seigneur de Jehay.
1325. Mort d'Arnould le Sanguinaire à la bataille de Dommartin.
1428. Bannissement de Wauthier d'Athin et confiscation de ses biens.
1483-1492. Guerre entre les Hornes et les La Marck.
XVe s. Par héritage, Jehay passe à la famille de Falloise, puis à Jehan Holmant de Sart.
Début du XVIe s. Construction du corps de bâtiment.
1550. Edification du donjon flanqué de deux tours.
XVIe s. Par son mariage avec Jehanne de Sart, Arnould de Merode acquiert Jehay.
1680. Ferdinand-Maximilien de Mérode vend la majeure partie du domaine à François de Gand-Vilain van den Steen, baron de Saive, Grand mayeur de Liège.
XVIIIe s. Construction de la tour occidentale.
1859-1862. L'architecte Auguste Balat apporte différentes transformations et construit l'embarcadère.
1982. Le comte van den Steen a enrichi sa demeure de nombreuses sculptures dont il est l'auteur. Pour préserver le château, le musée et ses collections contre tout partage éventuel, il cède Jehay à la province de Liège contre paiement d'annuités; il gardera toutefois la jouissance du château jusqu'à son décès.

Les œuvres d'art rassemblées par le comte Guy van den Steen font du château un véritable musée. Dans les salles et les salons, d'inestimables étains et argenteries voisinent avec d'opulentes tapisseries. ▷

△
Les infrastructures initiales subsistent. Elles ont servi de fondations aux constructions ultérieures. Relayés au début du XXe siècle par de fins cordons de pierre, les appareillages de brique paraissent moins pesants. Ils sont interrompus, à intervalles réguliers, de croisées assorties de traverses et de meneaux, ces derniers tronqués en leur partie inférieure. Les nombreuses lucarnes, ajout récent, éclairent quelque peu une architecture générale très austère.

Turnhout

Il n'est pas rare de rencontrer un château dans une ville. Ce sont tantôt les vestiges du système défensif d'antan, tantôt la demeure d'un seigneur plus ou moins puissant de l'Ancien Régime. On est pourtant bien surpris de trouver au centre de la cité de Turnhout, à une centaine de mètres de l'hôtel de ville, cette construction d'une autre temps, à la fois élégante et puissante.

Dès l'abord, le promeneur est séduit par l'eau dormante des douves. Il en fait paisiblement le tour, s'imprégnant de l'extraordinaire homogénéité de l'architecture et se laisse bientôt fasciner par l'imposante bâtisse apparemment suspendue au ciel flamand par ses bâtières à croupes. Les toits des trois tours, qui elles-mêmes se fondent dans l'uniformité de l'ensemble, animent un peu une demeure où l'impression de massivité domine.

La ville et ses turbulences sont déjà oubliées.

A l'extrémité d'une série d'arches en pierre, ce qui fut jadis un pont-levis précède une tour-porche. C'est l'entrée du château. Dès qu'on y pénètre, on se sent comme enveloppé par la sonorité désuète, voire anachronique de ses pas sous les voûtes. La cour intérieure ne manque ni de charme, ni de séduction malgré le caractère tristement impersonnel qui oblitère si souvent les lieux abritant une grande administration.

Patio dominé par de hauts murs, cette cour intérieure est le cœur de la demeure. Accessible grâce à deux escaliers que dissimulent de petites tours polygonales, un déambulatoire permet à chaque étage de desservir les locaux et d'observer le patio sous toutes ses facettes. L'épaisseur des murs est telle que chaque croisée constitue une sorte de poste de guet, à l'abri du monde extérieur.

Le bon goût a présidé le plus souvent à l'aménagement des vastes salles, actuellement occupées par un tribunal de première instance.

XIIe et XIIIe s. Le domaine de Turnhout se confond avec les terrains de chasse des ducs de Brabant.

1347. Marie de Brabant reçoit les bourgs et pays de Tournhout.

De 1364 à 1371. Marie de Brabant construit et fortifie le château de Turnhout.

XVe s. Antoine de Bourgogne, duc de Brabant, agrandit le château qui, entre deux parties de chasse, sert également de lieu de rencontre diplomatique.

1506. Marguerite d'Autriche entreprend des travaux d'entretien et de rajeunissement qui ne s'achèvent qu'en 1519.

1546. Devenu propriété de Marguerite de Hongrie, le château est entièrement rénové: percement de baies pour les fenêtres, intérieurs réaménagés, parc nouvellement conçu avec plantes exotiques, tonnelles, fontaines, labyrinthe, enclos à gibier...

1597. La garnison espagnole met le feu au château. Les bâtiments médiévaux sont définitivement détruits.

1648. Amélie van Solms, veuve du prince Frédéric-Henry d'Orange-Nassau, reçoit le château dans un grand état de délabrement. Pendant qu'elle loge au village, elle le fait rebâtir pour le donner, en 1696, à sa fille Marie van Simmeren. La gravure de l'époque nous le montre tel qu'on le voit aujourd'hui.

XIXe-XXe s. Après la Révolution, la ville de Turnhout rachète le château, le restaure en 1833 et l'aménage en tribunal de première instance en 1921.

Aujourd'hui prétoire, cette vaste salle s'est parée de beaucoup de dignité. Comme il est loin le temps où Marguerite de Hongrie transformait la maison forte en cour de plaisance, point de départ d'inlassables chasses au faucon qu'elle appréciait tout particulièrement dans ce pays de marais et de bruyères. ▷

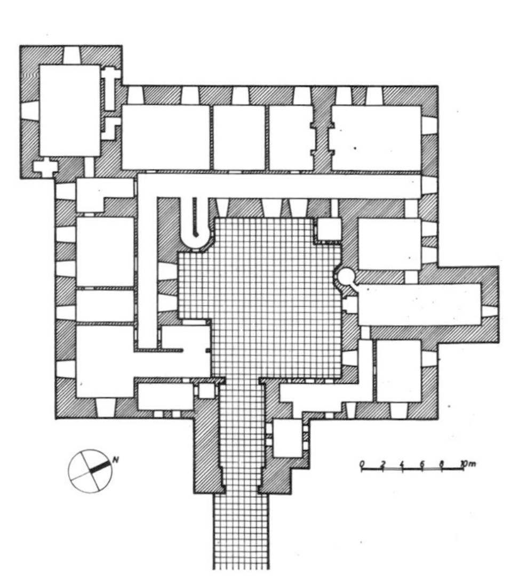

Il y a un dieu pour les châteaux. Il se montra ici particulièrement bienveillant. Par trois fois, il désigna celui qui, par sa fortune, sa puissance, son bon goût, allait ressusciter le vieux castel niché dans la vallée du Train.
Une première fois au XVIIe siècle. Le dernier des Hosden était, nous dit-on, d'une cruauté peu commune. Lors d'un procès, ne causa-t-il pas la mort d'un procureur... en lui faisant avaler tous ses papiers ? Par ses extravagances, Charles de Hosden signa l'arrêt de mort de sa race et dut vendre Bonlez.
Le sauveteur fut alors — en 1626 — Louis-François Verreycken. Notre homme n'était autre que le fils du célèbre secrétaire d'Etat des archiducs Albert et Isabelle. Pour se montrer à la hauteur de son père, il construisit le Bonlez actuel : un château massif, flanqué de quatre tours impressionnantes, des murs de brique rose, un château fait pour donner une impression de puissance.
Le deuxième sauvetage se place trois siècles plus tard, en 1927. Funeste prodigalité des ducs de Looz-Corswaren ! Leur parc, a-t-on dit joliment, avait « la longueur de six bonnes dizaines de chapelet récitées sans bredouiller ». Mais à la fin du XIXe siècle déjà, il ne fallait plus que quelques Ave...
Le sauveteur fut Emmanuel Havenith, un diplomate doublé d'un homme de goût et de fortune. Des milliers de briques « espagnoles » provenant des démolitions de la Jonction à Bruxelles vinrent consolider les murs défaillants. Un ravissant pont en dos d'âne enjamba les douves. Le portail se vit doté d'un superbe pont-levis. Et dans les salons, Havenith disposa ses œuvres d'art.
En 1980, lorsque Fernand Ullens de Schooten racheta Bonlez, le château était près d'être rasé ! Il refit les toits, installa le confort de notre XXe siècle, dragua et rétablit les douves. Bonlez était sauvé pour la troisième fois.
Il y a un dieu pour les châteaux...

Il y a peu d'années, cette belle maison flamande du XVIIe siècle faillit disparaître. Soyons reconnaissants à Fernand Ullens de Schooten qui acheta le domaine et le ressuscita, notamment en déroulant ce bel escalier conduisant aux douves. ▷

Le propriétaire actuel a meublé avec goût les salons vidés par les antiquaires. Les Verreycken, les Varick, les Looz-Corswaren peuvent désormais hanter à nouveau cette salle à manger, sous le regard de ces chérubins à l'image multipliée. ▽

Fin du XIIe s. Les seigneurs de Bonlez apparaissent pour la première fois en 1195 : ce sont Effon de Bouleir et son fils Fastré.
Milieu du XIIIe s. Une autre illustre Maison, celle des Walhain, recueille l'héritage.
1468. La dernière des Walhain, Catherine, est veuve de Baudouin Smal de Bronslerghe.
XVIe s. Leur petite-fille Jeanne épouse Jean de Hosden : Bonlez passe à cette famille.
1625. Avant de mourir, Charles de Hosden vend Bonlez à Christophe van Etten.
1626. Le beau-frère de ce dernier, Louis Verreycken, construit le château actuel.
1727. Son arrière-petite-fille, Lambertine Verreycken, épouse Philippe-François de Varick et Bonlez entre dans cette famille.
Deuxième moitié du XVIIIe s. Leur fils,

Bonlez

Image fidèle du Bonlez d'aujourd'hui, cette gravure de Harrewyn montre le château tel qu'il apparaissait au moment de sa construction. Dans le coin supérieur gauche, les armes des Verreycken évoquent la qualité des constructeurs, dont les ascendants occupaient des situations enviables dans nos provinces. ▽

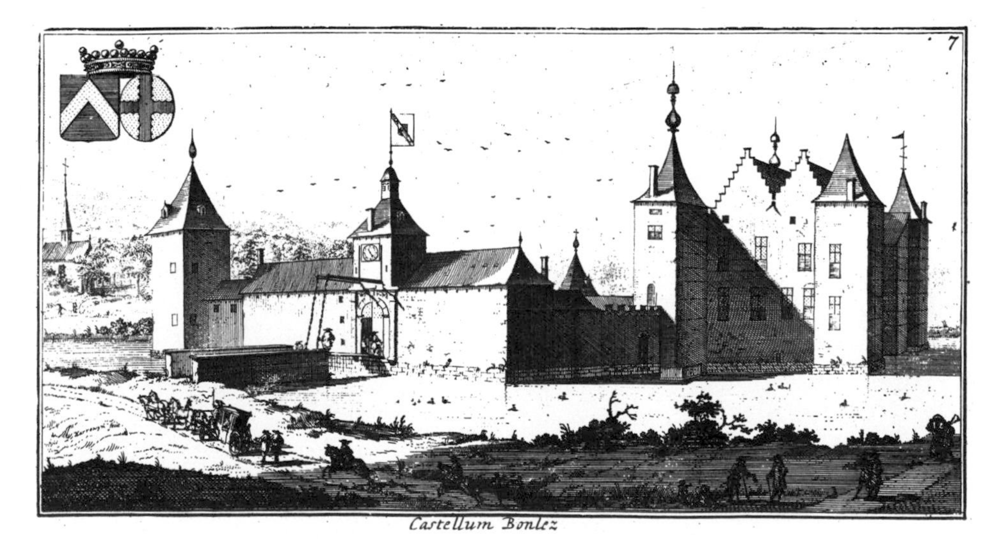

Philippe-Roger de Varick, entreprend de grandes transformations. Il n'en subsiste guère que la grande allée qui mène au château.
1784. A sa mort, Bonlez passe à un cousin, le baron van der Gracht puis, en...
1788. ... à son beau-frère, Léopold de Gavre.
Début du XIXe s. Le château est acquis par un riche Hollandais, le baron van Lockhorst de Tolle et Veenhuyzen.
1829. Sa fille épouse le duc de Looz-Corswaren.
1916. Achat par Franz Seghers.
1927. Achat par Emmanuel Havenith qui entreprend dès 1930 une restauration grandiose.
1980. Son fils Horace vend Bonlez à Fernand Ullens de Schooten, président de la s.a. Château de Bonlez, propriétaire actuel.

△
En suivant le chemin de ronde, on peut songer à l'huile bouillante déversée sur les assaillants mais aussi à la chanson de Maeterlinck :
On entendit marcher la reine
Et son époux l'interrogeait.
Où allez-vous, où allez-vous ?
— Prenez garde, on y voit à peine.

Un fameux comploteur que ce Gilles de Mortagne, seigneur de Solre-sur-Sambre !
Personnage remuant, toujours à l'affût de quelque téméraire intrigue, il alla jusqu'à manigancer l'assassinat de Philippe le Bon, duc de Bourgogne. Dénoncé par un complice, il fut arrêté dans son château par le grand bailli du Hainaut, Gilles de Lalaing. Comme on s'en doute, la plus dure des sentences fut prononcée contre lui : il fut écartelé, en 1433, jusqu'à ce que mort s'ensuive.
La foule se pressait sur la place du marché à Mons, pour écouter les cris du supplicié...
Comme à l'accoutumée, les biens de Gilles de Mortagne furent confisqués, notamment le château de Solre-sur-Sambre, qu'il tenait de son épouse Catherine de Barbençon. Contre toute attente, ils furent achetés par Antoine de Croy, seigneur du Rœulx, qui les céda aux frères et à la sœur du condamné.
Plusieurs châtelains se succédèrent à Solre-sur-Sambre jusqu'à l'acquisition de la propriété en 1486 par Jehan Carondelet. Cet homme remarquable, humaniste éclairé et fin politique, allait faire une brillante carrière comme chancelier de Bourgogne au service de Maximilien d'Autriche.
Fait exceptionnel : la forteresse de Solre-sur-Sambre a gardé quasi intact son aspect de château de plaine médiéval. A cet égard, elle s'impose comme l'une des plus caractéristiques du pays hennuyer.

Solre-sur-Sambre

Vers 1250. Construction du donjon.
1256. Mort de Nicolas II de Barbençon, premier propriétaire connu du domaine.
XIVe s. Edification de l'enceinte et des tours d'angle.
1486. Achat du château par Jehan de Carondelet, qui transforme les tours de façade.
1593. Construction du nouveau logis oriental et des deux ailes d'habitation.
1629. La famille de Merode-Deynse acquiert la seigneurie par mariage.
Fin du XVIIIe s. Nouvelles transformations apportées au château.
1834. Le domaine passe aux Wignacourt.
Actuellement. Solre-sur-Sambre appartient à la comtesse de Wignacourt.

Fort restaurée, mais avec goût, cette salle a été sobrement dotée d'un mobilier de style sinon d'époque. Devant le traditionnel arbre généalogique, un joli mannequin évoque l'accueil de quelque châtelaine du ◁ *XVIe siècle.*

A l'origine, seul le donjon se dressait en contrebas de l'éperon qui domine le confluent de la Sambre et de la Thure. Il défendait le comté de Hainaut contre la principauté de Liège, dont une enclave voisine constituait une menace permanente.
La valeur du donjon fut renforcée, au XIVe siècle, par l'édification d'une enceinte de quarante-huit mètres sur quarante-trois, qui remplaça une palissade et des levées de terre. Le système défensif fut encore consolidé par la construction, aux angles de ce quadrilatère massif, de tours circulaires à trois niveaux: un rez-de-chaussée sans fenêtres, un premier étage percé d'archères et un second muni de baies facilitant la surveillance des environs.
Si toute trace du pont-levis a aujourd'hui disparu, les douves sont toujours alimentées par les eaux de la Thure.
Dès la fin du XVe siècle, signe des temps, les châtelains voulurent augmenter le luxe résidentiel de la forteresse. Le premier niveau du donjon, creusé par le porche d'entrée, fut aménagé en confortable salle d'apparat; de belles cheminées gothiques dotèrent la plupart des pièces.
Par la suite, le château fort de Solre-sur-Sambre s'adapta aux exigences de la vie agricole, devenue essentielle au XIXe siècle. Mais il n'empêche que son tracé de forteresse en quadrilatère et l'austérité de son architecture militaire ont survécu à tous les avatars.

Cerné par ses douves, le château de Solre-sur-Sambre constitue l'un des exemplaires les plus purs de l'architecture militaire du Hainaut. A le contempler on oublie son destin agricole qui était, du reste, celui du Hainaut au temps où Lodovico Guicciardini célébrait ses «prairies délectables» et sa fertilité «de très bon froment». ▷

Dans un splendide cadre de verdure, le long corps de logis offre au donjon sa grâce renaissante flamande. Ses briques roses et ses entablements en pierre blanche rehaussent la riche décoration d'encorbellements, de pignons à gradins et de tourelles d'angle. ▷

Le veilleur qui accueille le visiteur devant le pont à arches rappelle que nous sommes en Brabant et que le fier lion orne les armoiries de cet antique duché. D'exquises frondaisons, ces « dentelles de la nature », comme écrivait Rousseau, masquent le châtelet d'entrée pour isoler l'animal dans sa garde attentive. ▽

On n'aborde pas Grand-Bigard comme n'importe quel autre château. Certes, depuis la construction du château par Amalric de Bigard, trente-neuf châtelains se sont succédé ici.
Certes, parmi eux, quelques-uns se taillèrent une belle réputation militaire, comme ce Guillaume Rongman qui réprima, sur ordre de Philippe le Bon, les troubles qui déchiraient Bruxelles ; ou encore ce Guillaume Estor, blessé au siège d'Arras en 1471 d'un coup de serpentine.
Certes, le comte Ferdinand de Boisschot, 28e châtelain, marqua de son empreinte le site qu'il modifia

en profondeur, agrandissant ce qui existait, édifiant de nouveaux bâtiments, adossant une chapelle au château.
Mais tous ensemble, ils n'auraient pas laissé le splendide domaine que l'on connaît sans le 38e châtelain, Raymond Pelgrims de Bigard.
Il faut s'imaginer l'état de la propriété en 1902, quand Raymond Pelgrims de Bigard l'acheta à Félix-Joseph Wydemans. Tout n'était que délabrement, ruine, mutilation. Le domaine était morcelé, les douves comblées; un ensemble de fermes défigurait l'entrée.
En trente ans d'efforts, le châtelain

Grand-Bigard

△
Qui a dit qu'une huître ne contenait jamais trois perles ? Le donjon, le château et le châtelet d'entrée semblent bien à l'abri du monde extérieur. ▽

L'exécution de la dame de Bigard et de son fils.

En 1546, en plein règne de Charles Quint, le donjon de Grand-Bigard fut le théâtre d'événements dramatiques. Vivait alors au château Marguerite de Beanst, veuve de Jean Estor, appelée la dame de Bigard ; elle dirigeait la seigneurie avec son fils Jean Estor.
En servant dans les armées de l'empereur, Jean Estor avait rencontré Antoine de Zayment, soldat courageux et habile chirurgien, mais aussi tête chaude, passionné d'astrologie et secrètement converti à la religion réformée. Jean Estor invita son nouvel ami au château de Grand-Bigard où il subit, ainsi que sa mère, sa forte personnalité. Antoine les subjugua au point de leur faire embrasser ses idées religieuses. Les seigneurs de Bigard multiplièrent les imprudences : paroles compromettantes prononcées au château de Rivieren à Ganshoren, opposition publique à la quête d'aumônes et à la vente d'images pieuses à l'église du village, vive interpellation du curé de la paroisse le jour de Noël, profanation d'objets du culte lors des vêpres du même jour saint.
Or, l'empereur avait interdit le protestantisme parce qu'il voyait dans cette nouvelle religion une entrave à l'unité politique de ses Etats. Il tenta de réprimer la religion réformée par la publication de « placards », sévères ordonnances qui prévoyaient la peine de mort assortie de la confiscation des biens pour toute personne convaincue soit d'embrasser la religion nouvelle, soit d'ébranler, de quelque manière que ce soit, la foi catholique.
Nos trois hérétiques furent dénoncés, alors même que le bruit du scandale se répandait de Grand-Bigard à Bruxelles. Tout exalté par la tournure des événements, Antoine de Zayment réussit à convaincre ses amis de mettre le donjon en état de siège pour résister aux troupes envoyées par le Conseil de Brabant. L'affaire prenait une dimension nationale : Marie de Hongrie, gouvernante des Pays-Bas et propre sœur de Charles Quint, était mise au courant de l'esclandre.
Après un siège épique au cours duquel ils faillirent être enfumés, les assiégés se rendirent aux autorités.
Menés dans une prison à Bruxelles, les trois accusés furent jugés par le Conseil de Brabant. Assistés d'excellents avocats, ils eurent beau multiplier ostensiblement les marques de retour à la religion de leur enfance, rien n'y fit. Condamnés à la peine capitale, ils implorèrent en vain leur pardon auprès de Marie de Hongrie, du Conseil d'Etat et de Charles Quint. Le 5 janvier 1548, la dame de Bigard et Jean Estor furent exécutés secrètement, eu égard à la noblesse de leur sang, au château de Vilvorde par le bourreau de Bruxelles. Quant à Antoine de Zayment, il réussit à s'échapper de prison. Sur le point d'être repris, il se précipita par une fenêtre et se tua dans sa chute. Son corps fut abandonné aux corbeaux...

rendit au château sa prestigieuse allure, rasant les fermes, creusant les douves, sauvant le donjon, débarrassant les briques espagnoles de l'affreux ciment qui les recouvrait.
Non content d'avoir sauvé « son » Grand-Bigard, Raymond Pelgrims de Bigard consacra sa vie à la restauration de témoins du passé aussi fameux que Beersel, Chimay, Bonlez, Lavaux Sainte-Anne, sans oublier la maison Mercator à Anvers et la maison des Brasseurs à Bruxelles. Cependant son chef-d'œuvre de restauration reste le château de Grand-Bigard, auquel il apporta non seulement la résurrection extérieure, mais aussi une vie intérieure, en le dotant d'une remarquable collection de meubles anciens et d'objets d'art.
Cela, il ne faut pas l'oublier quand on visite le château, même si les vicissitudes de la vie contemporaine ont partiellement gommé l'œuvre de Raymond Pelgrims de Bigard.

Quand on circule à Grand-Bigard, deux vers de Baudelaire (qui par ailleurs détestait la Belgique !) remontent immanquablement à la mémoire :
Là, tout n'est qu'ordre et beauté,
Luxe, calme et volupté.
En effet, remarquable spécimen du style renaissant flamand, Grand-Bigard dégage une impression de puissance tranquille, d'équilibre savant, d'harmonie générale, de grâce raffinée. Un châtelet d'entrée flanqué de deux tours et frappé des armoiries des Boisschot, un donjon massif et altier qui domine le domaine de ses trente mètres, un château au style très pur et aux vastes proportions, voilà comment se présente aujourd'hui Grand-Bigard.
Et que dire des hêtres, de ces hêtres plusieurs fois centenaires, qui ont l'air de coiffer le château de la couronne comtale que ceignirent autrefois les Boisschot ?

Vers 1100. Construction du château par Amalric de Bigard.
1375. Après avoir été la propriété de la famille de Bigard, Grand-Bigard passe aux Veele, dits Rongman.
1486. Le château échoit par alliance à la famille bruxelloise des Estor.
1548. A la mort de Jean Estor et de sa mère, le château est mis sous séquestre.
1549. Charles Quint vend le domaine à Gaspard Schetz, seigneur de Grobbendonck.
1555-1628. Le château appartient à la famille de Longin.
1630. Le comte Godefroid de Boisschot rachète la propriété.
1721. Hélène de Boisschot devient châtelaine de Grand-Bigard. A l'occasion de son mariage avec Charles-Ferdinand de Königsegg-Rothenfels, régent intérimaire des Pays-Bas, l'impératrice Marie-Thérèse érige la seigneurie de Bigard en marquisat.
1759-1801. Issues d'Hélène de Boisschot, Marie-Josèphe de Boisschot, comtesse de Königsegg-Rothenfels, et Marie-Françoise, comtesse de Tour et Taxis de Zierotin, se succèdent à Grand-Bigard.
XIXe s. Le domaine échoit à différents propriétaires qui le morcellent.
1902. Grand-Bigard entre dans la famille Pelgrims de Bigard. Raymond Pelgrims de Bigard devint ensuite Président Fondateur de l'Association Royale des Demeures Historiques de Belgique.
Actuellement. M. Eugène-Willy Pelgrims de Bigard est le 39e châtelain.

Grand-Bigard

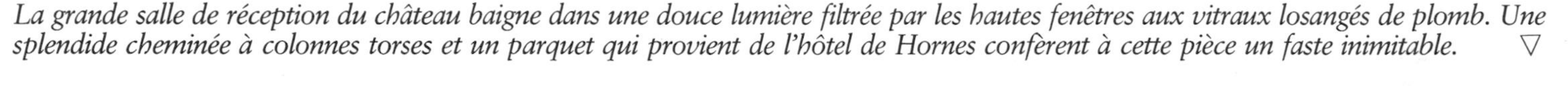
La grande salle de réception du château baigne dans une douce lumière filtrée par les hautes fenêtres aux vitraux losangés de plomb. Une splendide cheminée à colonnes torses et un parquet qui provient de l'hôtel de Hornes confèrent à cette pièce un faste inimitable. ▽

◁ *A côté du donjon, un manoir en pierre calcaire fut construit par Gérard de Roly à partir de 1616, comme l'indiquent les ancrages sur le mur ouest. Cette grande tour carrée date de la même époque.*

Avec son pilier central, ses voûtes d'arêtes soutenues par des nervures au profil carré, la salle d'armes est remarquable. Mais le reste de l'intérieur — escalier monumental, stucs et cheminées — attend la restauration qu'il mérite. ▽

Un village du bout du monde. De vieilles maisons du XVIIIe siècle. Plus loin, sentinelle vigilante mais désormais inutile, le donjon immense, massif, carré et montrant encore, par sa hauteur, « l'ancienne force du château ». Et enfin, depuis toujours indissociable toile de fond de la puissante forteresse, des prairies, frissonnantes dans la rosée du matin.

Tout en pierre, le château-ferme de Roly constitue un des plus beaux ensembles architecturaux de l'Entre-Sambre-et-Meuse. Un des plus purs aussi : ni le XIXe ni le XXe siècles ne sont venus l'altérer. Un des plus anciens enfin, puisque le donjon remonte au XIIIe siècle.

Le donjon a été merveilleusement conservé. Car si, dans la région, beaucoup de manoirs furent rasés par Henri II, Roly échappa au naufrage de l'oubli. Peut-être parce qu'il alliait le souci de défense à celui d'une exploitation agricole. Ou par chance, tout simplement, parce que les seigneurs de Roly étaient puissants et fortunés.

Ainsi ces Lambert de Roly - qui ont régné ici dès la fin du XVe siècle - ne remplissaient-ils pas de hautes fonctions auprès du prince-évêque de Liège ? Ne se devaient-ils pas de relever leur château malmené en 1554 ? De même, au milieu du

△
Sous la double protection de son haut donjon et de sa vieille chapelle, le château-ferme de Roly impressionne, dès l'entrée du village, par ses dimensions et par le jeu des volumes et des bâtiments.

Roly

1302. Jakemins de Roliers tient en fief du comte de Namur « sa maison de Roliers avec sa tour », vraisemblablement le donjon actuel. Sa fille épousera un seigneur de Preys dont les lointains héritiers vendront en...
1431. ...le donjon, manoir et dépendances à Jehan dit le Boutier de Wanlin.
1489. Sa sœur Ide de Wanlin relève le fief. Elle est veuve de Godefroy Lambert et Roly va ainsi passer à cette famille.
Fin du XVIe s. Après l'invasion française de 1554, le manoir et la ferme sont reconstruits tels qu'ils nous parviendront.
1685. Construction de la ferme.
1701. Charles de Roly est ruiné à la suite des emprunts contractés par ses ascendants pour restaurer le château. Ainsi, en...
1724. ... Roly devient la propriété de Jean-François de Groesbeeck.
1749-1772. Son fils, Alexandre, fait de Roly un pied-à-terre dans le goût du XVIIIe....
1789. A sa mort, le château entre dans le patrimoine de la famille de Croix. Il avait en effet désigné comme héritier son petit-fils, Charles-Lidwine de Croix.
1874. A la mort d'Ernest de Croix, dont la fille Blanche avait épousé le comte Amédée d'Andigné, Roly passe à cette famille.
1959. Décès de leur fille, Louise d'Andigné, qui avait hérité du château. Elle était veuve du marquis Frédéric de Kérouartz dont la famille possède toujours Roly.

XVIIIe siècle, les Groesbeeck débordaient d'aisance financière. Déjà propriétaires de Franc-Warêt et de l'hôtel de Croix à Namur, ils firent de Roly un agréable pied-à-terre où ils descendaient lorsqu'ils visitaient leurs propriétés...
Aujourd'hui, le temps semble s'être arrêté au pied des trois marches qui montent vers la chapelle. Planté ici pour l'éternité, étonné de se trouver là, dans la quiète sérénité de la Fagne, le vénérable donjon a bien mérité le respect des hommes. Puissent les dieux qui protègent les châteaux ne pas oublier les vieilles pierres de Roly. Elles en auront peut-être besoin.

Le donjon date du XIIIe siècle, comme en témoigne la fenêtre obturée visible sous le toit à la Mansart, qui fut placé, lui, au XVIIIe. ▷

△ *A l'image des très anciennes familles des Ardennes, le château de Fisenne a connu tant de vicissitudes qu'il est presqu'étonnant de le trouver encore debout. Cette porte vers le jardin et le verger ouvre une perspective nouvelle.*

Dans la première moitié du XXe siècle, de larges ouvertures ont été aménagées dans cette façade, afin d'ouvrir la maison vers le sud, sur son élégant petit jardin à la française. ▽

La surprise est totale. Entre Ezerée et Hotton, la route défile, parfaitement rectiligne. Soudain, une image frappe votre rétine. Le temps que vous en preniez conscience, et vous voilà déjà bien éloigné. Faites donc demi-tour et revenez à Fisenne.

Un mur de pierres calcaires, si long qu'il semble suspendu à ses échauguettes, relie la route au bois tout proche. C'est lui qui, témoin d'un autre âge, a éveillé votre attention. Approchez-vous et contournez-le pour découvrir, dissimulées par l'énorme toît pentu qui le couronne, deux vastes granges. Elles font le pendant à d'autres dépendances agricoles, auxquelles elles s'unissent pour délimiter une avant-cour spacieuse, dominée par la tour principale au perron d'accès quelque peu désuet.

Les lignes fuyantes des corniches et des faîtes font converger toute la perspective vers cette grande tour à base carrée qui constitue le donjon. Il impressionne d'autant plus qu'il est toujours perçu à contre-jour, la façade d'accueil étant orientée au nord.

Tournant résolument le dos à toute industrie, à tout commerce, l'architecture de Fisenne exprime la fidélité à la terre qui l'a conçue pour se défendre.

L'atmosphère paisible de l'extérieur devient ambiance feutrée à l'intérieur. Un escalier et une cheminée d'époque Louis XV voisinent avec un mobilier d'excellent goût, sans luxe inutile.

Les armes d'alliance d'Antoine-Georges de Fisenne (décédé en 1719) et de Mennas-Louise de Voes (décédée en 1735) surplombent le bon Saint-Rémi qui patronne la chapelle bâtie en 1713. Les écus, sommés d'une couronne à neuf perles, sont supportés par deux lions. Orientée vers le perron du château afin que la propriétaire puisse, eu égard à son grand âge, assister à l'office à partir de sa maison, la chapelle ne respecte pas les fondations d'un bâtiment antérieur.

1150. La famille de Fisenne relève une maison avec cour, tour et jardin dans le village qui lui a donné son nom. La présence d'un château sur ces lieux est donc très ancienne.
Aux alentours du XIIIe siècle. Le pays se couvre de tours fortifiées, communément appelées «tour de chevalier». Indubitablement, Fisenne est du nombre. Au fur et à mesure de l'évolution des mœurs politiques et militaires, la construction perd son rôle défensif. Elle s'adjoint, tantôt des bâtiments agricoles propices à la gestion d'un grand domaine, tantôt des annexes plus confortables, eu égard aux exigences d'un seigneur résidant sur ses terres.
Début du XVIIe s. Le dernier rejeton mâle de la branche aînée, Guy de Fisenne, perd la vie en combattant les hérétiques en Bohême. Sa sœur, Anne, apporte en dot à Nicolas de Neufforge la maison et la seigneurie de Fisenne. En 1701, ses descendants revendent le domaine à la branche cadette de la famille de Fisenne pour 100000 écus.
1800. Louis-Antoine de Fisenne, plutôt que de détruire la magnifique allée de pins qui relie le château à la route de My, préfère vendre son bien au baron de Vivario. Celui-ci n'a pas les mêmes scrupules et s'empresse de faire abattre les arbres superbes. Fisenne a vécu. La famille qui en fut l'âme réside toujours dans le pays, mais elle est désormais étrangère aux destinées de cette attachante demeure.
XIXe-XXe s. Après le baron de Godin, le comte de Liedekerke et le baron de Woestyne, c'est au comte de Chérisay qu'échoit la propriété, toujours dans sa descendance à l'heure actuelle.

L'ensemble des bâtiments est construit en pierre de grès et de calcaire. Fort coquettement, la très ancienne tour s'est parée, comme d'une pelisse, de constructions plus récentes auxquelles le lierre s'accroche joyeusement. La toiture en forme de cloche de la tour latérale met une note d'humour à l'architecture plutôt austère de l'ensemble. ▷

Fisenne

Ce heurtoir, très finement réalisé, est en bronze. Un génie rondelet présente au visiteur les armes des derniers propriétaires, les comtes de Chérisay, originaires de Lorraine.
La pièce semble provenir du XVIIe siècle. Elle est par conséquent rapportée. ▷

◁ *Trois arches de pierre conduisent au vieux donjon du XIIIe siècle. Guillaume de Carondelet, à la fin du XVIe, lui adjoindra cette tour ronde, dressée vers le ciel, qui en allégera grandement la massivité. C'est lui aussi qui le couronnera de cette charpente en colombage, disposée en encorbellement : remarquablement conservée, c'est une lointaine évocation des hourds qui, à l'origine, surmontaient la vieille tour fortifiée. Il y a ici beaucoup de grâce pour habiller la rudesse d'autrefois.*

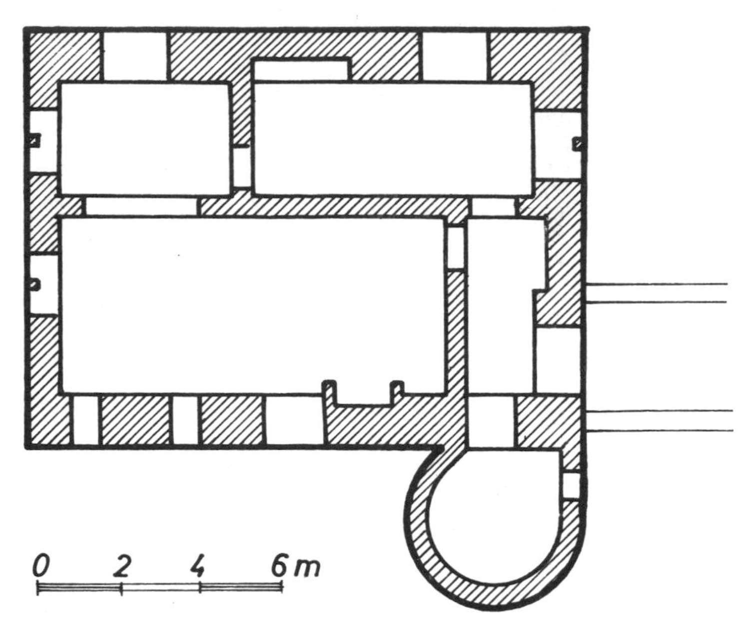

Crupet

XIIe ou XIIIe s. C'est à cette époque que fut sans doute édifiée une tour fortifiée isolée par des fossés boueux. Encore aujourd'hui, cette tour carrée, construite en gros moellons de calcaire, sert de base au bâtiment principal.
1289. Le château de Crupet appartient à Auvin de Wellin : cette famille le conservera jusqu'à la fin du XVe siècle.
1474. Thomas de Wellin est seigneur de Crupet.
1498. Le fief devient la propriété de sa veuve, Jeanne de Rosehelée...
1510. ... qui le cède à Gilles de le Loye.
1537. Le mariage de sa fille Anne avec Jean de Carondelet, seigneur de Solre-sur-Sambre, apporte Crupet à cette famille.
1549. Jean de Carondelet hérite de Crupet. Il aura deux fils, Guillaume et Jean.
1568. Guillaume devient seigneur de Crupet à la mort de son père. Avec son épouse Jeanne de Brandenbourgh, il va transformer la tour primitive en un château-ferme qui, hormis les dépendances, nous parviendra intact.
1607. Mort de Guillaume (I) : Jean lui succède, suivi en...
1609. ... par son fils Guillaume (II).
1621. La sœur de ce Guillaume, Françoise-Hubertine de Carondelet, devient dame de Solre-sur-Sambre, de Wavremont et de Crupet à la mort de son frère.
1629. Elle épouse Maximilien de Merode et Crupet passe à cette famille qui le conservera jusqu'au XIXe siècle.
XIXe s. Les marquis de la Boëssière deviennent propriétaires du château.
1924. Le marquis Gaëtan de la Boëssière de Thiennes vend Crupet à l'architecte Adrien Blomme qui le rend habitable.
1960. Sa fille Madame Limbosch-Blomme en devient la propriétaire attentionnée.

Nous sommes dans la tour d'angle ronde qui fut accolée au donjon à la fin du XVIe siècle. Elle abrite cet escalier de chêne dont les marches, taillées dans le bois, sont encore gothiques. Véritable colimaçon, ce remarquable escalier à vis constituait un progrès considérable dans l'art de vivre de l'époque : il permit dorénavant l'accès aux étages autrement que par une échelle ! ▽

Crupet

Au XIIIe siècle — et sans doute déjà au XIIe — se dressait ici une robuste construction carrée, trapue, mal éclairée par quelques rares fenêtres. Et aujourd'hui encore, Crupet, « assis dans son marécage, au bout des trois vieilles arches le reliant à la terre, semble, de son donjon finement profilé sur les lointains d'une gorge, faire la nique à notre civilisation égalitaire ». Ainsi Camille Lemonnier décrit-il la vieille tour de Crupet, comme surgie du fond d'un étang pour servir de sentinelle dans ce Condroz batailleur des siècles passés.
Puis vinrent les Carondelet, Guillaume et son épouse Jeanne de Brandenbourgh. Du vieux donjon venu de son obscur Moyen Age, ils firent un château-ferme dans le goût du XVIe siècle. Ils ajoutèrent cette élégante tour d'angle ronde avec son toit en poivrière et y déroulèrent un escalier qui facilita l'accès aux étages. Ils rehaussèrent la vieille tour carrée d'un hourd, curieuse charpente disposée en encorbellement. Avides de lumière, ils trouèrent les murs de fenêtres à meneaux. Véritables terriens, ils édifièrent une imposante ferme seigneuriale.
Voyez donc aussi la bretèche, cette saillie de pierre qui attire le regard entre les fenêtres à croisée de la façade sud : c'est là, dit la légende, que le vieux seigneur cachait ses pièces d'or. Plus prosaïquement, il s'agissait en réalité des lieux d'aisance de l'époque !
Hormis les bâtiments de la ferme, le château de Crupet nous est parvenu tel que l'avait voulu Guillaume de Carondelet, le bâtisseur du XVIe siècle. Celui-ci est inhumé avec son épouse dans l'église voisine : représentés sur leurs pierres tombales dans la raideur hiératique de leurs vêtements d'apparat, ils veillent toujours sur Crupet.
Crupet est aujourd'hui un manoir aussi gracieux qu'austère et qui plaît par l'agreste harmonie qui s'en exhale. Depuis 1925, ses propriétaires ont mis beaucoup d'eux-mêmes dans les vieilles pierres du robuste donjon. L'intérieur a été décoré avec une simplicité et une discrétion de bon aloi. Il y a ici toute la chaleureuse tendresse des vieilles demeures qui sont restées vivantes de par la grâce et la volonté de ceux qui les habitent.

Le vieux donjon de Crupet semble s'enfoncer dans l'eau de l'étang. Longtemps, il resta isolé : jusqu'au XVIe siècle, lorsque les Carondelet lui adjoignirent une imposante ferme seigneuriale. De celle-ci subsistent l'aile nord et, à l'est, cet élégant porche d'entrée aux armes des Carondelet-Brandenbourgh, avec les millésimes 1595 et 1611 qui circonscrivent sans doute la construction de la ferme. ▽

△
Un gracieux enchevêtrement de toits d'où surgit la flèche de la tourelle. Les lucarnes à pignons sont surmontées de lions de pierre assis. Ça et là s'élèvent de hautes cheminées de brique. Les toits du château de Horst ont retrouvé leur état originel grâce à l'aide du Ministère de la Communauté flamande.

Horst

Horst. Ce simple nom nous rappelle les joutes et les fêtes brillantes que Louis Pynnoc donna à la fin du XVe siècle. Horst, c'est l'eau des étangs venant clapoter au bas du donjon qui échappa en 1489 à la furie destructrice de Maximilien. Au milieu des arbres, au centre d'une onde calme, le château semble planté là pour l'éternité.
Le paysage n'est pas encore hesbignon, pas tout à fait flandrien, même si les nuages poussés par le vent semble caresser les toits, même si la lumière annonce déjà la plaine qui s'étire de Bruges à Gand. Mais ne vous y trompez pas, Louvain n'est qu'à quelques kilomètres, Aerschot aussi.
N'allez point à Horst quand l'horloge sonne les douze coups de minuit. Pourquoi ? Parce qu'un grand carrosse attelé de six chevaux noirs sort du bois où se trouvent les ruines du pressoir, descend au grand galop l'avenue de tilleuls avant d'entrer, on ne sait comment, dans le donjon. Des lueurs sinistres brillent alors au travers des meurtrières de la tour, puis, au bout de

Horst se mire, tel Narcisse, dans l'eau d'un étang. Au premier plan, l'imposant donjon du XIIIe siècle qui résista en 1489 à l'assaut des flammes. Autrefois le château était entouré de douves. Aujourd'hui agrandies, elles sont devenues un étang propice aux joies du canotage. Tout autour du château, un imposant domaine en partie boisé s'étend sur 240 hectares. ▷

quelque temps, le char traverse à nouveau le pont-levis et retourne avec la même rapidité dans les ruines du pressoir. Rassurez-vous, ce n'est là qu'une vieille légende du XIIIe siècle, remontant au dernier sire de Rhode.

Vous serez frappé par l'harmonie et les proportions du bâtiment. Sachez que le château n'est plus habité depuis le XVIIe siècle, mais que par un heureux concours de circonstances, ses propriétaires successifs l'ont cependant entretenu. Ainsi il a traversé les siècles sans subir les remaniements, trop souvent malencontreux, des architectes classiques du XVIIe siècle ou les manies néogothiques des romantiques du XIXe siècle.

On entre dans le château de Horst comme dans l'histoire. On imagine les défenseurs jetant la poix chaude sur les assaillants, les archers décochant leurs flèches sur les ennemis, à moins de rêver aux sentinelles frigorifiées se pressant autour du feu dans les sombres salles de garde qui occupent le donjon. On évoque, sous les riches lambris sculptés d'un plafond du XVIIe siècle, la silhouette de Marie-Anne den Tympel, la dernière châtelaine qui résida à Horst...

De sa position stratégique sur le Demer, Horst a conservé son plan en polygone irrégulier, si fréquent dans les châteaux de plaine des XIIIe et XIVe siècles. Autrefois des murailles continues et un châtelet d'entrée assuraient un refuge sûr dans cette région de forêts et de marécages. Aujourd'hui, le pont-levis a disparu, les douves aussi, mais le donjon du XIIIe siècle porte toujours un regard vigilant sur les alentours, aidé dans sa tâche par une curieuse tourelle qui s'élargit en s'élevant.

Reconstruit en briques qu'égayent des bandeaux de pierres blanches, surmonté de pignons à gradins et éclairé par de larges fenêtres à croisillons, Horst est devenu une agréable résidence, sans avoir renié pour autant son passé militaire.

XIIIe s. Apparition des premiers seigneurs de Rhode et construction du château.
1291. Le château est occupé par Arnould et Adam van Lantwijck.
1385. Amaury Boot acquiert le château.
XVe s. Le manoir est momentanément la propriété de Philippe, fils naturel de Jean, bâtard de Bourgogne, avant d'être racheté par Louis Pynnoc.
1469. Le château est incendié par Maximilien, en guerre contre les Louvanistes.
1496. Louis Pynnoc vend le domaine à Ivain de Cortenbach.
1506. Horst passe à Geneviève van der Gucht.
XVIe s. Le château aurait été reconstruit à cette époque.
1521. Horst est la propriété des Busleyden avant qu'Olivier de Schoonhoven ne l'acquière en 1605.
1668. Une descendante des Schoonhoven, Marie Anne den Tympel, épouse en secondes noces Philippe, prince de Rubempré. C'est elle qui, en 1657, érige les dépendances situées à l'entrée du château.
1721. Louise-Brigitte de Rubempré épouse Philippe de Merode.
De 1721 à nos jours. Par héritage, le château appartient successivement aux Merode, aux Thiennes de Lombize et aux Ribaucourt avant de revenir, en 1922, au comte Hemricourt de Grunne, qui entreprend la remise en état du château pour l'ouvrir au public.
1972. Le comte de Hemricourt de Grunne lègue le château à sa seconde fille Colette, épouse du comte Baudoin Cornet d'Elzius.

La reconstruction du château en briques espagnoles aurait été entreprise au début du XVIe siècle pour s'achever un siècle plus tard. Afin de se protéger des pillards, les bâtiments conservèrent une allure défensive, comme l'atteste la petite tour d'angle.
▽

Horst

△

Cette vue prise du donjon, dont l'ombre effleure le corps de bâtiment principal, nous montre une partie de la cour intérieure. Les den Tympel qui possédèrent le fief après les Schoonhoven sont sans doute les derniers à avoir résidé en permanence au château. Ils le transformèrent en y apportant de nombreuses améliorations intérieures. Sur le linteau de bois d'une cave menant au sous-sol, la date de 1692 est grossièrement gravée. Serait-ce l'année des derniers travaux exécutés au château ou, tout simplement, le souvenir laissé par un passant? Nul ne le sait.

Horst a conservé quelques témoignages de ses splendeurs passées, notamment de très beaux plafonds sculptés, œuvre de l'artiste allemand Hansche. La Renaissance païenne domine ici avec ses scènes mythologiques représentant tantôt la légende de Narcisse, tantôt les amours tumultueuses de Céphale et Pocris. Jason à la conquête de la Toison d'or et le jugement de Midas, qui avait préféré la flûte de Pan à la lyre d'Apollon, occupent les troisième et quatrième travées de cet admirable plafond du XVIIe siècle. ▷

Berzée

Ils s'appelaient Jean, Bastien, Gilles et Marguerite, seigneurs de Berzée. Au XIIIe siècle, ils construisirent un château, plus tard accolé à une ferme. De l'autre côté du chemin, une église du XVIe siècle. Rassurante trilogie qui, à travers les siècles, a assuré ici la double protection des corps et des âmes! Et admirable témoignage de ce que dut être la vie d'une petite communauté villageoise qui trouvait refuge au château lorsque s'annonçaient pillards et autres touristes belliqueux...
Ils s'appelaient Charles de Namur et Charlotte de Landas. Les siècles ont passé, l'histoire a révolutionné les goûts et les mœurs. Entre 1632 et 1636, ils vont rebâtir Berzée et allier au souci toujours présent de protection la quête de ce nouvel art de vivre si caractéristique de la Renaissance.
Elle s'appelle Paule van Heerswynghels. Grâce à elle, Berzée a retrouvé toute sa gloire du XVIIe siècle. Musique des objets choisis avec amour et disposés avec soin. Invitation de l'escalier millésimé 1729. Quiétude du château vivant...

XIIIe s. Les premiers seigneurs de Berzée construisent un château fort dont subsiste notamment la base du donjon.
XVe s. Colard II de Warnant, dit d'Oultremont, hérite de Berzée.
1502. Son arrière-petite-fille, Jacqueline d'Oultremont, épouse Jean de Berlo: le château échoit ainsi à cette famille.
1588. Le mariage de Jeanne de Berlo avec Claude de Namur porte Berzée dans cette Maison.
1627. Leur fils cadet, Charles de Namur, épouse Charlotte de Landas.
1632-1636. Ils entreprennent des travaux importants. La façade sud (datée par ancrages de 1636), le donjon et les tours apparaissent aujourd'hui dans leur état du XVIIe siècle.
1795. A la mort de Georges de Namur, Berzée passe à la famille de Trazegnies par le mariage, en 1761, de sa fille Marie-Caroline avec le marquis Joseph de Trazegnies.
1848. Leur petite-fille Clémentine épouse Alberto Luppi de Moriano, comte de Montaldo.
1873. La fille de ce dernier, Albertine, épouse Don Alfonso, prince Hercolani.
Début XXe s. Leur fils vend le château à M. Hubert, grand-père de l'actuelle propriétaire, Madame van Heerswynghels-François.
1950-1955. Celle-ci restaure Berzée.

△ ◁ *Le donjon de Berzée ne manque certes pas d'allure. Sa partie inférieure est un vestige remarquable de ce XIIIe siècle si soucieux de pourvoir ses châteaux d'un solide appareil défensif. C'est au XVIIe siècle que le sommet du donjon fut reconstruit en brique et flanqué de ces quatre tourelles rondes en encorbellement, que les tours du Moyen Age se virent coiffées de toits en poivrière. Le portail — du XVIIe siècle également — ouvre le passage de la cour de la ferme vers celle du château. Une plaque en pierre porte le millésime 1632.*

La salle à manger renferme des toiles peintes en jute, dignes d'éloge, qui imitent la tapisserie et datent — comme les boiseries — de la première moitié du XVIIIe siècle. La cheminée en pierre — de même que les poutres apparentes — sont de la première moitié du XVIIe: ce sont des témoins précieux datant de la reconstruction du château par Charles de Namur et Charlotte de Landas. ▽

Gentilhommières

En ce XVIe siècle qui restera comme une profonde respiration
après tant d'années de guerres et de disettes, les nobles rêvent de
demeures campagnardes.
Et celles-ci surgissent au détour d'un bosquet,
et leurs fenêtres aimables protègent bonheur de vivre et désir de briller.
Leurs volets s'ouvrent à la belle saison, ou à l'époque de la chasse.
Nées dans la tradition de la Renaissance,
voici donc les gentilhommières, ces résidences secondaires
des siècles passés...
Demeures de plaisance, elles firent tout pour plaire.
L'accent fut mis sur l'harmonie des proportions,
sur l'élégance d'un perron, sur la clarté rousse d'une brique cuite au bois.
Dans ces intérieurs de nos rêves tranquilles, la lumière pénétra,
et avec elle les senteurs du lilas et les trilles du rossignol.
Car l'agrément de ces maisons de campagne
exigeait que l'on ne négligeât pas le décor champêtre.
Dans les parcs et les jardins,
de grands arbres ombragèrent le plaisir d'être de ces vacanciers
de l'Ancien Régime.
Ces gentilhommières étaient souvent d'anciennes maisons fortes
débarrassées de leur appareil militaire.
Mais on se garda bien d'assécher les douves.
Et celles-ci devinrent des miroirs où, durant trois siècles,
du XVIe au XVIIIe, une vie facile, souriante et volontiers fastueuse
retrouva son image.

Maison de Rubens à Anvers

Rivieren

A moins de deux kilomètres de la basilique de Koekelberg, le curieux château de Rivieren regroupe plusieurs bâtiments autour d'un donjon carré. Se dressant au bord d'un étang, au milieu d'un parc remarquablement protégé malgré l'expansion des communes environnantes, Rivieren est un exemple typique de l'architecture bruxelloise du XVIIe siècle.

Le donjon date du début du XIIIe siècle. Sans doute, à l'origine, était-il isolé, les pieds plongés dans l'étang qui reflétait ses puissants créneaux. Ce type de château de plaine avait un rôle défensif évident. On trouve d'ailleurs des réalisations semblables à Bouchout, Horst et Piétrebais, entre autres.

Avec ses murs épais d'un mètre et hauts de quinze, la silhouette massive du donjon rappelle toujours son ancienne fonction stratégique, malgré les aménagements des fenêtres datant du XVIe siècle et l'ajout au siècle suivant d'une flèche d'ardoise coiffée d'un bulbe. Il n'en est pas de même pour l'habitation qui, au fil du temps, s'est organisée autour de la construction primitive dans un style résolument Renaissance. Les volumes, alternant pignons et toits d'ardoise, s'interpénètrent avec une variété qui fait son charme. L'entrée se situe à l'est du donjon. Le vestibule dessert trois salons et une salle à manger qui se déploient tout au long de la façade est, tandis qu'un escalier d'honneur conduit aux appartements de l'étage. Le grand salon est décoré d'un plafond de stucs aux armes d'un des plus prestigieux propriétaires, François II de Kinschot. A l'ouest du vestibule d'entrée, la fameuse salle d'armes

Les bâtiments pittoresquement assemblés du château de Rivieren semblent se tapir au creux d'un bouquet de verdure, au milieu d'un parc merveilleux. Situé aux portes de Bruxelles, le domaine demeure un site jalousement protégé qui n'a pas encore été atteint par les méfaits de la ville ◁ *tentaculaire.*

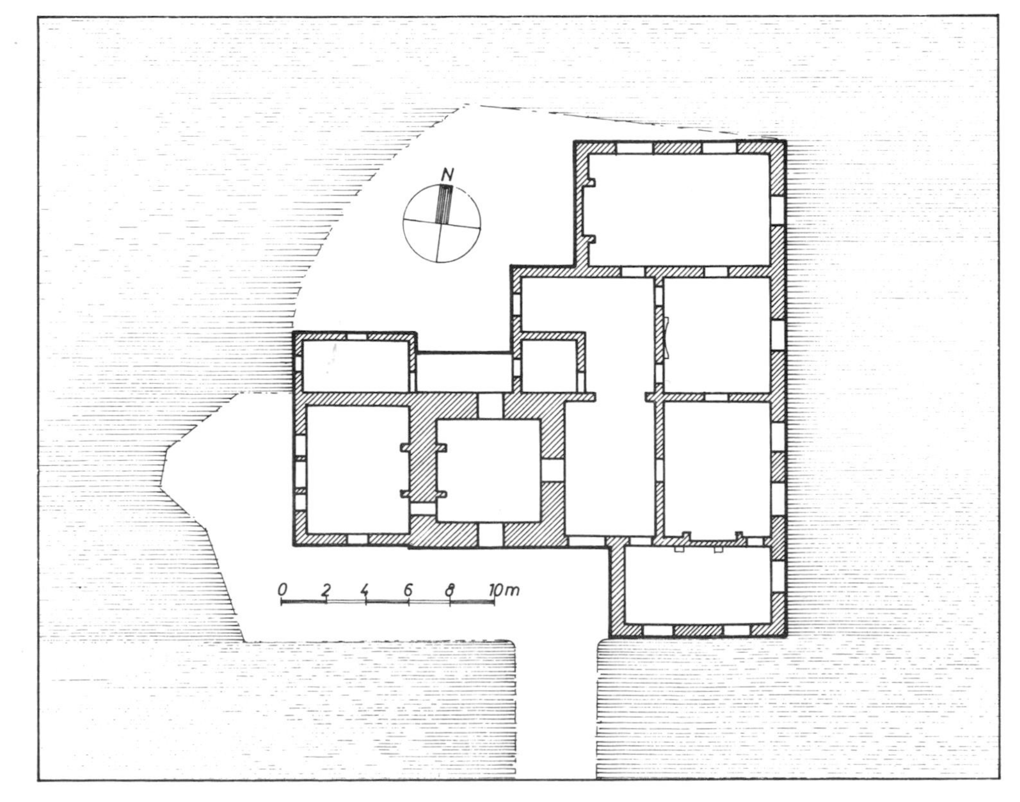

△
Une élégante toiture à bulbe coiffe depuis 1664 le donjon, lui ôtant ainsi définitivement tout caractère belliqueux: la salle d'armes reste la seule réminiscence de son affectation initiale. Depuis, les confortables constructions qui sont venues l'entourer font de Rivieren un séjour parfaitement agréable.

avec ses voûtes à nervures occupe tout le donjon. Elle est ornée d'une grande cheminée en marbre rouge du XVIIe siècle, provenant de l'hôtel particulier que les maîtres possédaient en ville et qui fut démoli en 1875, lors des grands travaux entrepris pour la modernisation de Bruxelles. La bibliothèque fait suite à la salle d'armes.
Edifié par plusieurs familles, ce domaine a été profondément remanié depuis sa fondation. Tel qu'il nous apparaît aujourd'hui, le château forme un bel ensemble des XVIe-XVIIe siècles, mais repose sur des infrastructures antérieures. Au cours des trois derniers siècles, rien n'a été épargné pour l'entretenir et le moderniser.

Jadis aux Clutinck, le bien échoit à leurs cousins, les Rivieren d'Aarschot, qui donnent leur nom au domaine. La maison de Rivieren est citée dans une charte du duc de Lotharingie, Godefroid III, en 1151.
1306. Le chevalier de Rivieren d'Aarschot est seigneur de Rivieren.
1360. Lambert van Eycke achète le château. Son héritier le cède à Gauthier Vandenwinckel qui le vend en 1467 à Jean Stoop. Par son mariage, la fille de ce dernier apporte le fief aux Vandereycken.
1588. Les autorités judiciaires contraignent les Vandereycken à vendre le domaine.
1628. Le chevalier François de Kinschot, trésorier général des finances, conseiller d'Etat, achète les seigneuries de Jette, Rivieren et Ganshoren. Il adjoint au domaine les seigneuries de Relegem, Hamme et Bever par achat au baron de Bouchout en 1650.
1654. Philippe IV érige en baronnie les six seigneuries réunies, au profit de François II de Kinschot, dont le père était décédé trois ans plus tôt.
1659. Exerçant d'importantes fonctions politiques, François II de Kinschot est dénoncé au roi pour incorrection. En fait, il est victime d'une machination ourdie par des personnes sur lesquelles il avait été amené à établir des rapports défavorables. Ayant prouvé son innocence, il est réhabilité, retrouve ses fonctions tandis que ses terres sont érigées en comté.
1701. François II de Kinschot meurt sans héritier mâle.
Sa fille aînée, Anne-Thérèse, hérite du patrimoine qu'elle apporte à son époux, Paul-Philippe de Villegas. Ce dernier relève la seigneurie de Rivieren, c'est-à-dire qu'il en assume les charges, l'entretient et en perçoit les bénéfices.
1745. Leur fils Gérard meurt sans descendance, il lègue ses biens à son neveu Gaspard de Villegas, comte de Saint-Pierre Jette. La même année, celui-ci fait ériger un pont de pierre devant le château et construire une digue autour de ses infrastructures afin de protéger les fondations.
1871. Le comte Ulric de Villegas entreprend les importantes restaurations qu'exige le délabrement du château, abandonné depuis la Révolution. Il est assisté par les architectes Durlet et Trappeniers.

Rivieren

△
La gravure de Harrewijn, bien que publiée en 1694, montre la toiture du donjon avant 1664. A ce détail près, le château d'aujourd'hui ressemble fort à celui d'autrefois. Par contre, le parc a été radicalement transformé au siècle dernier. Aménagé à l'anglaise, il fait du domaine une oasis de calme verdure.

Dans la maçonnerie de la tour, des fenêtres ont été percées au XVIe siècle. François II de Kinschot y a encastré au XVIIe siècle un bas-relief aux armes des Kinschot-Lanschol. Sur la droite, entre les deux fenêtres, le dessus de l'ancien pilori aux armes de Villegas. ▷

△
Qu'on ne s'y trompe pas. Malgré sa silhouette massive, Rullingen n'a rien d'un château fort. Sa lourde tour carrée qui rappelle les donjons médiévaux n'a jamais affronté d'assauts belliqueux. Les douves en partie comblées sont enjambées par un petit pont qui a abandonné ses parapets et ses lions en pierre pour une gracieuse balustrade en fer forgé. Masquée par le corps de logis, une aile de dimension modeste et de construction récente s'appuie sur la tour. La façade, malgré quelques réminiscences du XVIIe siècle, évoque principalement le XVIIIe siècle par ses frontons triangulaires, son porche et ses fenêtres droites.
Le château de Rullingen est entouré d'un parc que baignent deux ruisseaux, le Rullingerbeek et le Herk. Soigneusement entretenu, le domaine offre au promeneur toute la variété de la nature hesbignonne. Un guide que l'on peut se procurer sur place en fait une présentation détaillée.

Rullingen

Pour peu que vous décidiez de vous rendre au château de Rullingen au printemps, vous traverserez une Hesbaye parée des corolles blanches de ses arbres fruitiers et des villages aux maisons solidaires, blotties tout autour de l'église.

En sortant de la petite agglomération de Berlingen, il est inutile de lever les yeux en espérant apercevoir une silhouette altière se découper dans le ciel. Timide, le château de Rullingen a trouvé refuge en contrebas de la route, dans une petite cuvette dissimulée par de grands arbres.

Quand on contemple l'actuel château influencé par le style néo-Renaissance brabançon, il n'est guère facile d'imaginer qu'il a pu exister ici, avant le XVIIe siècle, un château fort dont les tours menaçaient une contrée si paisible aujourd'hui. Le lieu se prête difficilement à une telle construction, à moins que, comme à Horst, le seigneur de l'endroit voulût affirmer une présence militaire sans être pour autant convaincu des qualités défensives de son château. Faisons toutefois confiance aux médiévistes, même s'ils sont souvent enclins à voir une forteresse là où il n'y en eut jamais. L'actuel château remonte au XVIIe siècle. Plus que le millésime 1640 que fit graver l'architecte Langerock — auteur des restaurations du XXe siècle — des vestiges du style mosan en sont la preuve tangible. Très en vogue à cette époque, il inspire les encadrements de certaines fenêtres de la tour d'angle, tandis que les dépendances se disposent suivant un plan typiquement hesbignon.

Devenue demeure d'agrément, Rullingen se transforme au cours des siècles, au gré des exigences de ses propriétaires successifs, tant et si bien que le style mosan qui lui était propre s'effaça devant l'influence de la néo-Renaissance brabançonne. L'architecte Langerock paracheva l'évolution vers 1924 par d'importants remaniements. Les pierres provenant de la destruction de la basse-cour et des murs d'enceinte servirent à l'érection d'une aile nouvelle.

Les aménagements intérieurs du château demeurent modestes. Cependant, il recèle des œuvres qui ne manquent pas d'intérêt. Les portes du salon de la tour carrée sont décorées par des dessins à la plume exécutées par les filles du baron de Zeegraedt et s'inspirant de scènes de chasse.

On ne peut quitter Rullingen sans louer l'extraordinaire travail accompli ici par la province, qui a redonné vie à cet ancien domaine.

XIVe-XVe s. Existence probable d'une seigneurie du comté de Looz et d'une cour censale au village de Berlingen, dont dépend Rullingen.
XVIIe s. Construction du château dans le style dit de la Renaissance mosane.
1616. Ferdinand de Bavière donne en gage la seigneurie de Berlingen à Nicolas de Vocht.
1679. Maximilien-Henri de Bavière engage à nouveau la seigneurie, à Jeanne-Marguerite d'Oumale.
1729. La seigneurie revient au baron de Wanzoule, prévôt de la cathédrale St-Lambert à Liège. Il la cède la même année à la baronne de Sluse et à son fils aîné.
1770-1850. Fait assez rare à cette époque, le domaine dispose d'un petit jardin paysager anglais.
1920. Disparition totale dans un incendie de la ferme qui jouxtait le château.
1924. L'architecte Langerock remanie profondément le château.
1978. La province de Limbourg acquiert le domaine et ouvre le parc aux promeneurs.

Cette vue plus rapprochée de l'entrée du château nous permet de mieux cerner les détails de la construction.
Remarquez la curieuse asymétrie des fenêtres de part et d'autre de la porte, les lucarnes à la Mansart dans le toit ainsi que deux curieux petits frontons qui gardent la haute fenêtre au-dessus du porche. ▷

△ *Intégrant la tour forte de plan carré du XIIIe siècle, le château de Rameyen appartient au XVIe siècle par ses trois ailes à deux niveaux et ses gracieuses tours d'angle. Elargies en un plan d'eau, ses douves l'entourent tout entier.*

Rameyen

XIIIe s. Construction du donjon par les Berthout de Berlaer, famille issue des Berthout de Malines.
1380. La « Cour de Rameyen » passe, par mariage, aux van Lier d'Immerseele.
1635. Achat du domaine par l'écuyer Baudouin de Cock, seigneur de Wulvergem.
1643. Rameyen devient la propriété de Nicolas Rubens, deuxième fils du peintre Pierre-Paul.
1815. L'épouse de Joseph-Adrien Le Grelle rachète le domaine aux De Visscher qui le possédaient depuis la fin du XVIIIe s.
1880. Florent Le Grelle, resté célibataire, lègue le château à sa nièce Marie-Caroline Le Grelle, épouse de Nicolas-Alphonse de Cock.
1885 ou 1888. Remise en état du château.
1906. Restauration dirigée par le maître d'œuvre Bilmeyer.
1960. Nouvelle restauration due à Roger de Cock de Rameyen, dont les héritiers sont les actuels propriétaires.

L'actuel château de Rameyen ne diffère guère de celui que dessina Erlinger au XVIIe siècle. Seul le petit pont en bois a été remplacé. (Publié par Jacques Le Roy) ▷

Rameyen ! La dénomination de ce château, quelque peu surprenante, n'est qu'une déformation de « Ter Hameyden », nom sous lequel on désignait jadis le *castrum* établi à Gestel, dans la vallée de la Grande Nèthe. Sa position stratégique permet de supposer l'existence d'une forteresse de plaine dès le haut Moyen Age, mais tel qu'il nous est parvenu, le château de Rameyen ne fut érigé qu'à partir du XIIIe siècle. Le donjon appartient à la première phase de construction. Il s'intègre sans heurt dans un des plus séduisants castels de la province d'Anvers. Rarement l'équilibre des volumes et le contraste des couleurs ont abouti à pareille élégance raffinée.

L'élancement des tours rondes du XVIe siècle est soulignée par la blancheur des parois et les proportions de la muraille, également blanche, qui les sépare. Les volets des fenêtres et l'ardoise grise de la toiture percée de quelques tabatières contribuent à une heureuse opposition des tonalités qui se reflètent, inversées, dans l'eau des douves.

Le châtelet d'entrée ne comporte qu'un seul niveau au-dessus du porche. Toituré en bâtière entre deux pignons à gradins, il commande le pont long de dix-huit mètres et domine les communs construits à l'est de la basse-cour.

Les vestiges du XVIe siècle ne manquent pas dans le château. C'est ainsi que la salle d'armes possède encore six sommiers millésimés de 1564 et que la chapelle castrale, voûtée en ogive, est pavée de terres cuites florentines et de fragments de faïence anversoise d'époque.

Proche du manoir, un pilori rappelle que les châtelains de Rameyen (qui relevaient en plein fief du duché de Brabant alors que les seigneurs de Gestel dépendaient de ceux de Malines) détenaient le droit de haute, moyenne et basse justice. Simple colonne cylindrique élevée sur trois degrés circulaires et surmontée, comme le Perron liégeois, du symbole celtique de la pomme de pin, le pilori porte la date de 1779. Une décennie avant la Révolution française !

Le domaine de Rameyen bénéficie de l'environnement d'un parc paisible et comprend une centaine d'hectares de terres qui constituaient une grande partie de Gestel, avant que ce plus petit village de la province d'Anvers ne fusionne avec Berlaar en 1965.

La tour-porche du châtelet d'entrée contrôlait jadis l'accès à la cour intérieure par un pont en bois, aisé à détruire en cas de menace d'attaque. Le pont actuel a le mérite de la solidité et d'une relative discrétion. △

◁ *Placée dans l'axe de cette ravissante maison de campagne, l'entrée est coiffée d'une lucarne décorée de piliers en pierre naturelle. Sous la lucarne, deux guirlandes baroques s'accrochent à un cartouche marqué des lettres IHS. Celles-ci attestent la présence des Jésuites qui construisirent Patersmote au XVIIe siècle.*

Au XVIIe siècle, Patersmote, peut-être un peu irrespectueusement, était appelé « het speelgoet », le jouet de l'Ordre des Jésuites. Il y a là un amusant jeu de mots car, en néerlandais, goed signifie aussi propriété. Une propriété pour jouer ? Le bâtiment, il est vrai, n'a pas l'allure d'un château : il apparaît davantage comme une riche demeure campagnarde. Patersmote, c'était pour les Jésuites une magnifique résidence secondaire à proximité de Courtrai !
L'architecte qui conçut cette belle maison de campagne était assurément soucieux de symétrie. Mais ce fut une symétrie dépourvue de sévérité, et qui servit merveilleusement une décoration extérieure tout empreinte d'un subtil équilibre. Certes il l'habilla de briques. Mais il prévut des parements en pierre naturelle — on a utilisé ici la pierre de Balegem — qui soulignent avec bonheur certains éléments comme l'entrée ou les fenêtres.
Patersmote reste imprégné de son ancienne appartenance religieuse. Partout, les lettres IHS témoignent avec vigueur du passage des Jésuites. Patersmote avait sa chapelle. Une chapelle délicieuse, au plafond orné des monogrammes de Marie et de saint Ignace avec, au milieu, la colombe, symbole du Saint-Esprit. Patersmote avait aussi son parloir — c'est la première pièce à gauche — bel exemple de baroque restauré en un ravissant style rococo au milieu du XVIIIe siècle. C'est à cette époque aussi que l'intérieur fut entièrement renouvelé dans le style Louis XV.
Tout le laisse supposer : c'est dans ce parloir que Guido Gezelle, ami

Patersmote

intime de la famille Vercruysse, écrivit sans doute quelques poèmes célèbres. Par la fenêtre ouverte, ses regards erraient alors sur les vieilles murailles pour se perdre dans un admirable jardin anglais et trouver l'inspiration dans le charme romantique de son étang et de sa gloriette.

1616. Johanna van Baelberghe, veuve de Geraerd van den Kerkhove, achète le « Goedt ten Houtte » qui appartient à la seigneurie de Steenbrugghe. Ses deux fils, Geraerd et Joos, sont tous deux Jésuites.
1618. Elle lègue la propriété au Père Willem Gaspoel, supérieur du collège des Jésuites de Courtrai.
1655. C'est sur cette motte ceinturée de douves que les Pères Jésuites vont construire leur maison de campagne : ainsi naît ce nom de Patersmote.
1764. L'intérieur est complètement réaménagé en style Louis XV.
1773. La Société de Jésus est dissoute et le liquidateur Pierre Lemaître signifie la confiscation du domaine. Mais Patersmote ne trouve pas d'acquéreur : chacun craint les inondations annuelles de la Lys.
1777. Jacques Vercruysse, de Courtrai, achète la propriété pour la somme de 708 livres.
1930. Le petit château tombe en ruines. Il est racheté par le baron Jean de Béthune. Celui-ci le fait entièrement restaurer par l'architecte A. Carette qui ajoute deux ailes du côté nord.
1940-1945. Pendant la seconde guerre mondiale, Patersmote échappe miraculeusement aux bombardements qui détruisent la région de Marke. Le magnifique domaine émerge aujourd'hui de constructions entièrement neuves.
1964. Un arrêté royal classe la propriété et les étangs environnants. Le château est actuellement habité par le baron Guy de Béthune qui veille sur lui comme sur une sainte relique.

A la fin du XVIIe siècle, les Jésuites dessinent un parc au tracé plein d'originalité. Les prés de Lys qui l'entourent, lui font une ceinture de protection. Est-ce pour cela que, le long du pont d'accès, platanes séculaires et ifs soigneusement taillés ont si bien résisté au temps? ▷

Comme souvent à Marcourt, le colombage règne en maître sur la gentilhommière. Il s'agit là d'un souvenir de la période espagnole, au même titre que la toiture à croupes et à coyaux à large surplomb, jadis couverte de grosses dalles d'ardoises. Les remaniements successifs apportés aux ouvertures ont malheureusement entraîné une certaine dissymétrie dans la façade. ▷

◁ *L'arrière du bâtiment est entièrement en colombages et en briques, tandis que des matériaux contemporains protègent contre les intempéries les pignons et l'authentique charpente toujours en place. La terrasse d'agrément et la passerelle romantique constituent des ajouts modernes.*

Ancienne capitale d'une prévôté du comté de Montaigu, Marcourt est dominé, au-delà de l'Ourthe, par une colline escarpée où s'élève la fameuse chapelle Saint-Thibaut édifiée en 1639. Le village lui-même, sur la rive droite de la rivière, s'étire au long de chemins sinueux qui mènent au sommet d'un éperon rocheux. Dans un site bucolique à souhait, deux constructions s'imposent dans le remarquable ensemble architectural de Marcourt: l'église Saint-Martin aux origines romanes et surtout, en contrebas, une gentilhommière érigée à l'époque où l'Espagne régnait sur les Pays-Bas.

Certes, le logis principal semble bien modeste et isolé depuis que les siècles et la barbarie humaine lui ont arraché ses annexes. Mais tel qu'il apparaît, le château demeure un témoin privilégié de l'architecture du XVIIe siècle. Ses façades et ses pignons à colombage sont surmontés d'un toit où girouettes, lucarnes et cheminées accentuent l'effet de verticalité. Un écrin de verdure de six hectares traversé par un bras de l'Ourthe met en valeur cette gracieuse maison de plaisance.
Et, avec un brin d'imagination, il est facile de reconstituer le plan carré primitif et de faire resurgir du XVIIe siècle le château des Loewenstein.

Moyen Age. Une demeure seigneuriale, siège de la prévôté des Trois Rivières, existe sur l'emplacement de la gentilhommière actuelle.
XVIIe s. La propriété échoit aux comtes de Loewenstein.
1632. Jean-Théodore de Loewenstein fait édifier une nouvelle demeure dans le style espagnol de l'époque.
XVIIIe s. A droite de la façade du bâtiment principal, on adjoint une annexe basse en moellons de grès et à couverture en terrasse.
Fin du XIXe s. Le château forme un quadrilatère avec les communs. Il passe dans la famille Rocour.
1920. Construction de la passerelle sur le bras de l'Ourthe.
1944. Lors de la débâcle nazie, un incendie anéantit l'aile à usage de ferme, ce qui détruit la structure close de la demeure.
Actuellement. Madame Jules van Volsem est la propriétaire du château.

Marcourt

Le soubassement de la façade principale en moellons de grès n'est percé que de deux portes et de deux fenêtres. Ici, le linteau droit et les montants en queue de pierre sont surmontés d'une baie d'imposte du même type. ▷

△ *La façade sur le jardin et le parc fut entièrement reconstruite dans la seconde moitié du XVIIIe siècle. Cinq travées de fenêtres au linteau bombé se répartissent symétriquement de part et d'autre d'un avant-corps qui abrite la porte d'entrée. Des lucarnes courbes rythment le long toit unique qui surmonte le corps de logis. L'ensemble est flanqué de deux pavillons mansardés.*

Onthaine

Pour peu que vous veniez d'Achêne et non de Sovet, votre chemin serpente dans la forêt où le Bocq prend sa source, avant de longer l'étang d'où vous apercevrez le bel Onthaine et sa façade Louis XVI, toute empreinte de mesure, de grâce et de simplicité.
Un élégant perron précède l'entrée surmontée d'un fronton aux armes d'Huart-Montpellier. Elle donne accès à un vestibule orné de stucs. Cette décoration de grande classe et d'une extrême finesse enchante le visiteur dès l'accueil. Une trouée au plafond, ceinturée d'un balcon ovale largement dessiné et agrémenté de ferronneries, laisse deviner la galerie de l'étage et ses beaux portraits. Si l'on considère les nombreuses interventions des Morreti dans la décoration des châteaux mosans, il n'est pas aventureux d'imaginer être ici en présence d'une de leurs œuvres.
Les salles de réception s'alignent de part et d'autre du vestibule, face à la longue échancrure que trace le parc au milieu de la forêt environnante. La salle à manger possède une magnifique décoration très italianisante; de belles scènes maritimes et fluviales en ornent les murs.
Une autre entrée, qui fait pendant à la première et que l'on pourrait qualifier de domestique, débouche sur la cour intérieure d'une ferme qui présente la forme d'un quadrilatère à demi fermé. Les bâtiments qui l'entourent remontent à des époques encore mal déterminées. Deux tourelles à toiture conique sont reliées entre elles pour former un portail curieusement décentré par rapport à la longue avenue d'accès qui vient de Sovet. Celle de gauche est quasiment englobée dans un bâtiment du XIXe siècle, tandis que le château et une dépendance entourent celle de droite.
Côté cour, la longue façade de l'habitation est assez sévère. Une frise redentée atteste l'influence de l'architecture liégeoise.

1450. Jean de Salmier, d'une famille originaire de Dinant, acquiert la seigneurie d'Onthaine dont l'origine ne nous est pas encore connue. Ses descendants la conservent jusqu'en 1741 après avoir arrondi le domaine en 1622.
1749. Construction de la grange. Exceptionnellement on en connaît la date, grâce au millésime du portail.
Vers 1743. Les Montpellier d'Annevoie acquirent Onthaine. Ils transforment le château et lui confèrent son style classique par la création de la façade Louis XVI orientée vers le parc.
1820. Anne-Marie de Montpellier d'Annevoie épouse le baron Edouard d'Huart et apporte le domaine à une famille qui depuis l'occupe sans discontinuer.
Début XIXe s. Adjonction de deux pavillons latéraux couverts de toitures à la Mansart.
1855. Construction d'une tour néo-romane à l'angle occidental du potager.
1962-63. Restauration du château et des annexes par le père du propriétaire actuel.

Cet élégant portail flanqué de deux tourelles, l'une attenante au château, l'autre aux dépendances, confère à l'entrée latérale de la demeure un air très médiéval, tout en contraste avec l'autre façade qui montre, sur le parc, une belle ordonnance du XVIIIe siècle. ▷

La légende des Grimons

Voulant forcer un brocart d'une rare vigueur, le baron d'Huart était sorti depuis longtemps de son domaine lorsqu'il s'enfonça sous les frondaisons d'Onthaine. En vue de l'étang, il aperçut une nymphe d'une grâce inouïe et d'une beauté extraordinaire. Superbe, la belle tenait à la longe une petite chèvre d'or portant un écu au collier.
Abasourdi par une telle apparition, le cavalier en oublie sa chasse et quitte prestement sa monture pour s'approcher de l'étrange créature.
La nymphe lui sourit, il soupçonne un regard languissant. Le voilà si proche qu'il perçoit de petites flammes d'or frémissantes à la frange de ses yeux, d'un bleu presque transparent. Amoureux fou, il se précipite aux genoux de l'étrangère et passionnément tend les bras pour les refermer... sur le vide. Stupéfait, il contemple la petite chèvre d'or qui broute à deux pas. Il peut l'atteindre et lui ôter son collier où figure, ô étonnement, la devise des Huart: « mon cœur comme mon houx arde ». Cœur atteint, cœur brûlant, cœur ardent, le chasseur décide d'attendre, sur place, une nouvelle apparition.
La petite chèvre s'est sauvée, la solitude s'installe. Rompu par la longue course, épuisé par la forte émotion, notre héros s'endort au pied d'un hêtre séculaire, flamboyant sous le ciel gris d'automne.
En ouvrant les yeux, quelle ne fut pas sa surprise de se voir étendu dans un grand lit, toutes courtines tirées. Au travers des damas, il perçut le crépitement de la bûche, le froissement d'étoffes... La tête le faisait souffrir, l'écu de la petite chèvre brillait sur sa poitrine. Il soupira.
Dans sa folle randonnée, aurait-il heurté une branche basse? Désarçonné, il serait resté évanoui sur la mousse qui borde l'étang. Son cheval, en continuant sa course, était venu chercher secours au château tout proche.
Quelques mois plus tard, le jeune et fier baron épousait l'héritière des lieux!

Hormis la disparition de la chapelle, en haut à droite, et la croissance d'une végétation exubérante, rien n'est venu modifier l'aspect du château depuis le début du siècle dernier, époque à laquelle cette gravure a été exécutée. ▽

Onthaine

▷ △
*Les châteaux abritent des salles dont l'ampleur a exigé de tout temps une décoration spécialement adaptée. Longtemps, les tapisseries de haute lisse ont permis d'animer les murs, mais aussi d'atténuer les sons et d'isoler du froid. En outre, dès l'époque gothique, la peinture décorative intervient, prenant parfois une place éminente, qu'il s'agisse de caissons de plafond — ceux de Bossenstein sont de l'école de Rubens — ou de dessus de porte — ceux de Warfusée sont de Léonard Defrance — de manteaux de cheminée, voire de pans de mur entiers. La mode s'en répand surtout au XVIII*e *siècle et les artistes étaient parfois appelés de fort loin. Hélas, beaucoup de ces décors, qui sont souvent de véritables chefs-d'œuvre, la plupart du temps anonymes, ont disparu, qu'ils aient été volés, dégradés, remplacés ou simplement mal entretenus. Onthaine a heureusement connu un sort différent: l'état de conservation de ses peintures murales atteste le soin dont elles ont été l'objet au cours du temps.*

◁ *L'esplanade et la façade avant du château de Rolley donnent sur une large vallée baignée par une chaîne de quatre étangs. Creusés par Gaston Maus de Rolley qui aménagea le parc, ils remplacent une zone marécageuse qui, alimentée par un ruisseau, servait jadis à protéger les abords de la forteresse. On pouvait traverser le bas de la vallée par le pont « des moutons », qui tire son nom du lavage de la laine qui s'y pratiquait autrefois.*

Rolley

Le château de Rolley représente un des plus anciens témoignages du monde féodal dans l'antique duché de Luxembourg. L'enchantement de sa découverte commence dès l'allée de hêtres longue de plusieurs centaines de mètres qui mène, à travers la vallée, à l'éperon rocheux où s'accrochent des siècles d'histoire.

Car Rolley, c'est le Moyen Age donnant la main au XXe siècle. Reconstruit ou aménagé dans la première moitié du XVIIIe siècle, le corps de logis, sans style architectural bien défini sinon son rude aspect typiquement ardennais, s'est intégré harmonieusement dans un ancien quadrilatère défensif de moyenne importance. Bâti sur les assises fournies par les anciens remparts épais de près de quatre mètres, le château s'appuie sur la tour dite « de la chapelle ». A part la tour septentrionale appelée « de la prison » à cause de son sinistre cachot, les autres tours primitives de la forteresse ont été démantelées par les aménagements modernes ou par le temps. Mais, même amputé, Rolley évoque toujours, grâce à ses vestiges et à ses remparts, l'époque de sa splendeur, quand son donjon symbolisait justice et pouvoir sur les villages de Longchamps, de Fays ou de Lavacherie.

A la suite des restaurations de la fin du XIXe siècle et du début du XXe siècle, certaines pièces ont retrouvé leur lustre d'antan. Ainsi la chapelle castrale a retrouvé son aspect primitif. Des cheminées remarquables, en style Renaissance ou dans le goût du XVIIIe siècle, ornent le salon, la salle à manger et la salle d'armes au plafond à caissons polychromes.

Fait miraculeux : alors qu'en pleine bataille de Bastogne, en 1944, le château et ses dépendances étaient devenus un important centre militaire américain, ses trésors ne souffrirent pas des combats.

C'est à Rolley bien sûr que le général Patton décora Mc Auliffe, l'homme du fameux « Nuts ». Ce faisant, il honorait un millénaire de passé militaire glorieux.

Une fois dépassés les bâtiments agricoles, on débouche directement sur la tour cylindrique dite « de la chapelle », sur laquelle s'appuie le corps de logis. La toiture conique fut probablement ajoutée en 1733. ▷

Dans le salon-fumoir contigu à la salle d'armes, la cheminée Renaissance en pierre est rehaussée d'une taque aux armes du comte de Degelfeld-Schönenbourg remontant au XVIIIe siècle. ▽

IXe s. Existence probable d'une maison fortifiée.
XIIe s. Un manoir avec donjon entouré de remparts occupe le site.
1291. Un acte atteste que Guillaume de Bolland règne sur la seigneurie hautaine de Rolley, vassale des ducs de Luxembourg.
5 septembre 1475. Charles le Téméraire, en route vers Soleuvre où il doit rencontrer Louis XI, passe la nuit au château.
1485. Catherine de Fexhe, veuve de Jehan de Bolland ou de Boullant, édifie l'actuel autel de la chapelle castrale.
1577 ou 1578. Avec Lamoral, la lignée directe des Boullant s'éteint.
XVIIe s. Par alliance, la famille de Schönenbourg devient propriétaire de Rolley.
1602. Les mercenaires de Louis de Nassau tentent en vain de s'emparer du château.
XVIIIe s. Les familles Degenfeld, Zoeteren et Oetingen, issues des Schönenbourg, se succèdent à Rolley.
1733. Un nouveau corps de logis est bâti dans l'ancienne forteresse.
XIXe s. Les Maus de Rolley acquièrent le château, qui appartient toujours à cette famille.
Fin du XIXe et début du XXe s. Gaston Maus de Rolley procède à la restauration intérieure et extérieure du château.
1916. Classement de la tour « de la chapelle ».
Décembre 1944. Rolley sert de Q.G. au chef d'état-major de la 101e division aéroportée.
3 avril 1979. Arrêté royal de classement du château et des ruïnes comme monument et des terrains environnants comme site.

Châteaux Renaissance

Aucune époque de l'Histoire ne fut sans doute plus riche
de nouveauté, d'invention, d'œuvres, plus enivrée de génie et de vie
que la Renaissance.
Dès le XVe siècle, l'Italie fournit à la civilisation occidentale
les cadres nécessaires à une représentation renouvelée du monde.
Et, comme toujours,
c'est l'art qui reçut mission de prêter forme et couleur
aux idées éparses dans l'air du temps :
une merveilleuse joie de bâtir, de sculpter et de peindre
s'empare de toute l'Europe.
La brise venue du Sud n'atteint cependant nos provinces
qu'avec un certain retard.
Une part de notre XVIe siècle prolonge encore l'époque gothique.
Mais les vertus communicatives des grâces « à l'italienne »
finissent par l'emporter sur les leçons austères de la tradition.
Dès 1630-1635, l'ancienne maison forte a vécu.
Nos châteaux s'ouvrent plus largement au monde extérieur et font
droit aux exigences, jusque-là fort négligées, du confort de leurs
occupants.
L'œil du promeneur se repaît avec délices de cette ampleur
mesurée, de cet art des proportions savant comme le bonheur de
vivre, qui attribue aux murs et aux fenêtres leur poids exact dans
les jeux de la lumière et de l'ombre.

Tour du château d'Ooidonk (p. 182)

Rumbeke

Rumbeke ou le triomphe de l'amour ! L'histoire est jolie et vaut d'être contée. Nous sommes en 862 : Baudouin Bras-de-Fer et Judith, la fille de Charles le Chauve, s'aiment d'un amour tendre. Amour partagé... mais auquel le roi de France refuse son consentement. Aussi Baudouin enlève-t-il sa jolie princesse, pour se réfugier avec elle au village de Rumbeke... où les deux amants passent leur lune de miel !
Ce coup d'audace fit leur fortune : soutenu par le pape Nicolas Ier, Baudouin obtint du roi, non seulement son pardon, mais même un morceau de terre qui deviendra dans l'histoire le comté de Flandre !
Rumbeke ou le triomphe de l'amour ! Les lettres T et M, entrelacées sur les semelles de poutre de la grande salle, ne témoignent-elles pas, elles aussi, de l'affection qui unit Thomas de Thiennes et Marguerite d'Harméricourt, les constructeurs du XVIe siècle ?
Ainsi les fées comblèrent-elles cette noble demeure. Encore aujourd'hui, avec ses multiples tourelles dont la plus grande est couronnée d'un bulbe, le château surgit de son beau parc comme d'un conte de Perrault.
Rumbeke doit beaucoup à ses bois : paradis des ornithologues, ils abritent une trentaine d'espèces d'oiseaux.
Une grande originalité a présidé à l'ordonnance du parc : une étoile à dix pointes qui sont autant de magnifiques drèves. Certaines aboutissent à de belles perspectives sur les tours de Roulers ou de Rumbeke. Dans le région, le parc est d'ailleurs connu sous le nom de « Sterrebos » : c'est le « bois étoilé » des promenades dominicales.
Ce parc fut aménagé vers 1770 par l'architecte de jardin Simoneau à la demande de Joseph Murray de Melgum, qui avait épousé la veuve du comte de Thiennes. Murray fit du château le foyer d'une brillante vie mondaine. Ce général autrichien était cantonné à Rumbeke... et c'est pour occuper ses cartographes qu'il fit dessiner le parc sur le modèle du fameux Prater de Vienne !

1479. Par alliance, Rumbeke devient la propriété de la célèbre famille de Thiennes qui le conservera jusqu'en 1856.
XVIe s. Jacob de Thiennes, seigneur de Rumbeke de 1496 à 1534, accomplit de nombreuses missions diplomatiques confidentielles : ce fut l'homme de confiance de l'empereur Maximilien et plus tard de Charles Quint. Son fils Thomas (décédé en 1588) se distingua à la bataille de St-Quentin où les Espagnols écrasèrent l'armée française.
1534-1588. Thomas de Thiennes restaure le château et y apporte d'importantes modifications : il fait ajouter l'aile ouest, cinq tours octogonales et un étage sur la chapelle. L'entrée est transférée au sud-ouest et les fossés sont comblés. Rumbeke prend ainsi son aspect actuel.
1645. Les Français pillent le château. René de Thiennes est fait prisonnier mais relâché sous la pression des Hollandais.
1658. Nouveau pillage du château par les Français : quatre domestiques du comte sont assassinés.
1705. Pour la troisième fois, la rage de piller s'empare des Français.
1795. Par crainte des révolutionnaires français, Christian-Charles de Thiennes prend la fuite et le château reste inoccupé.
1802. En l'absence de son propriétaire, le château est vendu par les Français : l'acheteur est François-Théodore de Thiennes, petit-neveu de René-Charles.
1856. La fille aînée de François-Joseph de Thiennes épouse le comte Thierry de Limburg-Stirum et Rumbeke entre dans le patrimoine de cette famille.
1962. Le comte Guillaume de Limburg-Stirum fait restaurer le château qui retrouve son aspect d'autrefois.

Tout de sobriété, le porche d'entrée est surmonté de l'antique blason familial. Au-delà, hérissé de tourelles, Rumbeke surgit, comme d'un livre d'images, à peu près tel qu'il était au XVIe siècle. Diversité des teintes de la pierre, toits d'un bleu éclatant, tendres verdures font de cet ensemble une éblouissante symphonie de couleurs qui se reflètent dans les eaux calmes de l'étang. C'est un des plus anciens et des plus beaux châteaux de plaisance de notre pays.

Pouvait-il se douter, Guillaume de Hamal, lorsqu'il bâtit sa forteresse à 's Herenelderen en 1621, que l'un de ses descendants portant le même nom que lui en causerait la ruine ? Deux siècles plus tard, l'autre Guillaume de Hamal eut la mauvaise idée de se ranger parmi les alliés de Guillaume de la Marck, « ami et serviteur de la France », mais aussi ennemi juré du Prince-Evêque. Il y perdit trois cents de ses vassaux, réfugiés avec lui dans la forteresse de 's Herenelderen... et son château, rasé sur les ordres du Prince-Evêque...
Par bonheur, ce fut une famille plus pacifique qui s'établit en ces lieux en 1556. Les Renesse préféraient les joies domestiques aux ardeurs guerrières et se sont attachés, au cours des ans, à construire, morceau par morceau, un vaste domaine. Le résultat ? Un ensemble composite et séduisant comprenant un château des XVIIe et XVIIIe siècles et sa ferme de la même époque. Ils sont séparés par les douves qu'enjambent les deux arches en plein cintre d'un petit pont de pierre. L'autre façade du château se reflète dans un étang entouré de verdure.
Plusieurs styles se retrouvent dans la demeure de 's Herenelderen : le gothique pour le logis seigneurial des origines, le classique dans les fenêtres et les pignons, le baroque enfin dans la décoration intérieure. Des aménagements faits au XVIIIe siècle ont, en effet, transformé l'ancien manoir en une belle demeure de plaisance au plan en U et aux façades symétriques, bouleversées au siècle dernier par l'ajout d'un étage.
Les vastes écuries ont été conservées ainsi que l'orangerie, devenue un véritable recueil héraldique, puisque ses murs s'ornent des armes successives des Renesse. Marguerite de Stepraedt y a joint sa devise : « Par elle je renay Renesse Stepraedt ».
L'intérieur du château de 's Herenelderen témoigne du même souci de confort et d'élégance que l'extérieur. Au cours des aménagements, un imposant escalier de chêne à trois volées fut construit, à côté de l'antique salle des chevaliers avec sa cheminée du XVIIe siècle, surmontée des armes de René de Renesse et de Marie de Rubempré. Le vestibule est décoré de stucs nés de l'imagination d'artistes italiens, où colombes et aigles virevoltent dans un décor charmant. Il abrite une nymphe pudique malgré la légèreté de ses voiles. Etonnant aussi le salon de l'aile sud, avec ses dentelles de plâtre et de bois où éclate l'exubérance baroque des artistes du XVIIIe siècle finissant. Tel est le château de 'S Herenelderen qui a pu garder, grâce aux Renesse, l'éclat de sa beauté d'antan.

's Herenelderen

XIIe s. Guillaume dit «le riche», possède de nombreuses terres au sud et au nord de Tongres, dont probablement 's Herenelderen.
1261. Guillaume de Hamal reçoit l'autorisation du châpitre de Tongres d'ériger une paroisse à Elderen. C'est de cette époque que date la chapelle d'Elderen, devenue plus tard église paroissiale et qui abrite le tombeau de Guillaume de Hamal.
1365. Jean de Hamal part en guerre contre l'évêque de Liège Jean d'Arckel. Les terres des Hamal ainsi que leur château sont dévastés par les troupes liégeoises.
1410. Arnould de Hamal épouse l'hennuyère Anne de Trazegnies. A la suite de mariages, leurs enfants quittent 's Herenelderen pour le Brabant, la Hollande et l'Allemagne.
1482-1483. Ayant pris le parti de Guillaume de la Marck en guerre contre le Prince-Evêque Jean de Hornes, Guillaume de Hamal voit son château anéanti par les troupes épiscopales.
1494. L'année de sa mort, Guillaume de Hamal a sans doute reconstruit le château puisque l'aile nord de la vaste construction semble dater de cette époque.
1501. Le 30 novembre, Anne de Hamal contracte mariage avec Fréderic de Renesse, drossard de Breda. Depuis lors, la famille de Renesse est propriétaire du domaine de 's Herenelderen.
Fin XVIIe s. La plupart des bâtiments actuels du château remontent à cette époque.
XXe s. Le comte Philippe de Renesse et son épouse Amicie de Monteynard redonnent vie au domaine, quelque peu délaissé au XIXe s. par leurs aïeux. Cette animation perdure aujourd'hui grâce au comte et à la comtesse Guy de Renesse, actuels propriétaires et habitants.

Cette vue prise du château vers l'orangerie (absente sur le document) montre, à droite du pont, le porche surmonté des armes des Renesse-Bockoltz. Non loin de là, les ◁ vastes écuries et la tour carrée.

Les façades ouest et nord: même si la plupart des bâtiments qui composent le château de 's Herenelderen remontent à la fin du XVIIe siècle, il semble bien que l'aile nord du domaine date, quant à elle, de la fin du XVIe siècle. Remarquez les pignons en gradins ainsi que les lucarnes largement ◁ ouvertes dans le toit.

La vie de château au XVIIIe siècle

Au siècle des Lumières, les châteaux sont occupés principalement par des aristocrates. Toutefois, on constate, dans nos régions placées sous l'autorité autrichienne, une diminution de leur nombre, due autant à la sévérité accrue des conditions d'élévation à la noblesse qu'au contrôle plus strict de l'appartenance à cet état.
Certains nobles exerçaient des fonctions importantes. Ainsi des membres des lignages aristocratiques siégeaient dans des conseils consultatifs qui entouraient les gouverneurs-généraux désignés par l'autorité à Vienne. Le métier des armes en attirait d'autres. Il était fréquent de trouver un chef de famille à la tête d'un régiment wallon des Pays-Bas, voire au service d'un souverain étranger.
Enfin, la carrière ecclésiastique permettait à quelques-uns de mener l'existence dorée d'évêque mondain.
Mais malgré ces fonctions et ces titres, la principale source de richesse restait les revenus de la terre. Au cours de la seconde moitié du siècle, les aristocrates furent contraints d'affecter des intendants et des receveurs à la rentabilité du domaine et à la perception des redevances seigneuriales. Plusieurs familles nobles connurent cependant des difficultés d'ordre financier; mais en dernier ressort existait la possibilité de conclure un mariage d'intérêt avec l'héritier de quelque négociant enrichi.
Les nobles partageaient leur temps entre les châteaux campagnards et les hôtels de maître urbains, qu'ils bâtissaient ou rénovaient selon le style au goût du jour, tantôt baroque tardif, tantôt rocaille, tantôt néoclassique.
Des châtelains se plaisaient dans le calme studieux de leurs riches bibliothèques où la tentation d'écrire les prenait parfois. D'autres, dignes fils des Lumières, préféraient collectionner des fossiles ou des minéraux rares, ou se livrer à des expériences de physique ou à des observations astronomiques.
Le temps parfois n'avançait pas très vite, et une partie de trictrac ou de billard était toujours bien accueillie. Le concert de musique de chambre, le bal costumé, la séance théâtrale, voire le feu d'artifice, étaient réservés aux grandes occasions.
Vivaient également au château des gouvernantes, bientôt relayées par des précepteurs, chargés d'éduquer et d'instruire les enfants. Ce n'est qu'à l'âge d'entrer dans les collèges de jésuites que les adolescents quittaient le domaine; ils terminaient leurs études à l'université de Louvain.
Les nobles aimaient leurs jardins, d'abord dessinés à la française; vers la fin du siècle, ils suivirent la mode anglaise plus fantaisiste. L'intérêt pour la Chine se traduisit aussi par quelques touches d'exotisme. Outre des promenades, une partie de chasse rompait parfois la monotonie du quotidien. La sortie en carrosse l'été ou en traîneau l'hiver permettait enfin de parcourir les environs.
Il était de bon ton que les châtelains entretiennent certaines relations avec le peuple. A la kermesse du village, par exemple, des nobles faisaient distribuer de la nourriture et des boissons.
Enfin, quand leurs finances le leur permettaient, les aristocrates allaient prendre les eaux à Spa, à moins que l'éclat de Vienne ou de Paris ne les éblouisse devantage et leur fasse oublier, pendant quelques semaines, leurs préoccupations.

Un bel escalier en chêne massif conduit en trois volées à l'étage des chambres. La plus belle est revêtue de riches boiseries qui mettent en valeur, au-dessus de la cheminée, le médaillon ovale représentant le maître des lieux au début du XVIIIe siècle: Henri de Wassenaer, grand commandeur du bailliage des Vieux-joncs. ▷

's Herenelderen

◁ *Au XVIIIe siècle, et surtout au XIXe siècle, les châtelains aimaient remplacer les sévères parterres à la française par le désordre organisé des jardins anglais. Quoi de plus romantique en effet qu'une façade de château se reflétant dans l'eau calme d'un étang entouré de beaux arbres?*

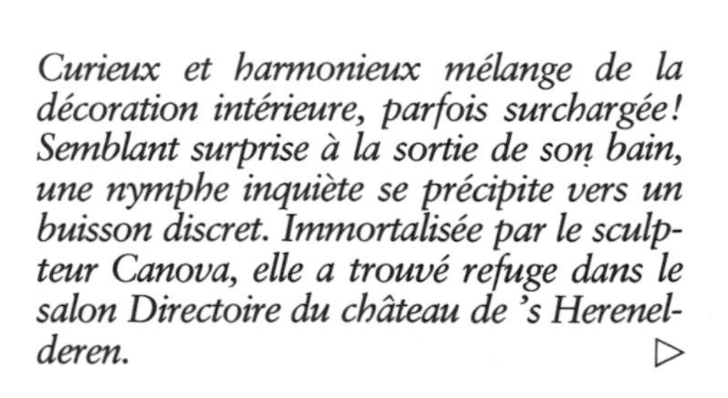

Curieux et harmonieux mélange de la décoration intérieure, parfois surchargée! Semblant surprise à la sortie de son bain, une nymphe inquiète se précipite vers un buisson discret. Immortalisée par le sculpteur Canova, elle a trouvé refuge dans le salon Directoire du château de 's Herenelderen. ▷

△
Masse imposante s'il en est, le château de Harzé se love dans un parc de 5 hectares et jouit d'un environnement exceptionnel. Sur le porche donnant accès à la grande cour, on peut lire la date 1647. Deux tourelles calcaires circulaires flanquent la muraille de protection, souvenirs de l'ancien manoir féodal dont les aménagements et les reconstructions ultérieurs ont profondément modifié la structure.

Restaurée au début du XXe siècle dans son style Renaissance originel, la chambre dite « des Comtes » s'enorgueillit d'une décoration luxueuse. Poutres et solives de chêne soutiennent cette pièce d'apparat aux murs tendus de cuir de Cordoue et recouverts de lambris sculptés. Deux imposants fauteuils offrent la particularité très rare de posséder des dossiers amovibles qui, en leur temps, permirent aux dames d'étaler leur traîne sans risquer de la froisser. ▷

La grosse tour carrée à lanterne qui termine la majestueuse façade ouest est dénuée de tout caractère défensif et doit dater de la reconstruction du château, dans le premier tiers du XVIIe siècle. Un curieux balcon donnant sur la grande cour ne manque pas d'étonner. ◁

Harzé

Harzé fait partie de ces quelques châteaux belges qui magnifient le style Renaissance. Son remarquable état de conservation n'en est que plus appréciable.
Situé non loin de l'Amblève, dans un décor rural à faire rêver, le castel s'aperçoit de loin, non seulement grâce à sa position privilégiée, mais encore grâce à ses tourelles de clôture et à sa tour-donjon caractéristique.
De prime abord, la masse du château peut sembler imposante. Mais cette impression est atténuée par sa destinée actuelle de centre de loisirs, équipé pour accueillir des groupes en gîte rural, des expositions, des conférences et des concerts. La valeur touristique du lieu est confirmée par un parc animalier et un musée de la Meunerie. Plusieurs millésimes ancrés dans la pierre datent le château des XVIIe et XVIIIe siècles. Ainsi, on peut lire 1647 au-dessus du porche de la grande cour et 1753 sur le portail baroque de la seconde entrée qui donne accès à la cour d'honneur.
La façade, de style Renaissance mosane, apparaît, sans conteste, comme la plus intéressante. On est frappé par la beauté de la galerie couverte avec ses quatorze arcades en plein cintre, heureusement débarrassée des vitres qui la fermèrent pendant tout un temps. Jouxtant la cour d'honneur, le cimetière, au centre d'une végétation luxuriante, où reposent des générations de seigneurs et de manants unis dans la mort, permet d'accéder à une basse-cour. Du côté de la grande cour et de ses dépendances, il faut avouer que le château frappe plus par son allure imposante que par sa beauté. Plusieurs remaniements y sont par trop visibles, telle cette loggia censée

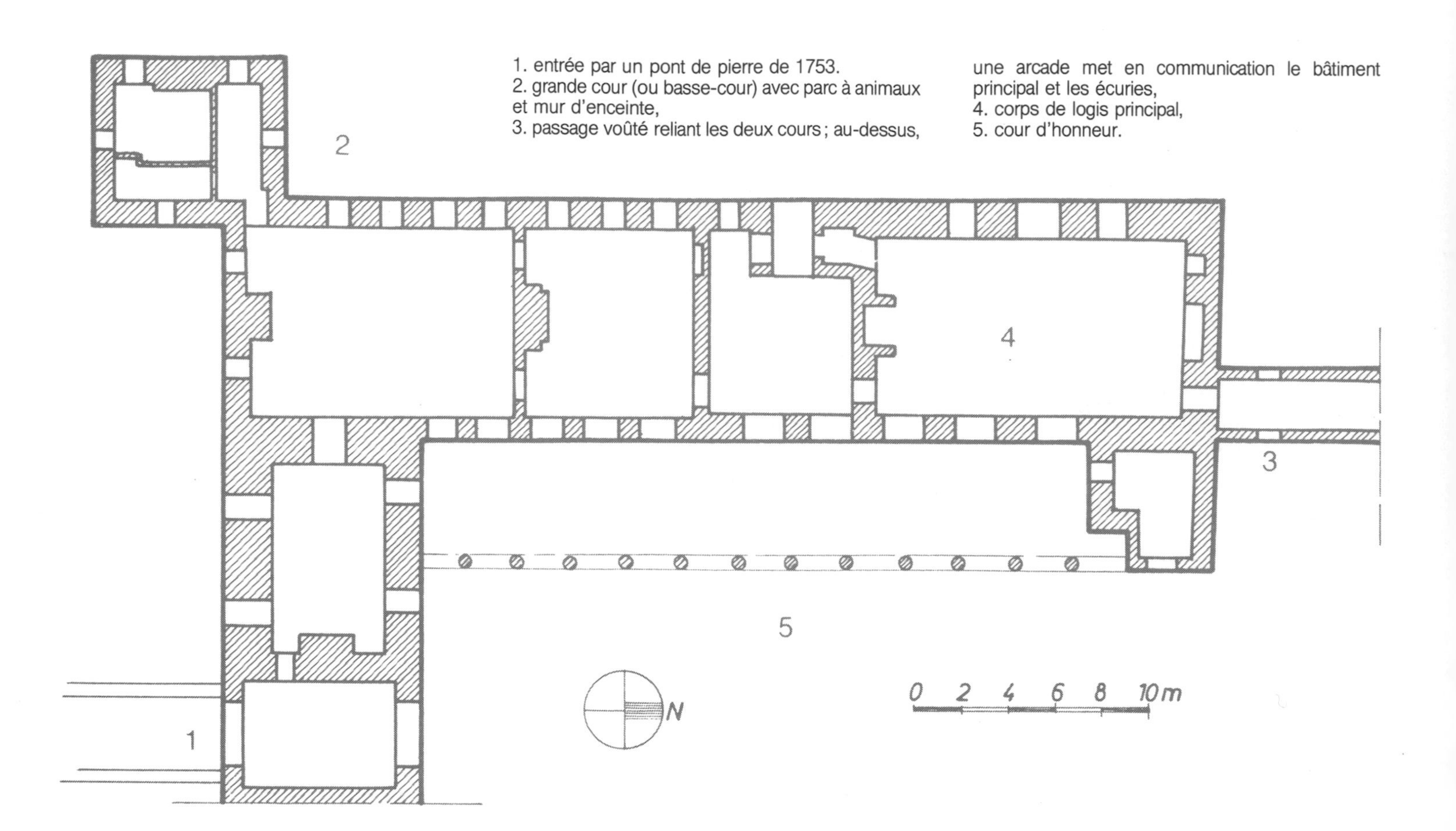

1. entrée par un pont de pierre de 1753.
2. grande cour (ou basse-cour) avec parc à animaux et mur d'enceinte,
3. passage voûté reliant les deux cours ; au-dessus, une arcade met en communication le bâtiment principal et les écuries,
4. corps de logis principal,
5. cour d'honneur.

Harzé

Comme bon nombre de demeures seigneuriales, Harzé possède sa cheminée monumentale dont l'âtre contient une broche capable de recevoir un animal de belle taille. Moins spectaculaire mais plus exceptionnel, cet autre foyer dont les motifs géométriques sont obtenus au moyen d'ardoises posées sur la tranche. ▷

décorer la partie gauche du bâtiment. L'équilibre des ouvertures et la tour-donjon méritent cependant un regard attentif.
En contrebas est installé le musée de la Meunerie. Par la profusion d'objets insolites qu'il renferme, notamment une vis d'Archimède en bois, il vaut une visite attentive. Quant à l'intérieur du château, il laissera peut-être sur sa faim le visiteur passionné de décors authentiques. Pourtant la salle dite « des Comtes », restaurée au début du siècle, mérite à elle seule qu'on s'y attarde longuement : on constatera avec admiration que toutes les têtes sculptées qui ornent les boiseries sont différentes.

890. Un acte mentionne que Harzé relève de Montaigu en Ardenne.
1131. Un manoir fortifié et une chapelle castrale existent sous le règne de Wéri VI de Harinzeis.
XIII-XVIe s. La maison forte appartient successivement aux comtes de Clermont, de Beaufort-Celles et de La Marck.
1303. Edification d'une nouvelle tour-donjon défendue par des murs élevés et par un escarpement rocheux.
XV-XVIe s. Construction de terrasses au nord et à l'ouest, et d'un pont-levis sur les douves.
1566. Marguerite de La Marck épouse Jean de Ligne.
1587-1594. Erection d'une nouvelle ferme.
XVIIes. Reconstruction par les Ligne-Barbanson des façades sud et ouest et de l'escalier d'honneur en petit granit poli.
1629. Albert de Ligne vend le château au baron Ernest de Suys-Lynden. Ce propriétaire poursuit les aménagements en remaniant le porche de la grande tour, la tour poivrière à l'ouest et la façade Renaissance à l'est.
1708. Construction des écuries et des granges de la basse-cour.
1753. Les nouveaux propriétaires, la famille de Rahier-de Fraipont-de Berlaymont, édifient un pont de pierre et le portail baroque de la cour d'honneur.
1842. Les comtes de Berlaymont vendent le domaine au notaire Aubert de Ciney.
1879. Pierre Fermont, propriétaire du château depuis six ans, fait démolir l'ancienne chapelle castrale.
XXe s. Edgard de Potter d'Indoye hérite par alliance du château de Louisa Fermont et procède à sa restauration. Il embellit la chambre « des Comtes ».
1965. La demeure est classée monument historique par la Commission royale des Monuments et des Sites.
1973. La province de Liège rachète la propriété à Henri de Potter d'Indoye et la transforme en centre touristique et culturel.

La façade est du château donne sur la cour d'honneur et s'impose par l'élégance de son style renaissant liégeois. De la galerie couverte bornée par quatorze arcades en plein cintre reposant sur des colonnes toscanes, le regard embrasse un extraordinaire paysage vallonné et boisé, immuable dans sa beauté depuis le XVIIe siècle. ▽

△
Triomphal jaillissement de fer forgé dans le ciel bleu... En un style rococo très pur, ce superbe travail de ferronnerie surmonte la grille du château. Les lettres P évoquent les Pycke de Peteghem.

△
Rassurante symétrie d'un jardin dessiné à la française. Aimable désordre d'un parc aux opulentes frondaisons. Il est bien difficile d'imaginer ce décor champêtre éclaboussé de sang et résonnant des durs combats qui se livrèrent ici...

Poeke en 1641: une composition hexagonale où trois ailes étaient réservées aux appartements, les trois autres aux bâtiments de service. Au milieu, la tour de guet servait aussi de pigeonnier. Une solide muraille ceinturait l'ensemble. ▷

Poeke

5 juillet 1453. Légitime fierté ou provocation délibérée, le drapeau des Gantois flotte au sommet du château de Poeke, qu'ils ont investi. Assurément, la vallée de la Lys est bien défendue! L'ennemi à abattre, c'est Philippe le Bon, duc de Bourgogne, en guerre avec la cité d'Artevelde et qui, en ce jour d'été, lance ses troupes à l'assaut du château. La résistance sera opiniâtre. Il faudra neuf jours d'un effroyable carnage et toute la ruse militaire du Bourguignon pour que la garnison se rende. La vengeance du «bon duc d'Occident» sera terrible: le château sera rasé et tous ses défenseurs, sans exception, pendus haut et court. Atroce barbarie des mœurs militaires de ce temps-là...

Un siècle et demi plus tard, Poeke est toujours dans le même état de délabrement et lorsque, en 1597, Jean-Baptiste Preud'homme d'Hailly achète le château, l'acte de vente le décrira comme «une maison en ruine». Cet homme cultivé va sauver Poeke et le reconstruire: de ce château du début du XVIIe siècle, nous avons conservé les quatre tours rondes.

Mais bientôt le bruit des armes s'estompe, Poeke perd sa signification stratégique et il va se transformer en une splendide résidence princière. Entre 1671 et 1761, les trois ailes d'un nouveau château vont sortir de terre.

L'aile gauche, la plus ancienne, sera édifiée en un style français très pur. A la façade principale, toute de sérénité et de beauté classique, un fronton triangulaire apportera un peu de fantaisie. Les quatre tours d'angle vont se coiffer d'un toit espagnol à six pans. Sur les douves est jeté un beau pont à quatre arches qui conduit à la grande porte d'entrée: d'élégantes balustres en pierre y font la haie. Et curieusement, dans les piles du pont, au niveau de l'eau, une passerelle est aménagée... qui conduit à une entrée de service dans les sous-sols du château!

A la fin du XIXe siècle, Victor Pycke de Peteghem va modifier considérablement la façade arrière qu'il couronnera d'un joli fronton Renaissance surmonté d'une croix en pierre de France. Poeke lui doit son immense vestibule, prestigieux témoignage d'une gloire passée. Les derniers châtelains de Poeke survivent ici dans la fierté de leur devise familiale: «Pellias Hastor». Oui, même jusqu'au combat...

Le combat s'est achevé: aujourd'hui, Poeke appartient à la commune d'Aalter.

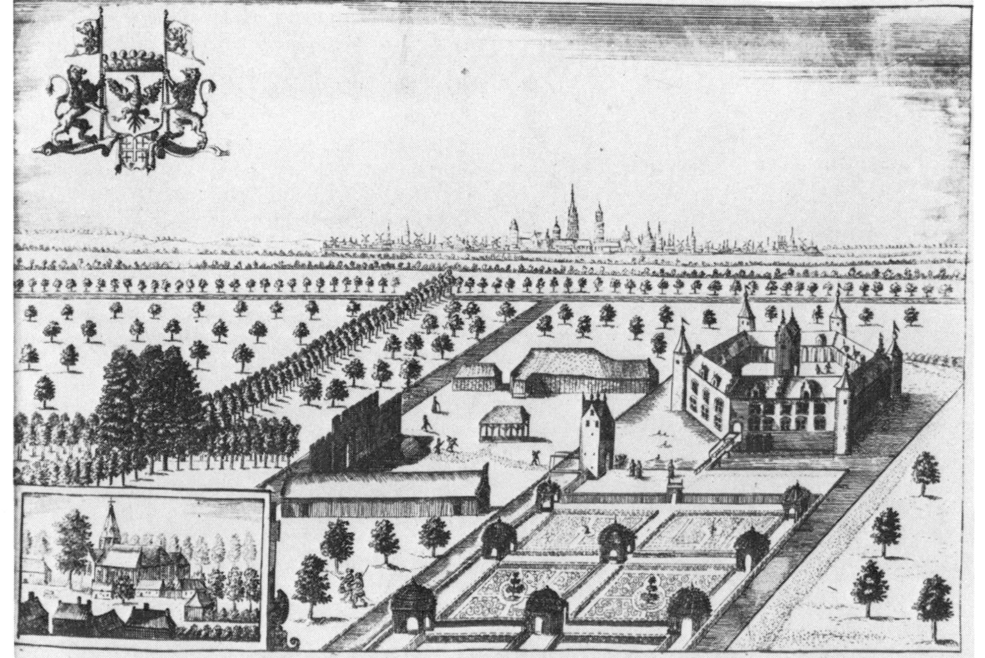

XIVe s. La demeure fortifiée des barons de Poeke est transformée en un solide château fort qui domine la vallée de la Lys.
1382. Lors de la révolte de leur ville contre le comte Louis de Male, les Gantois s'emparent de Poeke.
1452. Conduits par Goethals, des Gantois révoltés occupent la forteresse.
1453. En guerre avec Gand dont les métiers voulaient préserver leurs antiques privilèges, Philippe le Bon fait raser le château.
1597. Jean-Baptiste Preud'homme d'Hailly achète le château en ruines...
1609-1641. ... et le reconstruit.
1671-1761. Edification d'un nouveau château : c'est la riche demeure de plaisance qui parviendra jusqu'à nous. L'aile gauche s'élève en 1671, la partie centrale en 1750 et l'aile droite en 1761.
1872. Victor Pycke de Peteghem acquiert Poeke et y apporte les dernières modifications. Le château prend son aspect actuel.
1955. Au décès de la dernière châtelaine, Inès Pycke de Peteghem, le domaine passe à la colonie d'enfants « Duinen en Heide » puis à la commune d'Aalter.

△
De style rococo, le hall d'entrée de l'aile principale Louis XVI englobe les deux étages, mais le balcon circulaire atténue la hauteur des murs. De ce balcon se découvrent les détails du plafond peint, avec son ciel nuageux et ses personnages qui semblent flotter dans les airs. C'est un décor qui évoque les peintures religieuses de l'époque. Cette œuvre d'art anonyme n'est pas sans rappeler Moretti, un des grands maîtres italiens de ce XVIIIe siècle.

1619. Première mention officielle de la seigneurie de Hasselbroek.
1620. Un château est construit en style Renaissance mosan.
1728. Par testament, Jean-André de Borman protège son patrimoine contre un éventuel propriétaire étranger à la famille.
1733. Par l'entremise d'un membre féminin de la famille, André de Borman, qui — suite à son inconduite — était tombé en disgrâce auprès de son père, hérite tout de même du domaine de Hasselbroek en indivision avec son frère Jean-Henri.
1764. A la mort de l'héritier légal, Jean-Henri de Borman, le domaine entre dans le patrimoine de son neveu Armand de Borman.
Celui-ci fait immédiatement restaurer la chapelle du château: pour cette famille très pieuse, l'église du village était en effet trop éloignée. Entre-temps, le domaine vieillit.
1770-1780. Armand de Borman restaure la plus grande partie du château. De la vieille demeure de 1620 il conserve la maison seigneuriale et la robuste tour carrée. Cette partie est absorbée par une construction en U de style Louis XVI avec une nouvelle aile principale centrale.
1814. Les troupes russes qui s'en vont combattre Napoléon s'installent dans le château et détériorent peintures, tableaux et objets d'art.
1852. La famille Jamar achète le domaine et le rebaptise château Jamar.
1968. M. Armand Cornelis hérite du château.

La façade arrière s'ouvre au printemps sur les bouquets blancs des arbres fruitiers, la grande ressource de la région. Pour les habitants du château, c'est la promesse ◁ *d'une récolte généreuse.*

△
Avec ses grandes baies donnant sur le jardin, le grand salon est assurément digne d'éloge. Des stucs et des guirlandes aux tons pastel soulignent avec bonheur la décoration.

Hasselbroek

Dans cette Hesbaye limoneuse que recouvre en été l'or des moissons, le château de Hasselbroek - territoire de Jeuk — se cache derrière ses verdoyantes allées. Un tableau reposant, tout empreint de sobre beauté et d'élégance raffinée.

Mais bien vite des images incongrues viennent bouleverser cette première impression. Voici en effet — ô stupeur ! — du matériel agricole et des animaux en liberté autour de la noble demeure: nous sommes loin du grand siècle ! A coup sûr, la présence à côté de ce château du XVIIIe siècle d'une ferme plus moderne n'est pas étrangère à la surprise qui saisit le promeneur...

Destin étonnant que celui de Jeuk ! Les propriétaires précédents ont transformé en verger les jardins situés à l'arrière de l'habitation. Les châtelains actuels occupent le bâtiment principal — du Louis XVI de bon aloi — remarquable par sa décoration intérieure. Outre le travail de la terre et de la chasse, ils ont le souci de l'entretien du château. Généreusement ensoleillé, le hall d'entrée a pourtant grande allure. Son plafond s'orne de peintures d'énormes dimensions qui brillent de toute la splendeur de leurs coloris italiens. Sa décoration en fait un petit musée de la chasse, tandis que dans la vieille maison seigneuriale est rassemblée une collection de pipes d'un grand intérêt.

Le rez-de-chaussée est une enfilade de salons aux cheminées dignes d'attention. Le plus beau d'entre eux a vue sur le jardin et les arbres fruitiers. Dans un beau décor de stucs Louis XVI, on découvre là des toiles d'une réelle valeur — malheureusement abîmées — un mobilier intéressant de différents styles, de vieilles argenteries.

A l'étage, les sept chambres communiquent entre elles et conduisent à la vieille tour de 1620. Trois d'entre elles — exemplaires devenus rares — ont conservé leurs alcôves. Un mélange bizarre de château hanté et de palais de légende !

Le petit village campinois de Helchteren faisait partie du domaine que Pépin de Herstal et son épouse Plectrude offrirent à l'abbaye de Saint-Trudon, fondée au VIIe siècle par saint Trond. Le site de Helchteren plut aux moines et ils y construisirent une résidence d'été qui, dès le XIIIe siècle, prit le nom de « Ter Doolen ».
Rien ne subsiste de ces premiers bâtiments, et l'actuel château doit l'essentiel de sa structure à la demeure fortifiée que Guillaume de Bruxelles, abbé de Saint-Trond, édifia vers 1522. En se promenant dans les jardins qui ont remplacé les anciennes douves, on retrouve le plan en L du corps d'habitation. Bâti sur un robuste soubassement percé d'archères, il mêle harmonieusement la brique et la pierre blanche. Deux tours rondes à toiture polygonale flanquent l'aile nord. Si le XVIIe siècle ne vit pas le château se modifier, le XVIIIe siècle finissant donna à l'ancienne demeure un visage plus aimable, où le souci de plaire l'emporta sur l'aspect défensif. A n'en point douter, Remi Mottart, le dernier prélat de Saint-Trond, aimait la vie douce et se comportait en seigneur, rappelant son rang et son prestige par ses initiales entrelacées, ses armoiries, sa devise *Ex fructu noscitur arbor* (On reconnaît l'arbre à ses fruits).
En ces ultimes années de l'Ancien Régime, la décoration intérieure du *Dool* ne manquait pas de raffinement, comme l'attestent encore un gracieux escalier Louis XVI, les stucs rococo des plafonds, les belles boiseries de chêne.
L'aile orientale de la ferme, construite sur l'ancien mur de

De Dool

△
L'ancienne résidence d'été des abbés de Saint-Trond a gardé ses contours guerriers entre lesquels se développent les apports paisibles de la Renaissance. Pendant la seconde guerre mondiale, les Allemands qui occupaient le château ont construit une petite terrasse circulaire parfaitement incongrue. A supprimer par l'imagination sinon par la pioche!

Si les seigneurs du Dool *n'avaient pas été les fils spirituels de saint Trudon, on situerait volontiers dans une des tours rondes la légende de Pelleas et Mélisande. Aucune chevelure blonde ne surgit de la petite baie mais la vigne vierge monte* ◁ *patiemment...*

défense, date de la seconde moitié du XIXe siècle. En ces années, Helchteren et son château accueillaient Edmond Picard, qui plantait sa tente dans la bruyère pour assister aux fantasmagories de l'aube. L'accompagnaient volontiers quelques amis : Camille Lemonnier, Eugène Demolder et Emile Verhaeren qui, fasciné par les grandes solitudes de la Campine, évoqua le silence qui « n'est pas sorti de la bruyère » et le vent sauvage d'automne :

Sur la bruyère, infiniment,
voici le vent hurlant,
voici le vent cornant novembre...

1107. Une bulle du pape Pascal II mentionne le château et la seigneurie de Helchteren.
1347. Pendant le conflit qui oppose les Liégeois à leur évêque Englebert de La Marck, Amelius de Schönau, abbé de Saint-Trond, se fixe dans sa « curia in Dola ».
Son frère Reynaert en assure la défense militaire.
1350. A la mort d'Amelius, Reynaert de Schönau refuse de quitter le *Dool.* L'abbé de Craenwick l'autorise à occuper le bien usurpé pendant quatre ans.
1361. Le château est incendié par le chevalier Henri de Halbeek, alors en conflit avec l'abbé de Saint-Trond.
Milieu du XVe s. Réédification par l'abbé Henri de Coninxhem.
Vers 1522. Transformation et aménagement par l'abbé Guillaume de Bruxelles.
1621. Sous Hubert de Sutendael, édification du porche principal.
1643. Construction des étables de style baroque et d'une remise à voitures.
1780-1789. L'abbé Remi Mottart, dernier seigneur de Helchteren.
1792. Confiscation du *Dool* par l'occupant français.
1797. Vente du château comme bien national à la famille Vossius de Hasselt. La propriété passe ensuite aux familles de Potesta, Smits, van Eckaert et Naveau.
1944. En quittant le *Dool,* les Allemands incendient la ferme, la laiterie et l'aile occidentale. L'habitation du fermier et la laiterie sont reconstruites par Madame Dijon-Naveau, belle-mère du Prés. du Parl. Européen J. Duvieusart.
Actuellement. Propriété de la famille Duvieusart.

Vogelsanck

Il était une fois un comte de Looz ripailleur et bretteur, à l'épée si facile qu'il passait la plus grande partie de son temps à guerroyer contre ses voisins. Un jour notre hobereau tomba si gravement malade qu'il fit à Dieu la promesse solennelle d'accomplir le pèlerinage de Terre Sainte s'il venait à guérir... ce qui advint. Avant de partir, il confia sa belle épouse, Marie de Gueldre, à la garde de son frère cadet en qui il avait toute confiance. Mais les charmants appas de la jeune femme éveillèrent chez le galant Hugues de Looz des ardeurs auxquelles la châtelaine ne résista pas longtemps... Et tandis que Gérard arpentait les chemins de Palestine, Hugues bâtissait Vogelsanck pour y abriter ses amours coupables. Quand l'époux légitime revint, transformé par son pieux périple, il n'exerça aucune vengeance mais avec beaucoup de mansuétude pardonna à l'infidèle et à son amant... Une belle histoire d'amour et de clémence, pour ce château qui compte parmi les plus importantes forteresses limbourgeoises du Moyen Age.

Vogelsanck se recueille au milieu d'une nature qu'il a voulu embellir par la pureté de ses lignes. Il se reflète dans une eau que ride le vent léger, à peine assombrie par les frondaisons bordant les douves.

En son donjon de grès ferrugineux, dont les soubassements remontent au XIIe siècle, il conserve le témoin

◁ *Dans la plaine campinoise, à l'ombre d'un bois, mais précédé d'une vaste prairie, le château de Vogelsanck présente une architecture éclectique qui allie le style mosan au Louis XV et au Tudor. Remarquablement entretenu par le propriétaire, Vogelsanck garde son allure médiévale malgré les nombreuses restaurations dont il a été l'objet au cours des siècles.*

Les trois styles de la cour intérieure: mosan, Louis XIV et Tudor. ▽

de ses fortifications médiévales. Mais, au XVIIe siècle, la rude architecture militaire cède le pas à un style moins austère. Les tours lourdes de menace sont remaniées une à une et les bâtiments s'honorent de pièces plus vastes et confortables. Si d'aventure, après un long chemin pavé, vous franchissez le pont qui enjambe l'étang, vous découvrirez une cour intérieure qui a la particularité, bien rare en Belgique, de réunir trois styles architecturaux en quelques mètres carrés. Devant vous, le style mosan avec ses fenêtres droites et sa décoration dépouillée; à votre gauche, une aile Louis XV qui remonte à 1758; enfin, à droite, un curieux ensemble à deux galeries du plus pur style Tudor, bâti il y a un peu plus d'un siècle, en 1875. Est-ce l'Ecosse qui, séduite par Vogelsanck, voulut y implanter un petit Balmoral? Plutôt

Vogelsanck

Dans le bureau sis à la place de l'ancienne «repasserie», cette remarquable cheminée à double étage est soutenue dans sa première partie par des cariatides en pierre, dans la seconde par des cariatides en bois, entourant une scène biblique de très belle facture. La cheminée date de 1638, comme l'indique le cartouche.

une aïeule irlandaise qui avait la nostalgie de son île natale.
Le chœur de la chapelle s'avance au-delà de l'alignement de la façade extérieure, rompant l'ordonnance générale du château. Si vous en poussez la porte, vous retrouverez avec plaisir le style mosan. De là, vous pouvez déambuler à travers les nombreuses pièces de la demeure qui, grâce aux soins éclairés du propriétaire, connaissent un confort inhabituel. Ici, vous découvrez une imposante cheminée; là, des portraits d'ancêtres vous suivent d'un regard teinté de bonhomie.
Dehors, les allées d'un parc somptueux vous accueillent et, lorsque vous reprenez la route, il ne vous reste que le regret de ne pas avoir aperçu la cigogne sur le toit du château, telle que l'immortalisa la plume de Remacle Leloup vers 1740.

XIIe s. Construction du château de Vogelsanck, que la légende attribue au comte Hugues de Looz.
XIVe s. Le château de Vogelsanck n'est qu'un pavillon de chasse appartenant aux comtes de Looz.
1308. Mort de Louis de Looz sans descendance directe.
1335-1361. Le domaine est la propriété de son neveu, Thierry de Heinsberg.
1379. Le château passe à Jean de Hamal.
1390. Englebert de La Marck acquiert la propriété.
De 1422 à 1741. Le château devient successivement la propriété des Bastogne, des comtes d'Autel de Luxembourg, de la famille von Inhausen und Kniphausen et enfin des Souza de Pacheco.
1490. Vogelsanck sert de quartier général aux La Marck en guerre contre les Hornes.
1637. Une importante partie du château actuel date de cette époque.
1741. Le domaine devient la propriété des barons de Villenfagne dont les descendants occupent aujourd'hui encore le château.
1833. Le 30 octobre, une convention militaire est signée à Vogelsanck entre les autorités belges et les représentants du roi Guillaume Ier des Pays-Bas.
1875. Construction de l'aile «Tudor» du château.

△
Une fenêtre s'entr'ouvre sur la galerie de style Tudor, l'un des rares exemples de l'architecture anglaise en Belgique. Elle ne s'accorde guère avec les autres bâtiments de la cour intérieure, mais le propriétaire des lieux respectueux des choix de ses ancêtres n'envisage pas de rendre à Vogelsanck son aspect antérieur.

La bibliothèque du château est en style Tudor. L'aïeul du baron de Villenfagne, qui la constitua en 1760, la considérait comme un bien si précieux qu'il la légua de son vivant à un petit-neveu, de peur qu'après sa mort on ne disperse les livres patiemment rassemblés. La bibliothèque a remarquablement traversé les siècles et s'est enrichie au fil des années d'importantes collections aux précieuses reliures. ▷

Ooidonk

Dans la grande salle qui surplombe la cour d'honneur, une succession de tapisseries de Beauvais, généreusement éclairées par les fenêtres de la galerie, illustre les « Triomphes d'Alexandre ». Du haut de la cheminée, le comte de Hornes préside encore à la ◁ vie de ces lieux.

Propriété des Seigneurs de Nevele, le domaine d'Ooidonk, toujours convoité par les Gantois, occupe une position stratégique sur la Lys. Le château fut construit au Moyen Age dans un large méandre, afin d'en mieux surveiller le cours. Le grand domaine qui l'entoure marie avec bonheur jardins à la française, qui déroulent leurs perspectives depuis la cour d'honneur, prairies, longues allées de tilleuls et de chênes séculaires.

La grande demeure flamande qui mire ses fauves appareillages de brique dans les eaux glauques des douves rappelle encore les temps médiévaux par sa structure, ses courtines et ses meurtrières. C'est à la fin du XVIe siècle que briques et eaux se sont unies, en toute connivence, pour faire éclore ce vaste château. En 1595, le nouveau propriétaire, profitant du triste état dans lequel se trouvait la forteresse après un de ces débordements qui furent monnaie courante lors des guerres de religion, mit fin à sa mission militaire. La reconstruction s'inspira des idéaux de la Renaissance, à savoir l'élégance architecturale et l'exigence de confort domestique. Soucieuses de respecter la subtile beauté des bâtiments déjà existants, les deux ailes latérales construites au XIXe siècle s'inspirent parfaitement du corps de logis principal.

Les aménagements intérieurs sont dignes, du domaine et du château. Sur la gauche de la cour d'honneur, dans un vaste hall, l'ample révolution d'un monumental escalier de pierre vous entraîne à la rotonde de l'étage sous le regard sévère d'Alexandre Farnèse, gouverneur des Pays-Bas en 1578, dont le portrait surplombe la première volée de marches.

Dans la grande rotonde, où l'écho de vos pas résonnent différemment selon la position que vous occupez sous la voûte, l'architecture se fait complice. La disposition des lieux vous conduit imperceptiblement vers tel tableau de maître, vers tel cabinet d'extraordinaire facture, vers tel fauteuil aussi beau que confortable. On y remarque une très belle chaise à porteur, aménagée en vitrine avec un goût exquis.

La grande galerie des tapisseries s'ouvre dans le hall. Un mobilier de

Les quatre tours d'angle, leur belvédère et leur toiture à bulbe apparaissent clairement ici. Au centre, l'accès, toujours commandé par un pont-levis et surmonté d'une tour carrée, est flanqué de deux bastions reliés aux ailes latérales et aux tours d'habitation par d'harmonieuses tourelles. ▽

1230. Dépendant du seigneur de Nevele, un chapelain réside à «Hodunc», lieu qui signifie étymologiquement «éminence (Hoog) au milieu d'un marais (Donck)».
1325. La place est importante. On y tient garnison. Celle-ci est écrasée par les Brugeois et Deinzois qui tuent son chef, Wenemaer.
1346. Par le jeux des alliances, le domaine quitte les Nevele pour échoir au sire de Fosseux après les Longueval et les Ghistelle.
1387. Jean de Fosseux rase ce qui devait être une ferme fortifiée et bâtit quatre tours, dont deux sont reliées entre elles par des constructions comme l'attestent les soubassements et les pièces des courtines.
1425. Jeanne de Fosseux épouse Jean II de Montmorency et lui apporte Ooidonck.
1491. Fidèle à Maximilien d'Autriche, Montmorency se heurte aux milices gantoises qui incendient le château. La reconstruction s'achève en 1501.
1568. Philippe de Montmorency, comte de Hornes, est décapité.
1579. Le château est saccagé par les calvinistes. Eléonore de Montmorency, sœur du comte de Hornes, sans ressources, vend le bien en 1592 à Martin della Faille pour 92000 carolus d'or. Le château qu'il reconstruit en 1595 demeure dans sa descendance jusqu'à la fin de l'Ancien Régime.
1641. Illustration de Sandérus prouvant l'exactitude des restaurations.
1864. Les du Bois de Nevele vendent au sénateur Henri t'Kint de Roodenbeke le château reçu par héritage. Pour le restaurer, le futur comte se fait assister par l'architecte français Parent.

grand style y dialogue avec des peintures, des porcelaines et d'autres collections. Les dimensions de cette salle un peu grandiose, loin de laisser indifférent, imprègnent le visiteur d'un profond respect pour tous ces témoins du passé.
Située au rez-de-chaussée et ornée avec simplicité, la chapelle est baignée d'une atmosphère propice au recueillement. La lumière tamisée par de chatoyants vitraux armoriés suggère singulièrement la pérennité des entreprises humaines que veulent préserver les châtelains actuels.

△
Tout à côté des grandes collections d'œuvres et d'objets d'art variés, un petit salon orné de peintures flamandes du XVIIIe s., la conversation, le jeu ou la retraite silencieuse.

Pignons flamands et petites arcades se marient avec harmonie pour conférer toute sa grandeur à cette façade Renaissance tournée vers la cour d'honneur. La tourelle à l'horloge, décentrée, avec sa poivrière, trouble agréablement la symétrie générale, ponctuée par les belvédères. ▽

Elewijt

Dans une plaine étirée à l'infini, singulièrement propice aux grands mouvements de troupes, le « Steen » d'Elewijt a été bâti au XIe siècle pour assurer la protection du duché de Brabant contre les agressions des Malinois. En 1356 encore, Gislebert Taye, seigneur d'Elewijt et bourgeois de Bruxelles, dut occuper son « steen » avec vingt-huit hommes d'armes pour barrer la route aux turbulents Malinois, tout heureux d'épouser la cause de Louis de Male, comte de Flandre, qui tentait de déposséder de son fief sa belle-sœur, Jeanne de Brabant.

Après les affrontements politico-religieux du XVIe siècle, les archiducs Albert et Isabelle ramenèrent la paix dans nos régions et restituèrent le château à son paysage de champs et de métairies, à ses troupeaux et ses canards, à sa population de paysans.

En 1635, Pierre-Paul Rubens acheta la paisible gentilhommière. Le peintre fit restaurer le château et aménagea notamment la salle de réception qu'il dota d'une monumentale cheminée baroque frappée de son blason. On peut y lire de cocasses dictons flamands.

Elewijt apparaissait alors non comme une forteresse médiévale, mais comme un castel cossu et campagnard, en parfaite harmonie avec le site brabançon.

Deux corps de bâtiment, le premier à deux étages surmonté de hauts pignons à gradins, le second à un étage légèrement en retrait, offraient le beau contraste de la pierre blanche du rez-de-chaussée et de la longue brique espagnole des parties hautes.

En 1875, Elewijt changea d'aspect. Le baron Coppens crut bon d'agrandir le « steen ». Surélevant d'un second étage un des corps de logis, il édifia une galerie en avant-corps du haut bâtiment et une aile perpendiculaire faisant saillie. Sans oublier un portail néo-gothique et une balustrade de style flamboyant ! Il faut cependant lui savoir gré de n'avoir pas complètement comblé les douves. Canards et cygnes continuent à glisser sur l'eau comme au temps de Rubens et d'Hélène Fourment...

Ier-IVe s. « Vicus » belgo-romain à Elewijt.
XIe s. Les Berthout de Grimbergen possèdent le « steen ».
1585. Lors du siège de Malines, le « steen » sert de garnison aux troupes d'Alexandre Farnèse.
1635. Jean de Cools, seigneur de Corbais, vend Elewijt à Pierre-Paul Rubens.
1640. A la mort de Rubens, Hélène Fourment épouse Jean de Broeckhoven, comte de Bergeyck.
1682. Hélène Fourment vend Elewijt.
1746. Louis XV prend ses quartiers au « steen ».
1754. Albertine-Françoise Wynants construit le quartier des invités.
1773. L'architecte de la Cour, L. B. Dewez, acquiert Elewijt.
1867-1875. Sous la direction de l'architecte E. Charpentier, les Coppens font restaurer et agrandir le château.
1913. Le sénateur de Becker-Remy et son architecte Verhaert opèrent de nouvelles transformations.
1955. Acquisition par la famille Maison, d'origine tournaisienne.

◁ *Le châtelet à trois niveaux comporte une robuste arcade qui abrite le porche d'entrée en tiers point. Légèrement en retrait, l'aile droite repose, comme le châtelet, sur un soubassement en grès. L'ensemble date du XVIe siècle et constitue la partie la plus ancienne du Steen. Au XIXe siècle, deux lions de pierre ont été placés devant les trois arches du pont.*

Depuis les hautes fenêtres de la galerie de style néo-gothique de l'atelier, Rubens avait vue sur le fascinant paysage qui s'étend d'Houtem à Vilvorde. ▽

Rubens à Elewijt

En 1635, écœuré par les intrigues de Cour, par la haine des courtisans, voire par les injures du comte d'Aerschot, Pierre-Paul Rubens acquit le château d'Elewijt. Agé de 58 ans, marié depuis cinq ans en secondes noces avec la toute jeune Hélène Fourment, de trente-sept ans sa cadette, il trouva au « steen » l'apaisement qu'il recherchait, ne formant d'autre vœu, confia-t-il dans une lettre d'août 1635 adressée à l'humaniste Peiresc, que d'y terminer en paix le restant de ses jours.

Certes, un homme aussi important que Rubens ne pouvait pas se départir aussi facilement de son personnage officiel. Elewijt restait très accessible au départ de Bruxelles ou de Louvain ; d'Anvers, il fallait moins d'un jour de carrosse. Certains jours, princes, ambassadeurs et courtisans se pressaient au « steen », éblouis par le faste des réceptions organisées par Hélène Fourment.

Mais Rubens leur préférait ses confrères et ses disciples, comme Van Dijck, Jordaens ou Teniers.

Profitant de sa semi-retraite, Rubens apprécia beaucoup les vastes étendues du paysage brabançon. Malgré les énormes commandes pour l'Angleterre et l'Espagne qui l'accaparaient, il se plut à représenter le site d'Elewijt et son donjon carré et crénelé, aujourd'hui disparu. Citons le **Paysage à la tour** (Kaiser-Friedrich Museum, Berlin), **l'Automne** (National Gallery, Londres), le **Paysage à l'Arc-en-ciel** (Wallace Collection, Londres).

Son intense activité picturale n'empêcha pas ce grand polyglotte d'entretenir une importante correspondance avec d'innombrables amis. Ainsi un bon mois avant sa mort, il écrivait à François Duquesnoy que, si la maladie ne l'en avait pas empêché, il serait immédiatement parti admirer de nouveaux chefs-d'œuvre à Rome.

En mai 1640, Pierre-Paul Rubens s'éteignit à Elewijt.

Comme à Soiron, le château fait corps avec le village et s'intègre dans un ensemble d'architecture mosane des plus pittoresques. Des dépendances imposantes, une ferme et l'église Saint-Martin, avec sa cure, avoisinent le castel proprement dit. Cette proximité des bâtiments utilitaires constitue une caractéristique de la partie sud du pays et explique pourquoi, en cours de construction, ils ont bénéficié de soins aussi attentifs que le logis seigneurial.
De quelle époque date le château ? Il n'est pas facile de répondre à cette question. Car l'originalité de Hermalle-sous-Huy réside précisément dans l'harmonieuse juxtaposition, établie au long de six siècles, d'éléments de construction divers. L'utilisation de matériaux aussi différents que moellons, briques et pierres de taille permet d'ailleurs de distinguer les étapes successives d'aménagement.
Certes, les caractéristiques du XVIIe siècle dominent, confirmées par diverses pierres millésimées. Mais des ajouts du XVIIIe au XXe siècles se remarquent aisément. De plus, les bâtiments du nouveau château de 1640 ont englobé des vestiges de la forteresse du XIVe siècle. Au départ château de plaine, Hermalle-sous-Huy, comme nombre de ses pareils dans la principauté de Liège, basa originellement sa défense sur des douves profondes. Il saute aux yeux que l'ancien plan carré traditionnel a inspiré la disposition générale des bâtiments.
Telle qu'elle nous apparaît actuellement, la masse castrale n'a cependant plus fort changé depuis le XVIIIe siècle. On comprend aisément pourquoi dans ses *Délices du pays de Liège* de 1740, Saumery louait le charme du château et admirait les douves et les tours à clochetons et à toits en poivrière.
Même si le tumulte guerrier du Moyen Age s'est éteint et si le faste du XVIIIe siècle s'est estompé, le château d'Hermalle-sous-Huy reste un témoin privilégié de l'histoire de la vallée mosane.

◁ *Originale, la façade sud donne une belle leçon de mélange des styles: une tour médiévale et une galerie vitrée du XIXe siècle voisinent avec des clochetons du XVIIe siècle et des fenêtres du XVIIIe siècle. Cette diversité n'exclut pourtant pas l'harmonie de l'ensemble.*

L'aile occidentale construite au XVIIe siècle en briques et en pierres s'encadre de tours quadrangulaires surmontées de campaniles recouverts d'ardoises. Rien ne laisse soupçonner qu'il s'agit ici d'un remaniement classique de l'ancien quadrilatère féodal. ▷

Hermalle-sous-Huy

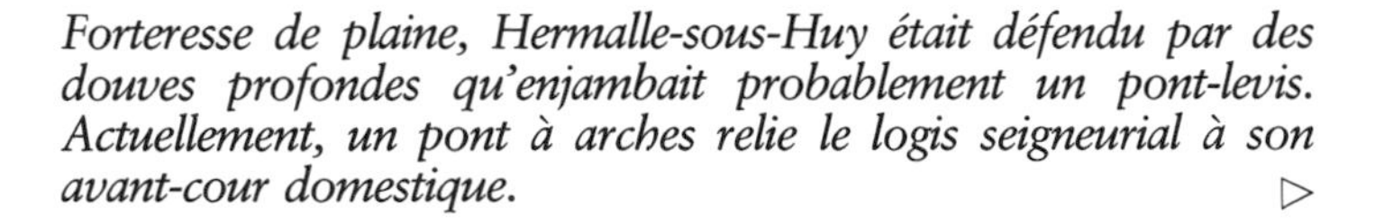

Forteresse de plaine, Hermalle-sous-Huy était défendu par des douves profondes qu'enjambait probablement un pont-levis. Actuellement, un pont à arches relie le logis seigneurial à son avant-cour domestique. ▷

XIIe s. L'existence d'un quadrilatère fortifié est attestée.
Vers 1200. Le château, qui relève de la cour féodale de Liège, appartient à Michel de Hermalle, seigneur d'Engis et d'Awirs.
1313. Saccagé et anéanti par les Hutois, la forteresse est rebâtie en moellons du pays et passe à la famille de Haccourt.
XVIe s. Possession des Rougrave.
1605. Jean de Berloz relève la seigneurie.
1639. Guillaume de Berloz cède le vieux château à Conrad, comte d'Ursel.
Vers 1640. Edification de la partie mosane du château actuel, en briques et en pierres de taille, et d'une nouvelle ferme castrale.
1676. Le Comte Philippe-Albert d'Ursel commande au peintre Coppée les scènes de chasse du salon-fumoir.
1704. Guillaume de Moreau, baron du Saint-Empire, achète le domaine pour 40.000 écus.
Par son mariage avec le baron de Louvrex, sa fille fait entrer Hermalle-sous-Huy dans le patrimoine de la famille liégeoise qui le conservera jusqu'à la Révolution française.
XIXe s. Les Warzée deviennent propriétaires du lieu jusqu'en 1852. Ils édifient la tourelle d'angle dominant la cour d'honneur et ils ornent la façade sud d'une galerie vitrée.
XXe s. Le château passe aux barons de Potesta.

Freyr

En bordure de la rive gauche de la Meuse, le château de Freyr se blottit dans un site merveilleux. La nature inviolée y a gardé toute sa beauté souveraine; en face, sur la rive opposée, les rochers tourmentés plongent dans le fleuve...
Visiter le château équivaut à traverser trois périodes de notre histoire. En pleine période espagnole, quelques années après la destruction d'un château fort initial par les Français, Guillaume de Beaufort-Spontin entreprit la reconstruction de Freyr dans le style typique de la région: lignes dominantes horizontales, brique rouge avec bandeaux et chaînages en pierre, fenêtres à meneaux, toiture en ardoise. Le millésime de 1571 ancré dans la façade qui donne sur la Meuse précise la date de l'édification.

Si l'aile encore flanquée d'une de ses deux tours originelles remonte à la période espagnole, les trois autres ailes qui la complètent pour former un quadrilatère parfait sont contemporaines de l'hégémonie française. C'est d'ailleurs au château de Freyr qu'en 1675 fut discuté et signé un traité de commerce entre Louis XIV et Charles II d'Espagne. Enfin, au cours de la seconde moitié du XVIIIe siècle — la période autrichienne — les transformations se multiplièrent: aménagement de la ferme en moellons du pays, démolition de l'aile sud et création d'une cour d'honneur, édification de deux beaux ailerons à la Mansart, construction de la grange, placement d'une superbe grille en fer forgé de style Louis XV.
Malgré les apports architecturaux échelonnés sur deux cents ans, l'ensemble des bâtiments a conservé une belle unité. Seul le pavillon élevé en 1774-1775, pour la visite de l'archiduchesse Marie-Christine, gouvernante des Pays-Bas, tranche par son style Louis XVI.

◁ *Par ses bossages et ses volutes, le portail ajouté en 1637 jette une note baroque sur la façade du XVIe siècle. Il est surmonté d'un fronton triangulaire posé sur le millésime et sur les armoiries d'Hubert de Beaufort et de Marguerite de Berlaymont.*

Les jardins de Freyr comptent parmi les très rares du pays que l'on peut qualifier d'authentiquement français. Une terrasse inférieure s'ordonne géométriquement autour des bassins; à la belle saison, elle est ornée de magnifiques orangers. L'axe du jardin aboutit à un porche classique, dont le pendant orne la façade intérieure du château. ▷

△
Précédé de deux volées d'escalier qui encadrent la fontaine de Neptune, un coteau couvert de tilleuls et de charmes monte vers le pavillon Louis XVI du «Frederic Saal».

A l'intérieur, on est étonné par l'originalité des stucs dus aux Moretti, très actifs dans le Namurois: quatre têtes d'hommes, par exemple, représentent les grandes races. Un goût très raffiné assure l'unité des différents styles de la décoration intérieure du château. Dans les trois salons de l'aile nord dominent respectivement les styles Louis XIV, Louis XV et Louis XVI. L'aile vers la Meuse se caractérise par ses boiseries normandes et s'enorgueillit d'une monumentale cheminée Renaissance provenant du château de Roisin. Des vitraux de 1550 baignent dans une atmosphère bleutée la chapelle et sa Vierge à l'enfant posée sur l'autel de 1710.

Enfin, les jardins conçus selon deux axes différents — l'un parallèle au fleuve et l'autre transversal montant vers le pavillon Louis XVI du «Frederic Saal» — s'inspirent merveilleusement des enseignements de Le Nôtre. Cependant Victor Hugo les accusa d'attenter à la «poésie sublime de Dieu». Injustice de génie?

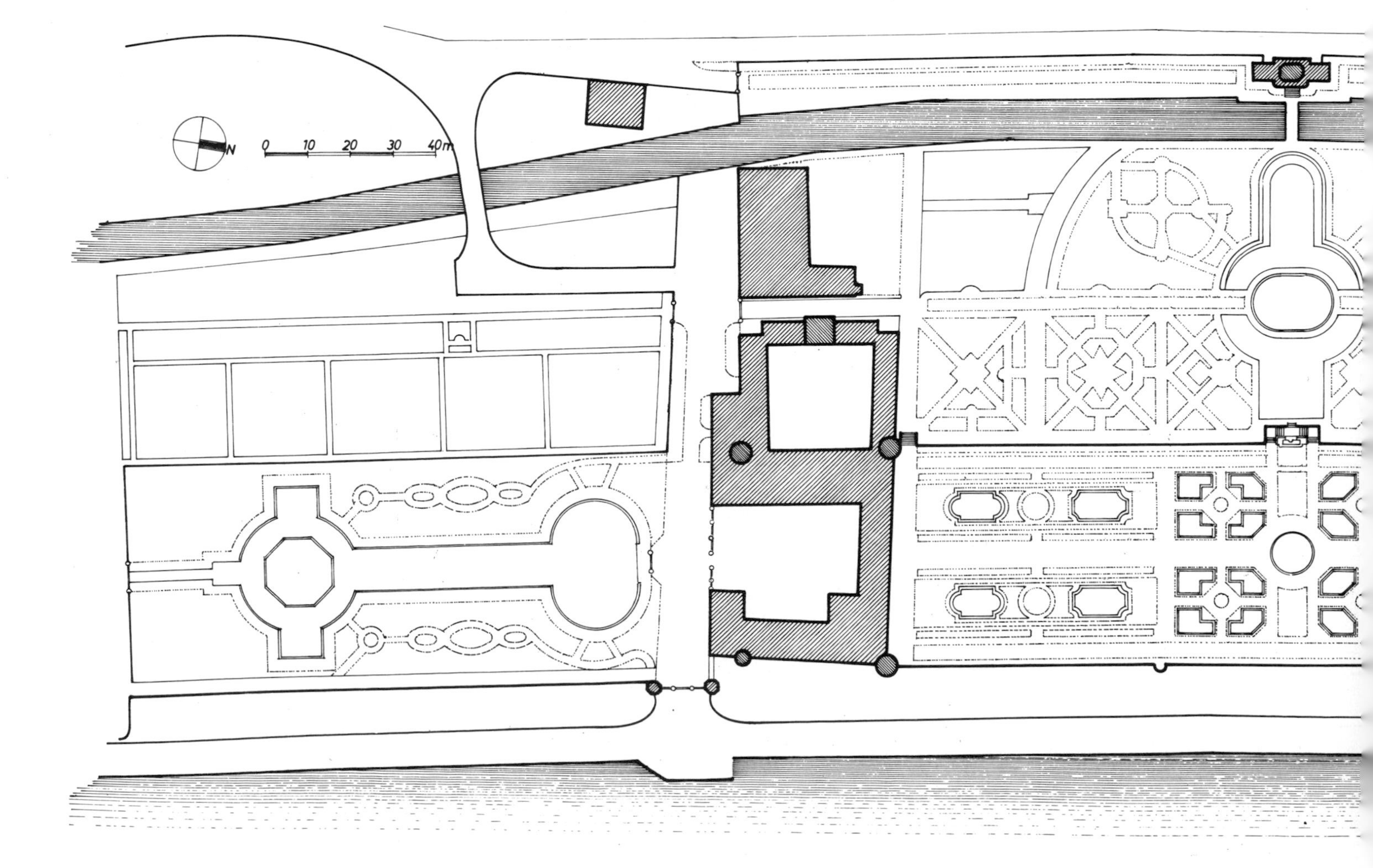

Freyr

1289. Freyr, fief du comté de Namur, appartient aux Blize.
1378. Le domaine est donné au Dinantais Jean d'Orjo.
1410. Sa fille, Marie d'Orjo, épouse Jacques de Beaufort-Spontin, seigneur de Sorrines.
1423-1836. Les Beaufort-Spontin propriétaires de Freyr.
1554. Destruction du château fort par les armées du roi de France Henri II.
1571. Début de la reconstruction du château par Guillaume de Beaufort-Spontin.
1637. Construction du pavillon d'entrée de l'angle nord-est de la cour d'honneur.
1760. Aménagement des jardins actuels par Guillaume et Philippe de Beaufort-Spontin.
Vers 1769. Suppression de l'aile méridionale du quadrilatère primitif.
1770. Placement des grilles en fer forgé de style Louis XV.
1836. Gilda, fille du Duc de Beaufort-Spontin, épouse le comte de Laubespin.
Actuellement. Freyr appartient à la baronne Francis Bonaert, arrière-petite-fille du comte Camille de Laubespin.

△ *Toujours dans l'axe de la terrasse inférieure et des deux porches classiques, d'admirables grilles en fer forgé de style Louis XV clôturent fastueusement la cour d'honneur.*

Une élégante galerie orne le grand vestibule de 1637. Au plafond, les peintures représentent notamment les quartiers de noblesse des Beaufort et des Berlaymont. Quant aux parois, elles sont décorées de scènes de chasse sorties de l'atelier du peintre anversois Frans Snijders (1579-1657). ▽

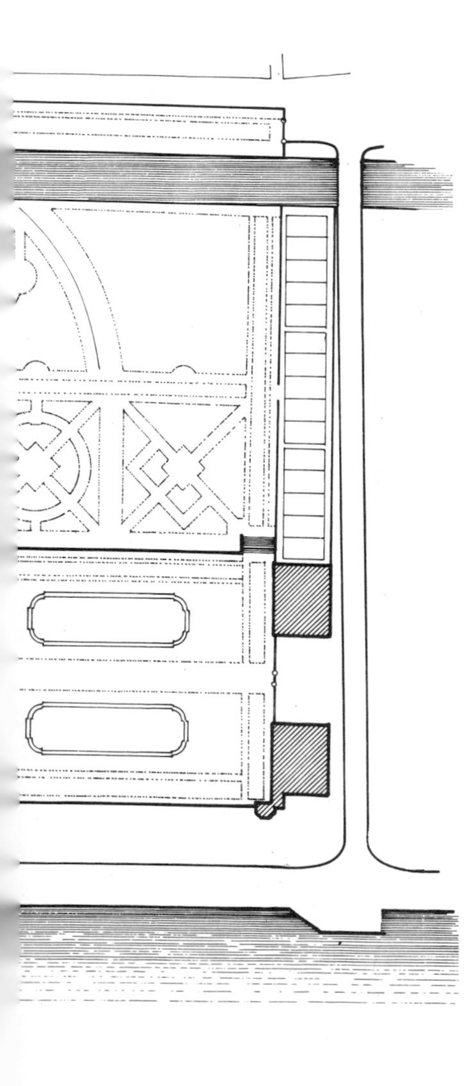

△
Quand, en 1807, Charles-Sébastien de la Barre acquit la Follie, son intention était de le transformer en un château au tracé géométrique rigoureux. Il projetait de détruire pour cela la chapelle et la tour de guet du XVIe siècle! Mais il perdit en 1811 son fils unique à la fleur de l'âge et son désespoir fit qu'il n'abattit, grâce à Dieu —.si l'on peut dire... — que l'ancienne courtine pour la remplacer par cette belle façade d'inspiration classique.

Au-dessus du portail qui troue la façade principale, la devise « Qui en voelte de la Follie » évoque le siège du château par les Bruxellois en 1488. Mais la Follie ne put être réduite « ni par la force, ni par les menaces, ni par les stratagèmes ».
▽

Ecaussinnes d'Enghien: comme la tentation est grande de faire ici l'éloge de la Follie! Même si Erasme n'a jamais hanté les murs de la vieille forteresse! Et même si cette « follie » ne fut jamais qu'un « endroit boisé » où Englebert d'Enghien, au XIVe siècle, édifia un château fort pour contrôler le gué sur la Sennette. Un homme pourtant paisible, cet Englebert d'Enghien, peu enclin à l'aventure ou aux combats... mais qui était condamné à défendre les frontières du Hainaut.
Un château fort dans la tradition de l'époque, cerné de douves alimentées par la rivière. Avec des tours d'angle dont les fondations sont encore visibles dans les caves. Avec des courtines qui ont laissé des traces de leur chemin de ronde, de leurs créneaux et de leurs murs de trois mètres d'épaisseur. Avec un pont-levis et un châtelet d'entrée, vieille disposition guerrière dont les restes ont été mis à jour, au centre de la cour d'honneur, lors des fouilles de 1928.

Le porche qui donne accès au château remonte vraisemblablement au XVIe siècle. Il est situé dans le prolongement d'une magnifique allée de platanes et de peupliers... malheureusement coupée par une route à l'endroit où elle débouche devant le château. ▷

La Follie

Une ombre vaporeuse plane ici: celle d'Isabeau de Witthem, la grande dame de la Follie. Elle avait épousé ce Bernard d'Orley qui fut l'un des compagnons les plus dévoués de Philippe le Beau et son premier échanson. Tous deux devaient trouver la mort — empoisonnement criminel? — à Burgos, en 1506.
Cette veuve de 34 ans se révéla une femme exceptionnelle, tant par son énergie créatrice que par son goût exquis. De l'austère forteresse médiévale, froide, humide, obscure, elle fit une aimable habitation de plaisance, déjà tout imprégnée de cet esprit nouveau qui, venu d'Italie,

La cour intérieure est encore tout emplie du souvenir d'Isabeau de Witthem, la grande dame de la Follie. C'est elle qui fit construire en 1528 cette chapelle en pierres de taille où le gothique finissant se fond si harmonieusement dans la Renaissance. Avec son chœur octogonal et sa jolie toiture en cloche, c'est une des merveilles du château. ▷

△
Cette immense tapisserie du XVIIe siècle — elle mesure 3,28 m sur 5,15 m ! — occupe tout un mur de la salle d'armes. Elle illustre un sujet biblique, cette scène de la Genèse où Abraham et Isaac accueillent Rebecca sur les terres de Chanaan.

La Follie

commençait à se répandre vers le nord au début du XVIe siècle. Des murs de briques roses ajourés de baies à croisées, une délicieuse chapelle ogivale délicatement teintée de Renaissance et puis, dans l'angle sud, cette tour de guet élancée et gracieuse, héritière probable du vieux donjon: le temps n'a pas altéré cette admirable cour intérieure, accueillante, intime, mais aussi toute de noble gravité.
Après les Enghien, après les Orley, d'autres noms illustres ponctuèrent la belle histoire de la Follie. Voici les Renesse et cette remarquable galerie de seize arcades, manifestation éclatante du gothique hennuyer finissant. Voici Charles-Sébastien de la Barre qui, vers 1810, édifie vers la Sennette une façade dans le plus pur des styles classiques. Voici encore les Spangen qui, au milieu du XIXe siècle, aèrent le château vers l'avant et meublent avec goût le grand salon. Voici enfin les Lichtervelde qui ressuscitent les vieilles pierres du XIVe siècle tout en apportant au château le confort du XXe s.
Chaude quiétude et douceur de vivre d'une vénérable demeure! Comme elle est restée vivante, la vieille forteresse venue des brumes du Moyen Age! « Qui en voelte de la Follie », proclame en lettres de pierre, au-dessus du porche, la fière devise de Bernard d'Orley. « Qui ose s'attaquer à mon château ? » La vieille devise a défié les hommes. Et elle a bravé les siècles: même le temps, cet impitoyable destructeur des œuvres humaines, a respecté cette Follie dont, assurément, il faut faire l'éloge...

1365. Englebert d'Enghien construit une forteresse de plaine au bord de la Sennette.
XVe s. La Follie passe aux Argenteau par le mariage de sa petite-fille Jeanne avec Renaud d'Argenteau... puis à la famille d'Orley lorsque la fille de ces derniers, Françoise, épouse Bernard I d'Orley.
1487. Leur fils, Bernard II d'Orley, épouse Isabeau de Witthem.
1506. Veuve, celle-ci va transformer le château de manière surprenante pour l'époque.
1538. Sa petite-fille, Françoise d'Orley, épouse Charles de Rubempré.
1560. Leur fille Marie épouse René de Renesse dont un petit-neveu, Alexandre de Renesse, mourra célibataire en 1658.
1659. Mis en vente publique, le château est acheté par Jean de la Hamaide qui le cède à son gendre Jean-Paul de la Barre.
1721. Son fils François-Adrien meurt célibataire: la Follie passe à son petit-neveu, le duc de Looz-Corswaren.
1766. Celui-ci vend le domaine à un brasseur d'affaires, le chevalier Brouwet.
1805. Ses héritiers vendent à Michel Hennequinne le château qui tombe en ruine.
1807. Il est acquis par le baron Charles-Sébastien de la Barre de Flandre qui fait construire la façade postérieure.
1845. A la mort de sa fille Agathe-Charlotte, cette famille s'éteint. Ce fut un cousin qui hérita: le comte Charles de Spangen.
1920. Le château devient la propriété de la famille de Lichtervelde à la mort de la comtesse de Spangen dont la fille aînée avait épousé le comte Gontran de Lichtervelde en 1876.

△ *La bibliothèque renferme une étonnante collection d'ouvrages patiemment réunis par le baron de la Barre et complétée par le comte Pierre de Lichtervelde. Dans le creux des rayons, deux volets de bois, en s'ouvrant, s'épanouissent sur la chapelle voisine, en une double méditation, celle de l'âme et celle de l'esprit.*

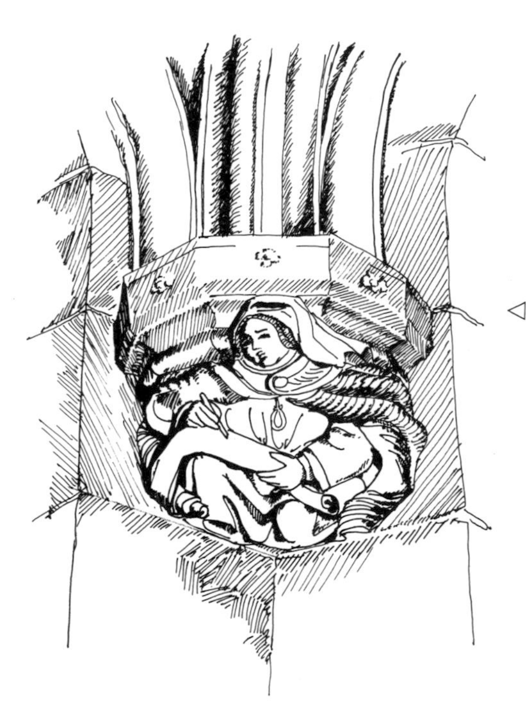

◁ *La chapelle de la Follie, c'est un moment d'émotion. Elle est voûtée d'ogives légères reposant délicatement sur de ravissants culs-de-lampe historiés et polychromés, véritables chefs-d'œuvre de ce XVIe siècle où commençait à se répandre chez nous un nouvel art de vivre.*

Dans la salle à manger, voici Philippe le Beau prenant part à un «jeu de cannes» à Valladolid, le 19 juillet 1506. C'est un des quatre tableaux offerts par la cour d'Espagne à Isabeau de Witthem en souvenir de son époux Bernard d'Orley, échanson du roi. ▽

◁ *La chapelle renferme d'admirables vitraux conçus au XVIe siècle d'après des cartons attribués au célèbre peintre van Orley. Les châtelains et leurs saints patrons s'abritent sous des scènes de la Passion et surmontent leurs emblèmes héraldiques.*

Tout n'est que courbes dans le visage de cet homme : un front doucement plissé, des yeux ronds avec une ébauche de cernes, les cheveux mi-longs qui caressent le cou en un faisceau de boucles, la moustache recroquevillée.
Ce 3 août 1645, alors qu'une chaleur moite recouvre la plaine de Nördlingen, le Feldmarschall de l'Empire, le grand commandeur Godefroid Huyn, comte de Geleen, s'apprête à combattre les Français aux côtés de deux autres généraux belges. Paré de son grand manteau frappé de la croix teutonique, il exhorte ses hommes à la bravoure. Mais le combat tourne mal. Bientôt encerclé, Geleen doit se rendre. Le voilà emmené en captivité par les Français. Cependant la chance lui sourit : le maréchal de Grammont, capturé au cours de la même bataille par les Bavarois, est échangé peu après contre le Limbourgeois. Celui-ci, revenu à Alden Biezen, fait construire le grand portail de pierre bleue frappé d'un Hermès et y fait graver « Geleen a orné les Joncs d'une porte et d'une allée d'ormes ; heureux passant, priez pour lui ».
Son successeur, le baron Edmond de Bocholtz et d'Oreye, achève « l'Apostelhuis », la « Maison des Apôtres ». La commanderie est ainsi surnommée car une légende rapporte que la demeure abritait autrefois douze pauvres, en souvenir des douze apôtres du Christ.
Au XVIIIe siècle, le cardinal de Schönborn, grand commandeur d'Alden Biezen, signe son passage à l'Apostelhuis par de splendides armes surmontées de ses attributs ecclésiastiques. Aujourd'hui, elles ornent l'une des entrées qui mènent à la cour du château. Son successeur, le comte de Belderbusch, superbe sous son armure éclatante, joue un grand rôle à Bonn comme ministre d'Etat et président de la Chambre des Finances. Il embellit l'aile est du domaine et modifie la partie supérieure du porche.
Hier commanderie, aujourd'hui bien public, les « Vieux Joncs » évoquent le souvenir du puissant Ordre des Chevaliers teutoniques, éternels Croisés chez qui le bruit des armes couvrait souvent le chant de la prière.

△ *On ne peut qu'admirer l'extraordinaire travail de restauration accompli aux Vieux-Joncs. Le château brûla en partie avant que son dernier propriétaire ne le cède à la Région flamande. En le visitant aujourd'hui, on a peine à croire qu'il y a dix ans il menaçait ruine.*

Une commanderie de l'Ordre teutonique

L'Ordre allemand ou teutonique est une de ces communautés de moines-soldats nées en Terre Sainte au XIIe siècle, en pleine aventure des Croisades. A l'origine vouées à l'accueil et aux soins des pèlerins chrétiens, ces communautés «hospitalières», se muèrent ensuite en milices guerrières pour assurer la sécurité des routes de pèlerinage et même aider «manu militari» les Croisés. Le modeste hôpital fondé à l'origine (1190) pour secourir les Croisés blessés d'origine germanique devint vite si célèbre dans toute la chrétienté, qu'il attira vers l'Ordre teutonique de nombreuses libéralités.

Au XIIIe siècle toutefois, après la reprise de Jérusalem par les Musulmans et les derniers bastions chrétiens perdus au Proche Orient, les membres des Ordres Militaires, tels les Templiers et les Chevaliers teutoniques, se replièrent en Europe où ils ajoutèrent aux richesses qu'ils rapatriaient les faveurs des princes impressionnés par leur gloire. Les Chevaliers teutoniques se reconvertirent dans la lutte contre les païens des régions riveraines de la mer Baltique. Ils s'y taillèrent, aux dépens des Slaves et non sans violences, un vaste domaine qui allait devenir un jour le duché de Prusse, futur cœur de la puissance germanique. Les chevaliers portaient le manteau blanc marqué d'une croix noire sur l'épaule, et c'est cette même croix qui évolua par la suite jusqu'à devenir la croix de fer de l'armée allemande... Mais, si les Chevaliers teutoniques se révélèrent de redoutables combattants en Europe centrale, ils ne furent que des «hospitaliers» dans les autres bailliages.

Comme on le sait, le territoire de la future Belgique était composé autrefois d'une dizaine de principautés laïques ou ecclésiastiques. L'Ordre teutonique y établit une de ses seize circonscriptions (grandes commanderies ou bailliages), celle des Pays-Bas, à Biezen (aujourd'hui Rijkhoven, près de Bilzen). Cette commanderie était née modestement en 1220, à la suite d'une donation, et un hôpital y avait été aussitôt bâti. Mais au fil du temps elle s'enrichit considérablement, acquérant quantité de biens, notamment dans les environs de Bilzen, Hasselt, Tongres et Maastricht, grâce surtout à la générosité de la noblesse locale. Pendant le premier siècle de son existence, elle put ainsi créer diverses dépendances sur le territoire de la principauté de Liège, procédant elle-même à l'occasion à des achats de terrains.

Les membres de l'Ordre se répartissaient en deux catégories: les chevaliers qui devaient être d'origine noble; et les prêtres pour lesquels ce titre aristocratique n'était pas requis. Bien entendu, chevaliers et prêtres disposaient de serviteurs qui vaquaient aux tâches matérielles. L'Ordre teutonique disposait de privilèges étendus et jouissait de la protection toute spéciale des papes. Aux «Vieux Joncs», s'y ajouta la sollicitude bienveillante du prince territorial, le comte de Looz d'abord, le prince-évêque de Liège ensuite. Ainsi, cinq fils du comte Arnould V entrèrent dans l'Ordre, et l'un d'eux devint même le premier grand commandeur officiel de 1317 à 1324.

A la fin du XVIIIe siècle, au cours de l'occupation française, les biens des «Vieux Joncs» furent confisqués, à l'instar de tous les biens ecclésiastiques. C'est dans l'état même où ils se trouvaient lors de leur mise en vente, en 1797, que les bâtiments de la Grande Commanderie nous sont parvenus.

Alden Biezen

Dans la cour intérieure du château figure le blason du cardinal Damien-Hugues, comte de Schönborn, qui fut grand Commandeur à Alden Biezen de 1709 à 1743. Les mêmes armes se retrouvent sur la façade de l'aile droite de l'Apostelhuis. ▷

Le château des Vieux-Joncs tel qu'il se présentait en 1700 aux yeux du graveur Romeyn Dehooghe. De multiples dépendances, beaucoup d'eau et une allure générale qui, tout en évoquant les forteresses médiévales, rappellent aussi la puissance et la richesse de l'Ordre teutonique qui fit des Vieux-Joncs l'une de ses douze commanderies. ▷

Alden Biezen

Les bâtiments de l'ancien bailliage ont été élevés entre le XVe et le XVIIe siècle. Ils constituent par leur étendue, la diversité des constructions et la grandeur imposante de l'ensemble, un des plus beaux témoignages architecturaux du pays. A cinq cents pas du corps de logis principal, l'Apostelhuis ou maison des Apôtres, refuge ouvert aux pauvres. Dans la chapelle consacrée le 12 septembre 1638, plusieurs pierres tombales rappellent à notre souvenir les commandeurs qui firent les belles heures du château. ▽

1220. Les chevaliers de l'Ordre teutonique, d'origine allemande, installent une commanderie à Alden Biezen, non loin du village de Rijkhoven.
1590. Naissance à Maastricht de Godefroid Huyn.
1634. Godefroid Huyn, comte de Geleen, succède comme commandeur d'Alden Biezen à son cousin Edmond Huyn d'Anstenrade. Il repose d'ailleurs à ses côtés sous une même pierre tombale dans la chapelle du domaine.
1652. Godefroid Huyn fait ériger le très beau portique d'inspiration baroque qui orne l'entrée de la commanderie.
1657. Mort de Godefroid Huyn. Lui succède à la tête de la commanderie Edmond Godefroid, baron de Bocholtz et d'Oreye, né en 1615.
1663-1668. Bocholtz institue la charge de maréchal héréditaire au bailliage des Vieux-Joncs.
1673. Au mois de juin de cette année, Louis XIV séjourne aux Vieux-Joncs. Depuis la commanderie, il dirige le siège de Maastricht où d'Artagnan est tué d'une balle de mousquet

Peut-on imaginer en contemplant les arcades qui défient paisiblement le temps, doucement chauffées par les rayons du soleil, qu'autrefois les Vieux-Joncs résonnaient des éclats de voix des chevaliers teutoniques? Ces arcades ne confèrent-elles pas à l'antique demeure un caractère roman, même si l'ancienne forteresse a sacrifié au confort des temps modernes. ▽

qui lui traverse la gorge.
1690. Mort d'Edmond de Bocholtz à l'âge de soixante-quinze ans. Il avait achevé la construction de la commanderie.
1709. Damien-Hugues, comte de Schönborn et, à trente-huit ans, cardinal et évêque de Spire, devient à son tour grand commandeur. Il modifie l'aile droite des bâtiments entre 1709 et 1743.
1766. Gaspard-Antoine, baron puis comte de Heyden et de Belderbusch, né en 1722 au château de Steversdorp-Montzen, est nommé commandeur à Alden Biezen, fonction qu'il exerce jusqu'à sa mort en 1784.
Fin XVIIIe s. La commanderie est vendue comme bien national en vertu des lois révolutionnaires.
1826. Alden Biezen devient la propriété de Guillaume Claes, procureur à Hasselt, qui la transmet à ses descendants.
Aujourd'hui, la commanderie appartient au ministère de la Culture flamande qui l'a achetée à Monsieur Roelants du Vivier, son dernier propriétaire.

△
Kruishoutem est un exemple rare de ces châteaux du XVIIe siècle parvenus jusqu'à nous dans un remarquable état de conservation. Le bâtiment Renaissance est une construction en brique, de style traditionnel, mais où les fenêtres — il y en a plus de cent! — sont soulignées par cette jolie pierre blanche qu'est le grès de Balegem. Cette architecture ne manque certes pas de cachet. Elle s'exprime essentiellement par quatre pavillons d'angle dont les toitures sont coiffées de tourelles en forme de bulbe à la turque. La façade centrale, quant à elle, est dominée par un toit massif en forme de bouclier. Le fronton orné d'un écusson aux armes des van der Meere et l'entrée principale baroque sont des adjonctions du XVIIIe siècle.

◁ *L'eau joue un grand rôle dans le domaine d'Ayshove: un vaste étang et les douves qui entourent le château créent une ambiance pleine de charme. Jadis, sur une île, même les oies disposaient d'un petit château Renaissance.*

Un remarquable exemple d'aménagement intérieur: le salon rose, où les tristes coloris de jadis ont fait place à des tons à la mode. Le salon s'ouvre sur un parc romantique et les eaux calmes d'un étang, prolongeant ainsi au-delà de la porte-fenêtre la douceur de vivre dans cette élégance raffinée. ▷

Kruishoutem

Il en est des châteaux comme des hommes: ils peuvent dissimuler, sous la multiplicité des apparences, les plus grands pouvoirs de séduction. Ainsi Kruishoutem et Wannegem-Lede exhalent, à peu de distance, la même impression de noblesse et de force tranquille. Mais autant Wannegem en impose par la rigueur mathématique de ses proportions, autant Kruishoutem charme par la fantaisie qui s'y est donné libre cours.

Voyez ce beau bâtiment en brique rouge vif: ne le dirait-on pas sorti tout droit d'un songe? Ou d'un livre d'images? Au milieu de ce grand parc, n'est-ce pas dans ce château de conte de fées que Cendrillon doit danser ce soir?

Suivons-la donc à travers ces salons, admirable enfilade, exemple réussi d'une restauration récente. Lorsque, dans les années 70, les Van Marcke acquirent le domaine, il agonisait. Ses occupants eurent le grand mérite de transformer la noble bâtisse en une demeure agréable à vivre, tout en respectant la décoration et l'ameublement d'autrefois.

Ainsi le grand vestibule d'entrée — ... qui ressemblait plutôt à un hall de gare — respire aujourd'hui la douce quiétude des châteaux vivants: on s'y est montré soucieux de la variété et de la chaleur des coloris. Le salon rose allie le confort et le bon goût. Mais que de mal ne s'est-on pas donné! Les meubles Napoléon III ont été restaurés et recouverts d'étoffes modernes. Les revêtements muraux en soie — de 1860! — furent enlevés et soigneusement nettoyés.

Les Van Marcke ont précieusement conservé les lambris Louis XIV, les décors en Modern Style, l'escalier rococo, les tapisseries d'Audenarde et les tableaux qui faisaient l'âme du château. Ils ont mis beaucoup d'amour dans la sauvegarde de Kruishoutem.

1227. La seigneurie d'Ayshove — dont faisait partie Kruishoutem — est mentionnée pour la première fois. On entreprend la construction d'un château-ferme qui s'appellera «Steercke tot Cruushoutem».

1630. Sous la domination espagnole, la seigneurie d'Ayshove est élevée au rang de baronnie de Kruishoutem. Le château-ferme disparaît et Charles de Jauche construit le château actuel.

1670. Philippe de Jauche, qui a succédé à son père comme baron de Kruishoutem, est élevé au rang de comte par le roi de France.

Fin du XVIIe s. Son fils, Claude-Albert de Jauche, embellit le parc.

1732. Grevés de dettes, le domaine et son château sont mis en vente publique et passent à Willem-Josef van der Meere.

1735. Le nouveau comte de Kruishoutem fait exécuter des transformations par son architecte de Clercq. On élève les pignons avant et arrière avec leurs trois fenêtres et un tympan. L'entrée quitte l'étage des caves et vient se placer plus haut.

1839. August van der Meere vend le château à sa sœur Eugénie. Par alliances et par ventes, le domaine passe à Gabriel Piers de Raveschoot.

1976. Carl Van Marcke achète le château et le restaure.

Grandes demeures du XVIIe siècle

Les temps sont difficiles. La guerre sévit. Les châtelains se
contentent de restaurations hâtives et l'art baroque, volontiers
exubérant, coûteux même, ne les émeut guère. Sans doute aussi
l'esprit pondéré propre aux Pays-Bas ne veut-il pas privilégier le
jeu un peu théâtral de ce style contourné et de ses volutes...
Au XVIIe siècle, les seuls bâtisseurs sont de grands seigneurs dont
l'ambition est d'imiter le Roi Soleil.
Aussi le style Louis XIV, tout d'équilibre, d'harmonie et de majesté
va-t-il prendre le pas sur l'instabilité et la verve décorative du baroque.
Alors surgissent ces palais à la campagne,
demeures de prestige et triomphe de la symétrie.
Car les temps ont changé.
Le château a perdu sa vocation militaire.
Les forteresses voient sauter une à une leurs vieilles courtines
et une cour d'honneur s'ouvre sur un jardin ou sur la campagne.
L'escalier d'honneur détrône la vis d'escalier médiévale
et devient un morceau de bravoure par l'ornementation des
départ, rampe et balustres.
Les salons s'ornent de stucs, si représentatifs du baroque
par la richesse et l'abondance de leurs formes.
Mais au XVIIe siècle on ne se soucie pas encore d'ouvrir de
larges baies pour éclairer les appartements.
Les pièces sont sombres, lourdement chargées de cuirs et de tapisseries.
« La lumière avait quelque chose de fruste, voire de vulgaire ».
Cette lumière que le siècle suivant allait apprivoiser...

Jardin d'Annevoie *(p. 204)*

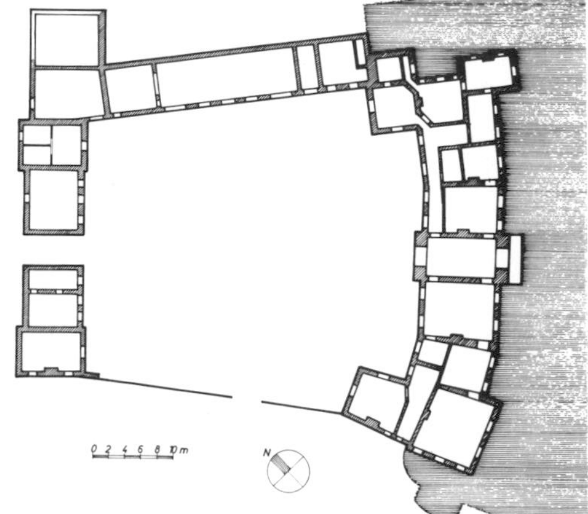

Annevoie

D'admirables jardins font la renommée d'Annevoie. Leur réputation, ils la doivent à un homme étonnant et qui, en ce siècle des lumières, brilla d'un éclat particulièrement vif: Charles-Alexis de Montpellier. Notre homme a beaucoup voyagé. Il a longuement regardé les parterres de Marly, les jardins Boboli à Florence, les cascades de la villa d'Este à Tivoli, meublant son âme d'esthète d'arbres et de jeux d'eau. Et quand il retrouve la douceur de son pays mosan, il rêve de jardins à lui...

Annevoie sera à la mesure de ses rêves: éblouissant. On a dit qu'il composa ici l'Europe des jardins, qu'Annevoie était français par la stricte ordonnance de ses allées, anglais par la fantaisie romantique de ses hautes futaies, italien par ses fontaines et ses statues. Qu'importe! L'essentiel n'est-il pas de se dire que l'eau coule ici depuis deux cents ans? Qu'elle jaillit partout, en étangs, en cascades, en ruisseaux murmurants? En éventail quand elle fait la roue ou en bambins crachouillant au détour de quelque charmille?

Puis Charles-Alexis construisit son château. Il le voulut à la mesure de l'homme. De la vieille gentilhommière de 1627, il fit une demeure où vivre vraiment. D'un classicisme tout provincial, le château grandit, s'amplifia. Mais il resta aimable, raffiné, intime.

Cette tendresse familiale s'exhale dès l'entrée. Dans la grande galerie, tous les de Montpellier qui ont fait Annevoie sont là pour nous accueillir, bienveillante enfilade de portraits de famille.

Les voici ouvrant pour nous, dans le vestibule, les deux grandes baies qui se font vis-à-vis. Et voilà que surgissent une cour intérieure d'agréables proportions et — ô merveille! — l'admirable perspective des étangs et des fontaines. Souvenirs familiaux encore dans la salle à manger: ces scènes de chasse, c'est un de Montpellier qui les a peintes à la fin du siècle dernier. Et dans un autre salon, une porte s'entrouvre sur une chapelle ravissante, minuscule, elle aussi à la dimension d'une famille.

Sur le mur opposé, Charles-Alexis, l'ancêtre à qui l'on doit tant. Il regarde et il écoute. Et par la fenêtre ouverte, une chanson lui parvient, celle qu'il composa jadis pour ses arbres et pour ses fontaines...

△
Depuis 1775, les pierres calcaires d'Annevoie se reflètent doucement dans un vaste miroir d'eau. Rythmée par de larges et hautes fenêtres, légèrement incurvée pour suivre la courbe de la vallée, la façade sur le parc est un bel exemple de cette architecture classique, sobre et équilibrée de l'époque Louis XIV. La saillie de l'aile droite est formée par la vieille tour carrée de 1627. Tout ici respire l'harmonie simple et paisible d'une demeure de bon goût.

Les jardins d'Annevoie, comme le château, sont l'œuvre de Charles-Alexis de Montpellier. Il écrivit pour eux cette « Adresse à mes arbres et à mes fontaines » qui est un véritable hymne à leur beauté. ▷

Vers 1500. Un certain Jehan Servais poursuit des études de médecine à l'Université de Montpellier. A son retour, ses compagnons l'appelleront Jehan de Montpellier et ce nom restera dans la famille.
1627. La famille de Halloy édifie un manoir sur la colline d'Annevoie : trois travées et une tour d'angle où se lisent encore aujourd'hui les ancres de 1627.
1680. Catherine de Halloy lègue le manoir par testament à sa nièce Marie de Halloy.
1696. Celle-ci, à son tour, le laisse à son mari, Jean de Montpellier. Depuis cette date, le château n'a jamais cessé d'appartenir à la famille de Montpellier.
1717. Naissance du petit-fils de Jean, Charles-Alexis de Montpellier, qui deviendra grand bailli de Montaigle, chambellan héréditaire de la province de Namur et riche maître de forges. Cette grande figure d'Annevoie mourra en 1807, après quatre-vingt-dix années d'une vie bien remplie.
1758. C'est lui, en effet, qui créa les célèbres jardins et qui, avec l'aide d'un architecte du nom de Phazelle, construisit le château actuel en y intégrant harmonieusement le manoir de 1627.
1775. Cette date marque sans aucun doute la fin des travaux : les stucs du grand salon sont signés « Charles Moretti fecit 1776 » et sur le départ de l'escalier de gauche est gravé le millésime 1773.
1928. Pierre de Montpellier achète de nombreuses statues et en décore le parc.
1940-1950. Il agrandit les jardins vers le nord-est.

Le grand salon est abondamment paré de stucs Louis XVI dus à Moretti. Entre les baies ouvertes sur le parc, de grands médaillons représentent Minerve, Cérès et Diane. Des amours ornent le plafond tandis que des guirlandes de fleurs adoucissent avec bonheur la rigidité de pilastres façonnés à la grecque.

Annevoie

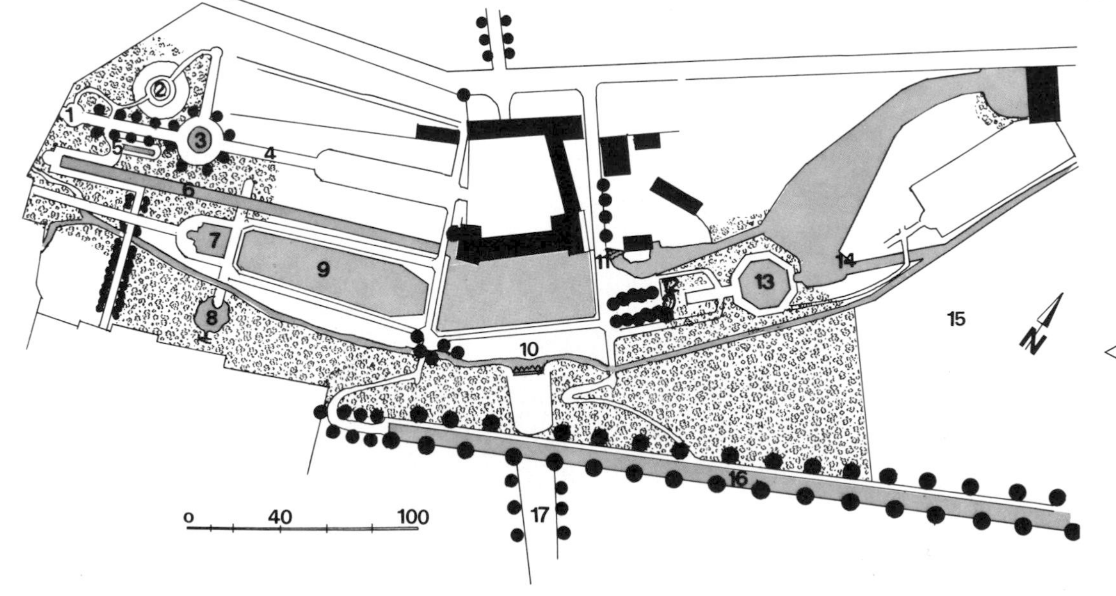

1. La Minerve 2. Le Sanglier de Florence 3. Bassin dit de l'Artichaut 4. Grande Allée 5. Le Miroir 6. Le Canal 7. Bassin dit de l'Ovale 9. Cascade de Neptune 10. Etang des Nénuphars 11. Buffet d'eau 12. Cascade Française 13. Bassin de l'Octogone 14. Fontaine du paon 15. Jardin neuf 16. Le Grand canal 17. Allée vers une autre Minerve.

L'évolution de l'art des jardins

L'histoire des jardins et des parcs est difficile à démêler. Contrairement aux monuments, les matériaux des jardins — lumière, eaux et plantes — sont changeants, éphémères, fragiles. Toutes les civilisations leur ont porté de l'intérêt, car ils rendent la nature accueillante et amicale alors qu'à l'état sauvage elle est indisciplinée et irrégulière. Par leur agencement, ils révèlent l'esprit d'une époque tout autant que les œuvres des peintres ou des écrivains.

L'art des jardins, sous l'Empire romain déjà, nous a laissé quelques témoignages: par exemple les jardins de la Villa Adriana à Tivoli et ceux du style «jardins clos» des maisons de Pompéi et Herculanum. Puis ce fut une longue éclipse, et si l'Eglise catholique prit la relève, elle ne leur assigna qu'un rôle secondaire.

La création des jardins classiques remonte à la Renaissance italienne, aux villas et aux châteaux des riches bourgeois florentins. Statues à l'antique et goût de la géométrie réapparurent. Terrasses, escaliers monumentaux et jeux d'eau créèrent un nouveau décor. Le jardin devenait une manière de mettre la demeure en valeur.

Peu à peu, pourtant, la synthèse entre la tradition gothique et les nouveautés de la Renaissance devait aboutir au fameux «jardin classique à la française» qu'illustrèrent au XVIIe siècle les châteaux de Vaux-le-Vicomte d'abord, de Versailles ensuite, les deux chefs-d'œuvre du grand Le Nôtre. Allié à la symétrie, l'artifice triomphait. La nature y était, disait Taine, «tout entière disposée et rectifiée» et le jardin devenait un décor de théâtre ou d'opéra où la verdure, le marbre et le bronze semblaient n'attendre que les spectateurs. La grande idée était de mettre le jardin en harmonie avec les bâtiments, en utilisant les ressources de l'eau pour ménager la surprise d'une découverte progressive. Ainsi domptée, la nature était destinée avant tout à être contemplée du château, pour la plus grande fierté de son propriétaire.

C'est évidemment l'Angleterre qui, après l'Italie et la France, allait donner le ton au XVIIIe siècle, en reniant le parc classique et en échappant à la «tyrannie de Versailles» par l'invention du jardin pittoresque et paysager «à l'anglaise». Les motifs chinois privilégiaient la dissymétrie et leur influence avait été introduite en Angleterre par les missionnaires à leur retour d'Extrême-Orient. D'autre part, les Britanniques, amoureux des paysages campagnards, cherchèrent là des thèmes de jardins et s'efforcèrent de dessiner un parc comme un tableau.

C'en fut terminé des compositions ordonnées et géométriques: l'heure était venue de jouer du désordre des bosquets, de profiter de la liberté des ruisseaux et de la variété des essences. Le maître-mot devenait: imiter la nature dans ses hasards et ses imprévus. Seul un fossé large et profond (le saut-du-loup) sépara le jardin de la campagne, afin de donner l'illusion qu'ils ne faisaient qu'un.

Bientôt les dessinateurs introduisirent dans ces parcs à l'anglaise une curieuse collection de «fabriques», petites constructions ornementales et pittoresques. Ici on édifia un Belvédère à l'italienne ou un Temple de Vénus; là, on éleva une tombe monumentale, une pyramide ou un obélisque à l'égyptienne.

La mode aidant, les jardins allaient se multiplier à travers l'Europe de la fin du XVIIIe siècle. A Belœil, le Prince de Ligne (voir page 21) décidera, quant à lui, de «braver l'anglomanie». Désormais tous les thèmes, depuis ceux imaginés par l'Antiquité jusqu'à ceux chers à l'Angleterre georgienne, allaient se fondre pour le plus grand plaisir des yeux.

Charles-Alexis de Montpellier consacra à ses jardins son temps... et sa fortune: mais n'était-il pas un puissant maître de forges, exploitant une cinquantaine d'usines à fer? Le résultat fut somptueux. Surprenant aussi: ces jeux d'eau fonctionnant sans l'intervention d'aucun mécanisme, d'aucune pompe, seulement alimentés par quatre sources qui apportent l'eau à un grand canal creusé en haut de la colline. Cette eau qui ne gèle jamais, qui coule jour et nuit, depuis deux cents ans... ▽

Merveilleux château campagnard à l'allure paisible, Bois-de-Lessines invite à la flânerie. Tout, ici, respire le calme. Il semble incongru qu'un passé guerrier ait pu troubler une existence aussi sereine. A quelques centaines de mètres de l'église de Bois-de-Lessines, à partir de la route qui longe les murs du château, on découvre la silhouette du manoir dressée au milieu de bois et de champs.
Une fois franchie la première entrée, une courte allée arborée conduit au porche-tour des dépendances, surmonté d'un blason de 1630 aux armes des Cottrel.
Mais il faut traverser un pont de pierre à quatre arches pour accéder au château proprement dit que défend une massive porte en bois. Alors il apparaît dans sa tranquille majesté, de briques sur assise de moellons en pierre. Ses tours rondes ardoisées se reflètent harmonieusement dans l'eau des douves qui le ceignent complètement.
Le manoir en L répète curieusement le plan des dépendances. Ici n'a jamais existé un château de forme quadrilatère, mais plutôt un simple donjon édifié sur une motte entourée d'eau. On suppose qu'il se dressait à l'emplacement de l'actuelle tour cylindrique qui flanque l'aile droite de la façade.
Comme le voulait la mode, les murs furent blanchis au XVIIIe siècle. Certains ont pu regretter le décapage effectué au début du XXe siècle. Mais il faut reconnaître qu'ainsi débarrassé, le château a retrouvé un aspect dépouillé du plus heureux effet. En outre, cette nudité permet aux amateurs de suivre plus facilement les différentes étapes de sa construction et de son aménagement.

Fin du XIIIe s. Le «Viel rentier d'Audenaerde» mentionne une «maison» avec donjon occupée par le chevalier Watier li Struve.
1324. Gérard Lestruve ou de Lestriverie hérite du château qui s'appellera pendant des siècles «château de l'Estriverie».
1342. Le chevalier Gérard Despret de Quiévrain devient propriétaire du domaine.
1445. Consécration de la chapelle par Wautier Despret.
1484. Jeanne Despret épouse Pierre Cottrel, dont la lignée conservera le domaine jusqu'au XVIIIe s.
XVIIe s. Aménagement des dépendances et du château dans son plan en L.
1760. La famille d'Yve de Bavai s'installe au château.
1785. Le parc est ceinturé de murs.
Début du XIXe s. Par l'allongement de l'aile orientale, par le remaniement de la cour avant et par la refonte de la façade et des toits, le château prend son aspect actuel.
Début du XXe s. Le marquis Jean-Ferdinand d'Yve décape les murs et aménage les dépendances.

Bois-de-Lessines

Le château de Modave s'offrira à vos yeux sous des aspects totalement différents selon le lieu d'où vous l'admirerez.
Longez les eaux claires du Hoyoux et Modave surgira comme un prestigieux nid d'aigle juché sur une falaise verticale haute de soixante mètres. Ses puissantes murailles médiévales accentuent l'impression d'écrasement du promeneur, car elles prolongent la paroi rocheuse vers le ciel.
Si vous venez par le plateau, une sobre demeure du XVIIe siècle vous attendra au débouché du châtelet d'entrée. Là, au-delà de deux cordons de balustrades et légèrement en contrebas, se déploie derrière un vaste bassin circulaire une large façade classique à la Mansart.
L'aspect composite de Modave répond à la volonté de Jean-Gaspard-Ferdinand de Marchin, grand homme de guerre. Désireux d'asseoir son prestige, il a fait bâtir une résidence fastueuse s'imbriquant dans les bâtiments du Moyen Age remaniés. Très lié à la France, contemporain et admirateur du Roi-Soleil, il a donné à la Belgique une de ses rares façades en style Louis XIV.
Le visiteur qui franchit la porte d'entrée considère avec étonnement la «Chambre héraldique». En effet, le plafond de la salle d'accueil ou salle d'armes présente, non sans forfanterie, l'illustration en relief des quartiers de noblesse du maître de céans. Nous sommes en face du chef-d'œuvre de Hansche. Ce stucateur de talent annonce les Moretti et Duckers du siècle suivant. Unique en Belgique, sinon en Europe, ce travail a beaucoup fait parler de lui et courir la plume de plus d'un jaloux.

Dans l'exceptionnelle luminosité de ce terroir, les bâtiments de Modave, jaillissant de la forêt, semblent s'agripper à la roche. En contrebas coule un Hoyoux imperturbable, enjambé par cet élégant pont de pierre à la balustrade toute Louis le quatorzième.

Modave

1233. Première mention de Walther de Modave.
XIVe-XVe s. Les seigneuries de Petit et Grand Modave, souvent réunies, appartiennent à la famille dite de Modave.
1558. Les Haultepenne en héritent, puis le transmettent aux St-Fontaine.
1642. Jean de Marchin acquiert le bien au nom de son fils, Jean-Gaspard-Ferdinand.
1651. Le château est incendié par les Lorrains.
1658. Reconstruction du château qui prend l'aspect qu'on lui connaît aujourd'hui. Le coût aurait dépassé 100 000 écus, somme considérable pour l'époque. Décoration de 1666 à 1672.
1673. Décès de Jean-Gaspard-Ferdinand de Marchin, comte du St-Empire, chevalier de la Jarretière, maître de camp général des armées des Pays-Bas, chef du Suprême Conseil de Guerre des rois d'Espagne, lieutenant du Grand Condé. Il cède Modave à son fils Jean-Ferdinand, maréchal de France.
1682. Loin de Modave, Jean-Ferdinand cède le domaine au Prince-Evêque de Liège, Maximilien-Henry de Bavière. Ce dernier en fait cadeau au cardinal Guillaume de Furstenberg.
1684. Construction des dépendances, puis don à la comtesse douairière de La Marck.
1772. Après être passé au baron de Ville, Modave échoit en dot à Anne-Léon de Montmorency. Adaptation en style Louis XVI de plusieurs chambres de l'étage.
Révolution française. Les Montmorency accueillent à bras ouverts les émigrés français. C'est à Modave que le comte de Provence, futur Louis XVIII, attendra en vain Louis XVI et les siens qui devaient venir de Bouillon s'ils n'avaient pas été arrêtés à Varennes.
1941. Acquisition par la Compagnie Intercommunale Bruxelloise des Eaux aux van Hoegarden, héritiers des Lamarche via les Braconier.

Flanqué de deux pavillons qu'éclairent quatre fenêtres, le corps de logis construit au XVIIe siècle est divisé en cinq travées. Au milieu de la toiture, un fronton triangulaire surplombe le balcon accessible depuis l'étage. Ce dernier, soutenu par des colonnes, protège la porte d'entrée du soleil ou des rafales. Sur la gauche, la chapelle prolonge avec élégance l'harmonieuse façade. ▷

De Modave à Versailles : les machines de Sualem

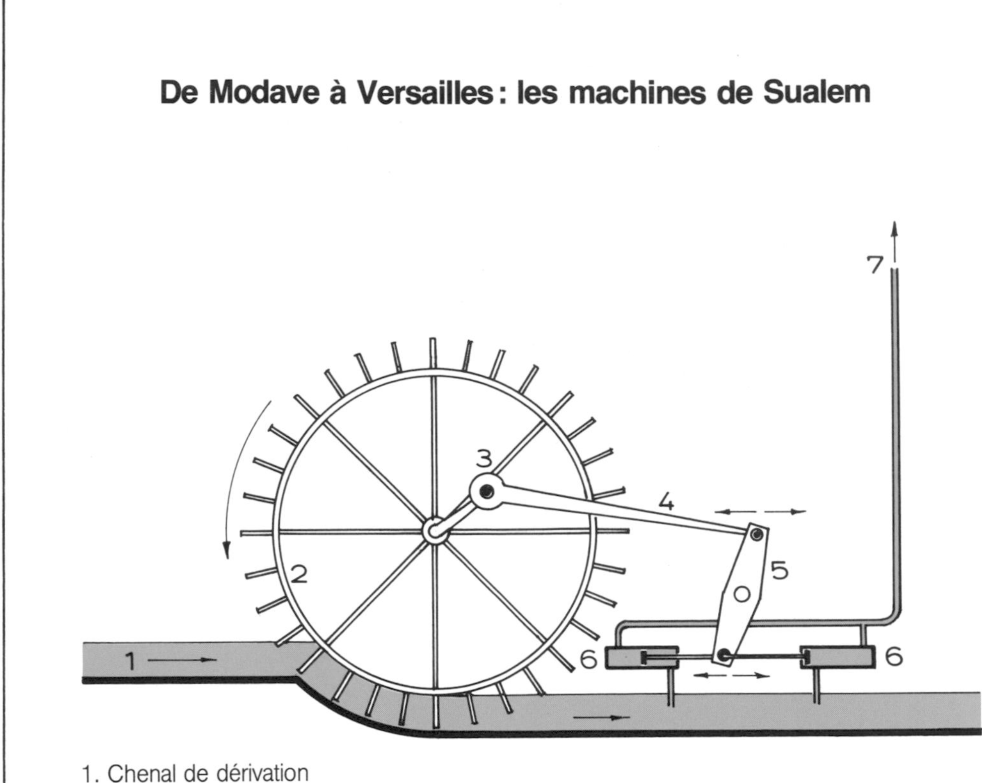

1. Chenal de dérivation
2. Roue à aubes
3. Manivelle
4. Bielle
5. Balancier
6. Pompes aspirantes-foulantes
7. Tuyau vers le château d'eau

Etrange destin vraiment que celui de Rennequin ou Renkin Sualem, maître-charpentier wallon d'exception, né à Jemeppe-sur-Meuse en 1645. Il fut le principal artisan de la machine de Marly au temps du Roi-Soleil, tout en persistant à demeurer illettré jusqu'à sa mort. Ce sont les ministres de Louis XIV qui firent, semble-t-il, appel aux candidats, ingénieurs ou artisans, capables de construire un appareillage qui alimenterait en eau de Seine les futures grandes eaux des jardins dessinés par Le Nôtre pour les châteaux de Versailles et de Marly, les cours d'eau naturels étant notoirement insuffisants.
Arnold de Ville, un noble liégeois familier du château de Modave, y avait observé un engin placé au niveau de la rivière et qui élevait les eaux du Hoyoux à une cinquantaine de mètres de hauteur, jusqu'à la cour du château.
Cette machine avait été construite vers 1667-1668, lors de la réédification du castel, par Renier ou René (dit Rennequin ou Renkin) Sualem, dont la famille s'était spécialisée depuis longtemps dans la construction de pompes destinées à évacuer les eaux des galeries de mines du Pays de Liège. Arnold de Ville, plusieurs fois bourgmestre de Huy et plus tard seigneur de Grand et Petit Modave, réussit à faire accepter par les Français ses services et ceux d'une équipe de travailleurs liégeois, en décembre 1678.
Parmi eux, plusieurs membres de la famille Sualem, dont Rennequin, qui se fixèrent à Bougival, près de Marly. Après examen

des berges de la Seine, un modèle fut édifié et une expérience eut lieu à St-Germain en Laye, en présence du Roi-Soleil. De grands travaux commencèrent à la fin de 1680, qui devaient durer jusqu'en 1687.
Au bord de la Seine, fut assemblée une machine munie de quatorze roues de 12m de diamètre chacune, mue par une chute créée artificiellement dans le cours du fleuve. Les eaux furent finalement élevées à quelque 162m au-dessus de leur niveau par trois montées successives et grâce à plus de deux cents pompes. Pendant ce temps, Louvois faisait établir les aqueducs et réservoirs de Louveciennes et Marly d'où l'eau parvint enfin aux bassins de Versailles.
La tradition orale et la correspondance de de Ville donnent à penser qu'une mesquine rivalité ne cessa d'opposer l'homme de métier, Sualem, et le grand seigneur juriste, de Ville, pour le partage des appointements et des honneurs que valurent aux deux Wallons leur grandiose réalisation. Pourtant, il est établi que le premier fut très convenablement rémunéré, tandis que son ambitieux mentor, largement doté par Louis XIV, était fait «gouverneur de la machine».
Aujourd'hui, il ne reste plus, à Modave, que la tour au-dessus de laquelle les eaux auraient été montées, tandis qu'un engin de facture plus récente, une roue métallique, peut être admirée dans un pavillon situé dans le parc, en contrebas du château.

△
Au premier étage du château, l'appartement des Montmorency comporte cette somptueuse alcôve, semblable à un cocon. Ornée de six grands tableaux attribués à Jean Morel, elle abrite un remarquable mobilier signé par Chevigny. D'époque Louis XVI, il se compose d'un lit à baldaquin en bois finement sculpté, tendu de soies de Chine bleues, et de fauteuils assortis.

Modave

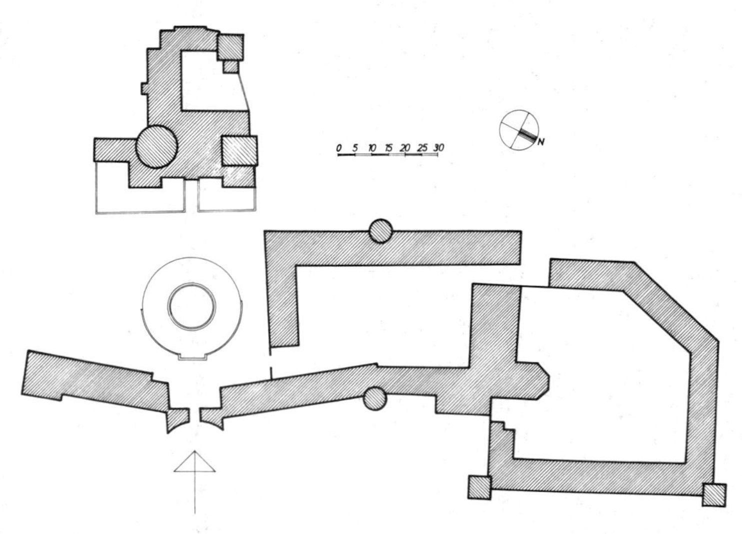

Typiquement condrusiennes, les dépendances qui relient d'anciennes tours médiévales apparaissent indispensables à la vie du château. La première des deux cours fermées, accessibles par des portails, est affectée aux voitures et aux chevaux, la ◁ *seconde à la gestion de l'important domaine agricole.*

Leefdaal

De lui, le duc de Saint-Simon a dit « Sa capacité et sa droiture donnèrent confiance en lui. Sa fidélité et son zèle y répondirent avec beaucoup d'esprit, de sens, de lumière et de justesse... Il se pouvait dire un homme très rare et qui avait une connaissance parfaite, non seulement des finances mais de toutes les affaires des Pays-Bas... Même dans sa retraite il conserva beaucoup de considération en Flandre, où il fut universellement aimé, estimé, honoré et regretté. » C'est à Leefdaal que le comte Jean de Bergeyck a passé cette retraite, à l'ombre de deux petites tours de briques, sentinelles d'une quiétude retrouvée.

Mal remis d'un Moyen Age révolu, le château hésite entre l'architecture militaire et les plaisirs d'une habitation confortable.

Le passé médiéval se retrouve dans les caves romanes, dans cette tour carrée dont le premier niveau date du XVe siècle. La tour nord remonte au XVIe siècle, elle annonce déjà l'altière bâtisse du XVIIe siècle qu'est devenue Leefdaal aujourd'hui. Lorsque le comte Arthur de Liedekerke décida à la fin du siècle dernier de restaurer le château, il ne sacrifia pas aux goûts néo-gothiques que des architectes romantiques voulaient lui imposer. « Ils veulent transformer mon château en gare de Bruges » s'écria-t-il. Aussi eut-il à cœur de conserver l'asymétrie de sa demeure, ce qui lui confère tant de charme. Voyez le corps de logis central profondément retiré par rapport à la grosse tour carrée et à la tour ronde. Au centre du bâtiment se détache la chapelle en style gothique brabançon, bien qu'elle ne remonte qu'au XVIIe siècle. Quant aux autres constructions, elles se succèdent avec un certain décalage. Les façades sud-ouest et nord-ouest s'ouvrent sur de magnifiques jardins à la française conçus par Arthur de Liedekerke. Les labyrinthes de buis impeccablement taillés se détachant sur un rideau d'arbres, de merveilleux ifs dépassant largement la taille de l'homme... voilà qui constitue un ensemble bien rare dans nos contrées. Romantique à souhait avec ses allées à l'anglaise qui se perdent dans le sous-bois, le reste du parc invite à la rêverie, une

◁ *Le château de Leefdaal est dominé par une tour carrée, le donjon, mais le bâtiment a subi, à la fin du XIXe siècle, de nombreuses restaurations sous la direction de l'architecte Langerock. Il est bien difficile de dater cette tour, même si le premier niveau semble remonter au XVe siècle. Sur l'un des murs apparaît la date de 1626, correspondant sans doute à l'année de reconstruction du château. Des époques antérieures, seules subsistent une cave romane du XIIIe siècle, une partie de la tour carrée et la tour nord du XVIe siècle.*

1626

Les deux tourelles qui sont parvenues jusqu'à nous sont en fait tout ce qui reste de la muraille à créneaux visible encore sur une gravure exécutée en 1694 par Harrewijn, d'après un dessin de Jacques de Croès pour le célèbre ouvrage « Castella et praetoria nobilium brabantiae ». Les deux tours déterminaient l'entrée principale du château. ▷

Peu de symétrie dans l'allure générale du château, qui a hérité du plan d'ensemble de la vieille forteresse médiévale. Depuis la tour ronde à gauche, c'est une succession de bâtiments de plus en plus en retrait, au fur et à mesure que l'on approche du corps de logis principal. Les soubassements sont de hauteur irrégulière et le toit est percé de trois lucarnes en croupe et à visières coiffées d'un épi. Devant, se profilent les jardins à la française. ▽

rêverie évocatrice du passé des premiers seigneurs de Leefdaal. Parmi eux, Roger et Olivier de Leefdaal dont les trouvères de l'époque ont tant vanté les exploits. N'est-ce point ce dernier qui, déguisé en marchand, partit délivrer dans les lointaines steppes hongroises Godefroid, fils du duc Henri de Louvain ? Une autre légende veut que Walewyn de Leefdaal et son compagnon d'armes, Wauthier de Bierbeek, allèrent entendre la messe avant de participer à un tournoi. Dès la première joute, Wauthier fut défait. Walewyn s'en retourna alors à l'église, persuadé que sa prière réaliserait des prodiges. Son ami rayonnant vint en courant à sa rencontre pour lui annoncer que, pendant son absence, il avait miraculeusement triomphé d'un second combat, et pour remercier Dieu de sa protection, les deux amis revêtirent la bure et s'enfermèrent dans un monastère. Plus près de nous, au cœur du XVIe siècle, Jean de Merode, par la grâce de Marguerite de Parme gouverneur de Bois-le-Duc, devint maréchal de Brabant et eut l'honneur de porter aux funérailles de Guillaume le Taciturne l'écu aux armes des Nassau.
Ce voyage dans le lointain passé ne nous fait pas oublier que Leefdaal doit sa restauration exemplaire aux comtes de Liedekerke. Grâce à eux, est parvenu jusqu'à nous, dans toute sa beauté, ce chef-d'œuvre architectural du XVIIe siècle.

Le comte Arthur de Liedekerke dessina lui-même les plans du jardin de Leefdaal. Ici de magnifiques entrelacs de buis forment un parterre aux courbes gracieuses devant un imposant rideau d'arbres ▷

IXe s. De cette époque, Leefdaal conserve la chapelle Sainte Vérone bâtie vers 850.
1138. Existence attestée d'une seigneurie à Leefdaal : Ulrick de Leefdaal cède une terre au monastère d'Honnecourt dans le Cambraisis.
XIIIe s. Le château de Leefdaal abrite une cave romane de cette époque.
1410. Béatrix, dame de Leefdaal, épouse Richard de Merode.
XVIe. Construction de la tour nord du château.
1626. Si le premier château fut vraisemblablement édifié au début du XIIIe siècle, l'année 1626 inscrite aux ancrages correspond sans aucun doute à la date de reconstruction de la plupart des bâtiments.
1661. Maximilien Antoine de Merode vend le château à Philippe Helman, échevin d'Anvers.
1679. Anne Françoise Helman, fille unique de l'échevin, épouse Jean de Broeckhoven, comte de Bergeyck, fils de Jean-Baptiste et d'Hélène Fourment, veuve en premières noces du peintre Pierre-Paul Rubens. Elle reçoit en dot le château de Leefdaal.
1827. Catherine de Broeckhoven de Bergeyck lègue Leefdaal à Honoré, fils de sa sœur Lucie, mariée à Gérard, comte de Liedekerke, seigneur de Pailhe. Depuis lors le château est resté la propriété des Liedekerke.
1943. Le comte François de Liedekerke, né à Leefdaal, épouse la comtesse Nicole de Briey. Ils sont les actuels propriétaires du château.

Fallais impressionne par ses dimensions — 65 mètres sur 45 ! — qui sont celles du Louvre de Philippe Auguste, édifié quelque vingt-cinq ans plus tôt. Au XIIIe siècle, les puissants seigneurs de Beaufort affichaient ainsi leur souveraineté par une orgueilleuse fortification qu'ils voulaient égale à celle d'un roi.

Pendant six ans, de 1464 à 1470, la forteresse appartient à Charles le Téméraire, alors en conflit ouvert avec Louis XI qui, en sous-main, soutient les Liégeois. Pour le duc de Bourgogne, il faut rendre le roi de France témoin du châtiment que ses alliés vont subir. Et il le force à marcher avec lui contre Liège ! Les deux princes séjournent à Fallais du 24 au 26 octobre 1468. Ils dînent ensemble... mais à des tables différentes, tandis que l'armée campe autour du château. Le 30, le duc met Liège à sac.

Louis XIV vengera cette humiliation deux siècles plus tard. Du 3 au 9 juillet 1675, il est à Fallais où il a pris ses quartiers. Après quoi il rase à coups de canon la tour de Bourgogne, toute la courtine nord et la tour Grignard !

Le château appartient aujourd'hui à l'association « Je vous supporteray », devise du lignage des Marneffe. Ceux-ci furent à maintes reprises, au XVe siècle, châtelains de Fallais, et en détenaient, non la propriété, mais le commandement. Il y a là un émouvant retour de l'histoire...

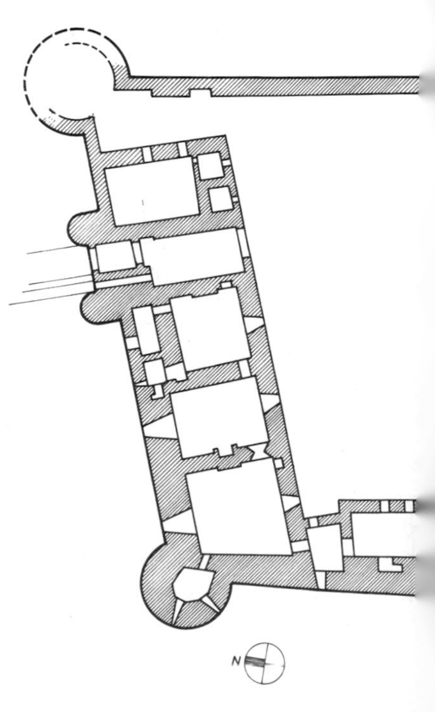

Fallais

◁ *Propriété d'un empereur, séjour de deux rois, le château de Fallais a grande allure. La restauration de 1882, tout en restituant fidèlement la robuste sveltesse de la forteresse moyenâgeuse, lui a façonné un visage plus aimable. De gauche à droite: la tour de Bourgogne, la tour St-Jean et la tour des Monnaies.*
Le pont qui enjambe les douves conduit à un admirable châtelet d'entrée, «monumental baldaquin de pierre» flanqué de ses deux tourelles à poivrière.

1044. La terre de Fallais est concédée à Wautier de Beaufort.
1373. Mort du dernier Beaufort, Jean. Sans descendance, il avait désigné comme héritier son neveu, Jean I de Wesemael...
1464. ... dont le fils Jean II meurt sans postérité et lègue le château à Charles le Téméraire.
1470. Celui-ci le cède à Henri de Borssele...
1484. ... dont la petite-fille Jeanne, par son mariage, apporte Fallais à Wolfgang de Polheim.
1501. Celui-ci le cède à Maximilien d'Autriche ... qui en fait don à Baudouin de Bourgogne, fils bâtard de Philippe le Bon.
1626. Mort du dernier Bourgogne, Herman: Fallais passe à la famille de Noyelles par le mariage de sa fille Marguerite...
1687. ... puis est vendu par saisie à Jean-Claude de Gozée.
1751. Son fils Joseph lègue Fallais à son parent Charles-Joseph de Ponty.
1797. Décès de Marie de Ponty qui avait épousé Philippe de Marotte de Montigny: Fallais passe à cette famille.
1857. Mort de leur fils Hyacinthe: Fallais est vendu à Preudhomme puis à Ortmans.
1936. Vente à «La Prévoyance sociale» et en
1976. ... à l'ASBL «Je vous supporteray».

Au-dessus du porche d'entrée, côté cour, cette pierre sculptée en visage barbu daterait du XVIe siècle. Elle représente, dit-on, Richard de Beaufort, héroïque défenseur de Fallais, qui fut tué en 1275 lors de la Guerre de la Vache, en essayant de dégager son château investi par les Liégeois. ▽

◁ *Du passage d'artistes italiens, Boëlhe a conservé ces très belles peintures à la détrempe qui ornent aujourd'hui un agréable salon Louis XVI. Au-dessus des portes, des stucs sculptés en médaillons, comme on en trouve dans de nombreuses demeures du XVIIIe siècle, ainsi qu'un élégant groupe d'instruments de musique au-dessus de la cheminée.*

Le hall d'entrée du château de Boëlhe. Un mobilier harmonieux pour une demeure qui a su garder une taille humaine. Remarquez l'extraordinaire sol en mosaïque. ▽

Etonnant château que celui qui se dresse au cœur du village de Boëlhe. Il ne date que de deux siècles et pourtant le domaine remonte à la nuit des temps... ou presque... Non loin de là, une chaussée romaine qui semble encore résonner du pas des légions, des tumuli qu'on ne s'est guère donné le temps de fouiller et, surtout, un curieux anneau de maisons bâties sur les habitations des serfs entourant une villa franque. Les archives ne sont pas bavardes sur l'ancienne seigneurie féodale; elles sont tout à fait silencieuses sur les dates de construction de l'ancien château. Et pourtant ne devait-il pas exister autrefois une noble habitation pour abriter l'avoué de Boëlhe? Le mystère demeure, même si, à l'est du domaine, on a relevé le tracé d'imposants bâtiments.

Néanmoins le château actuel, dans un paysage verdoyant, enchante l'imagination de l'esthète par la sobre beauté de ses façades Louis XV et Louis XVI, même si l'on peut regretter ici comme ailleurs les iné-

△

Vue du parc, voici la très belle façade Louis XV-XVI du château. L'équilibre y serait tout à fait parfait si l'aile gauche ne comptait pas six fenêtres au lieu des quatre de l'aile droite. Un détail qui n'enlève rien au charme de cette splendide demeure de plaisance assise au cœur du village.

vitables ajouts du XXe siècle naissant. Et ceci, bien que le chevalier de Creeft ait eu, en 1910, l'heureuse idée de refuser les plans sans âme qu'un architecte lui proposa pour moderniser sa demeure.
De Boëlhe, nous garderons toujours à l'esprit le charme du salon Louis XVI, classé à juste titre, et qui nous présente, outre des stucs d'une très belle qualité, de vastes peintures italiennes à la détrempe. A la fin du XVIIIe siècle, de jeunes peintres allaient de château en château, laissant le témoignage d'un art qu'ils maîtrisaient à la perfection. Ces scènes champêtres, ces villages sereins où glisse un ruisseau paisible ne pouvaient trouver meilleur cadre que le château de Boëlhe, lui-même au sein d'une paisible bourgade non loin du Geer.

Ve-VIIIe s. D'après des fouilles, un domaine franc aurait existé non loin de l'emplacement actuel du château.
Moyen Age. La seigneurie de Boëlhe appartenait primitivement à un établissement religieux avec le titre d'avoué. Cette charge constituait un fief relevant de la cour féodale de l'avoué de Hesbaye. La seigneurie possédait un château dont il reste quelque trace à l'est du domaine.
XVIIIe s. Restauration des bâtiments actuels.
1786-1787. Le bailli Guillaume Thone acquiert la propriété.
1890. Le chevalier de Creeft, grand-père de l'actuel propriétaire, le comte Roger de Meeûs d'Argenteuil, prend possession du domaine.
1910. Restauration du château et construction de dépendances.

Boëlhe

△
Les douves abritent toujours les rainettes et leurs coassements. L'ensemble des bâtiments s'y reflète sans ostentation. La position dissymétrique de la tour-porche par rapport aux tours d'angle confère un caractère original et très attachant au bastion. Les courtines percées de rares meurtrières contrebutent, à gauche, les dépendances agricoles, à droite, la chapelle Saint Etienne. Celle-ci a été couverte d'une toiture à la Mansart, vraisemblablement au XVIIIe siècle.

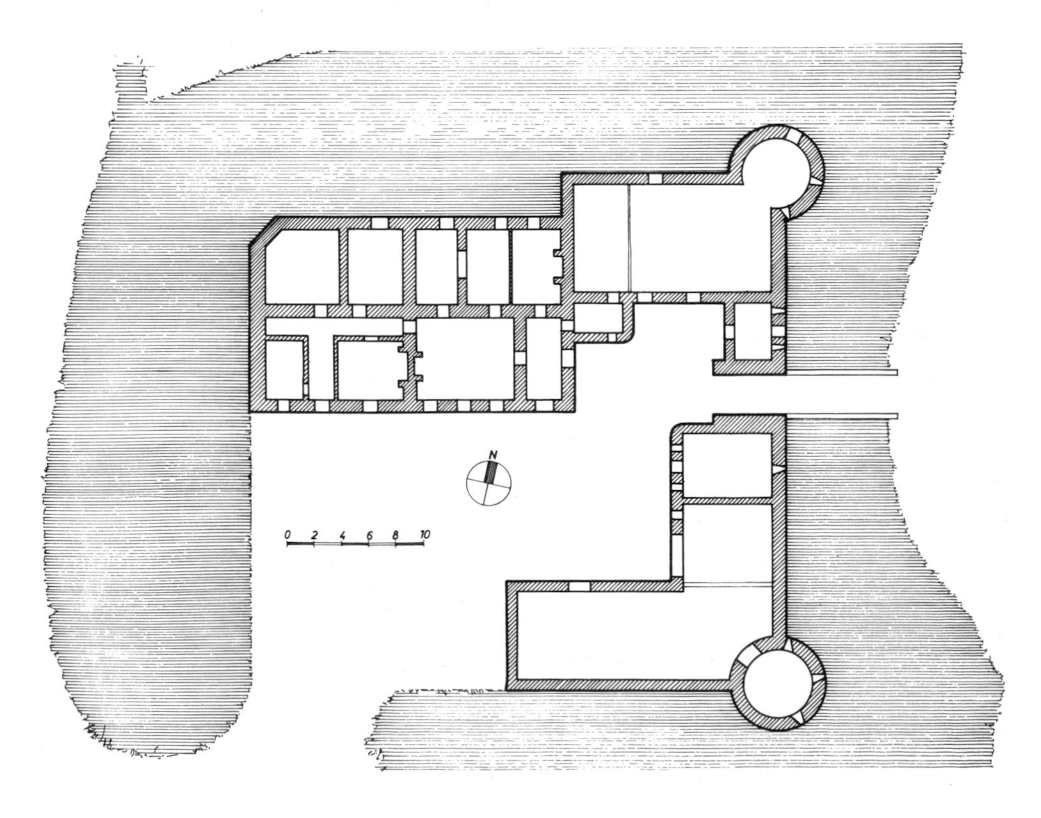

En Condroz, bercé par le moutonnement des crêtes et des vallées, le regard embrasse toute la générosité d'une nature inondée de la lumière sublime de ce pays et maîtrisée par une agriculture intelligente. Les tours des forteresses y rivalisent avec les clochers d'églises pour ponctuer ces horizons inlassablement renouvelés.
Quelque peu au-dessous d'une crête, une mare où chantent les rainettes. Voici Chantraine qui fut élue pour l'érection d'une maison forte. Rebâtie au XVIe siècle en une charmante demeure, elle reste actuellement un vivant souvenir de quatre cents ans de soleil et d'histoire.
Après la tour-porche, la cour d'honneur, jadis fermée, s'ouvre aujourd'hui vers le sud, offrant à profusion les amples panoramas qui se déploient devant le château.
A droite, la chapelle, que l'on dit romane, est incorporée aux courtines. Elle relie la tour d'angle, abritant les dalles funéraires des propriétaires du XVIIe siècle, à l'habitation largement dessinée et fort en contraste avec ce qui subsiste des fortifications médiévales. L'histoire de cette chapelle a fait couler beaucoup d'encre. Antérieure aux autres constructions, elle est restée église paroissiale tout au long de l'Ancien Régime.
A gauche, les dépendances agricoles s'étirent sous une seule et longue bâtière. Elles évoquent le temps où les propriétaires se devaient de posséder des greniers et des fenils bien remplis pour conjurer le spectre de la famine, toujours menaçant.
L'architecture de l'habitation, d'inspiration liégeoise par ses cordons, ses modillons et ses corniches, révèle le souci d'élégance de ses bâtisseurs et leurs préoccupations nouvelles qui les éloignaient de la terre.
Racheté récemment, le domaine de Chantraine est en voie de restauration.

Chantraine

La porte charretière est sommée d'écus martelés et surmontée d'une très intéressante bretèche, dont le rôle défensif n'est plus à démontrer. Gare à l'indésirable qui voulait forcer le passage! Aujourd'hui disparu, le pont-levis que rappellent les feuillures désormais obturées était défendu par les meurtrières des tours et des courtines. Le travail des supports de corniche en pierre est tout à fait remarquable. ▷

Xe s. Un noble appelé Rambert donne à l'abbaye de Stavelot deux exploitations agricoles dont l'étendue équivaut au territoire de Chantraine.
1241. L'existence d'une église paroissiale est attestée par le versement de la moitié de la dîme payée par les habitants de Chantraine à l'abbaye de Stavelot.
Tout début du XIVe s. Une famille a pris le nom de Chantraine et y possède un alleu constitué de «tour, maison, jardin et charuage».
1329. On précise que la maison est contenue dans une enceinte: «maison de pierre dedans les cingles (enceintes) de la tour de Cantrinne (Chantraine)».
XVe s. L'héritière du bien, la fille de Henri Collo, épouse Collart de Marchin. L'alleu passe dans cette famille qui en devient seigneur foncier.
1580. Jean de Saint-Fontaine passe contrat de mariage avec Anne de Heynhoven. Sans que nous sachions comment il en est propriétaire, Jean apporte, outre une somme de mille florins de Brabant, «la maison, cense, appendices et appartenances de Chantraine». Il possède encore une ferme à Verlée, village voisin.
1587. Comme ses frères qui ont bâti Havelange et Tahier, Jean de Saint-Fontaine rebâtit Chantraine. Alors que la baie nord porte le millésime, le portail d'entrée garde la signature des constructeurs suivie de cet étonnant conseil: «que les successeurs veuillent nous imiter en faisant aussi quelque chose d'utile».
1619. Chantraine devient une seigneurie. Elle est donnée, en tant que telle, à Henry de Saint-Fontaine, fils des précédents. Par son mariage, sa fille apporte le bien dans la famille Schonhoven, qui le conserve jusquà la Révolution.
1756. Restauration des constructions, notamment de la chapelle qui avait été incorporée au château par Jean de Saint-Fontaine.
1789. Le château est vendu par le comte d'Aerschot-Schonhoven au comte de Liedekerke pour la somme de 121500 florins.
XIXe s. Mise au goût du jour de la façade sud, sans respect de l'architecture.
XXe s. Après bien des vicissitudes et dans un état de semi-abandon, le château est racheté par la famille Balteau qui lui rend son aspect originel. Chantraine redevient une belle demeure habitable.

Le corps de logis très dix-huitième siècle a été mis au goût du jour au siècle dernier. Les baies de fenêtre ont perdu leur croisée, les seuils abaissés rompent, sans bonheur, l'élancement des lignes parfaitement suggérées par les cordons. La corniche à modillons, toute liégeoise, est altière et contraste avec le beau galbe des corniches en doucine de la tour-porche. ▽

Résidences plaisancières du XVIIIe siècle ou l'influence française

Les guerres de Succession d'Espagne ont remisé leurs canons.
Et voilà que des dizaines de fenêtres sagement alignées dévorent les façades pour s'ouvrir sur la paix et la prospérité retrouvées.
Nous voici au siècle des Lumières...
Admirable simplicité de l'architecture classique !
Certes, elle se laisse séduire par le Louis XV,
ce style plus gracieux que l'on appellera aussi rococo.
Mais ce fut avec l'élégance des favorites de ce temps-là.
Sobriété, pureté des lignes, sérénité :
à travers ces châteaux de pierre et de gloire, c'est une évidente inspiration française qui transparaît.
Les architectes surent briser avec habileté une monotonie qui serait vite devenue intolérable. Deux rangées de fenêtres, mais le corps central en recoit trois et on le surmonte d'un fronton triangulaire aux armes des constructeurs. Les toits mansardés se trouent de lucarnes.
La pierre de taille rythme les façades de brique,
soulignant avec bonheur les encadrements de fenêtre.
A l'intérieur aussi, la mode vient de France et avec elle décorateurs, ébénistes, paysagistes. Les vestibules se couvrent de marbre. Les appartements s'enrichissent de pendules et de lustres, de porcelaines et de soies chinoises. Les murs deviennent de véritables galeries de peinture. Stucs délicats, boiseries soignées, cheminées posées à la française, tout ici élève le raffinement au rang des vertus.
Voici donc venu le temps de la douceur de vivre...

Scène de chasse à Franc-Waret *(p. 242)*

Que la pluie frappe ou le soleil luise, que la brume soit opaque ou la neige abondante, le château d'Houtain-le-Val dresse son altière silhouette au milieu de la plaine brabançonne. Houtain a le charme des demeures qui ont su, grâce à l'habileté des propriétaires, garder toute leur jeunesse. Houtain a son histoire, celle des grands hommes qui l'ont habité, mais il est aussi riche en mystère: quelle Cendrillon, regagnant à la hâte ses appartements, a perdu sa pantoufle, il y a plus de deux siècles, dans un escalier dérobé, aujourd'hui muré? Quels forfaits ou quelle trahison avaient pu commettre les deux malheureux dont on a découvert les squelettes enchaînés sous le pavement de la cour? Pourquoi avoir caché une masse considérable d'archives dans les greniers où un heureux hasard a permis de les découvrir récemment? Mais laissons Houtain à ses secrets...

Houtain est une ancienne place médiévale dont on a arasé le donjon et les remparts. De la forteresse, il ne reste plus aujourd'hui que quelques murs de fondation, aux belles pierres de Marne. Au fil des siècles, selon les besoins—ou la fantaisie — de ses propriétaires, cette demeure a connu bien des transformations et des ajouts: vaste porche au XVIe siècle, ouverture de larges baies et construction de hautes cheminées au XVIIIe siècle, restauration par l'architecte Balat au XIXe siècle, adjonction d'une galerie en 1904, le tout respectant l'harmonie et l'unité du bâtiment.

Il est bien loin le temps où le seigneur de Houtain exerçait la haute, la moyenne et la basse justice sur ses sujets, prélevant la dîme sur leurs successions. A l'époque de la Réforme, le château fut le témoin de déchirements familiaux lorsqu'une partie de la famille de Zoete embrassa la religion protestante, tandis que l'autre restait fidèle au catholicisme. Il y a trois cents ans,

◁ *Une grande allée pavée conduit jusqu'au porche du XVIe siècle. A droite de l'entrée se dressait probablement le donjon du XIIIe siècle, comme semblent l'attester les pierres de Marne et les voûtes trouvées en cet endroit. Les deux tourelles, accolées aux extrémités des ailes du château, ont été ajoutées en 1854 par l'architecte Balat. La façade, refaite au XVIIIe siècle, a été coiffée de toits à la Mansart et les tours principales surmontées de girouettes en fer forgé représentant des têtes de dragons.*

Houtain-le-Val

Vu du ciel, le plan d'Houtain-le-Val apparaît clairement. Le porche s'ouvre sur la cour intérieure, laissant sur sa droite les dépendances du château. A gauche, le corps de logis principal avec la galerie ajoutée en 1904. Le parc d'Houtain a subi de multiples transformations au cours des siècles: autrefois une allée menait jusqu'à la chaussée de Bruxelles et l'entrée se faisait directement par la grande cour. ▷

Houtain hébergea les régiments du roi Louis XIV venu guerroyer en nos provinces. Plus tard encore, il fut transformé en hopital improvisé à l'époque des derniers combats de Napoléon Ier, en 1815. Enfin, il a souffert aussi lors de la guerre 1914-18, et a subi un incendie en 1944: le grand escalier de bois du XVIIIe siècle fut miraculeusement épargné.
Mais Houtain n'est pas seulement un château: c'est tout un domaine avec ses tulipiers bi-centenaires, ses prairies, ses fermes et son moulin qui a cessé de tourner.

1125. Une charte signale l'existence de Walter de Holten (Houtain).

XIIIe s. Erection à Houtain d'un donjon dont il ne reste que les soubassements.

Vers 1340. Jean III, duc de Brabant, achète Houtain pour le donner à Jeanne, une de ses filles naturelles qui épousera un sire de Ranst.

Vers 1525. Jeanne de Ranst épouse Alexandre de Zoete, sire de Laken, qui devient seigneur de Houtain.

1616. Une héritière de la branche catholique des Zoete lègue Houtain à un de ses cousins protestants, pour autant qu'il se convertisse au catholicisme. Ce dernier le vend à Arnould Schuyl de Walhorn.

1635. Schuyl de Walhorn revend la seigneurie à Pierre Roose, conseiller de Brabant.

1674. Après de multiples péripéties juridiques, Godefroid Mutsenich, conseiller au Conseil Souverain de Brabant, acquiert Houtain-le-Val.

XVIIIe s. Par héritage, le château devient la propriété du comte de Wynants qui, vers 1750, restaure la façade du logis.

Période belge. Par mariage, Monsieur de Waha devient propriétaire du château.

1854. L'architecte Balat fait ériger les deux petites tours du château ainsi que l'aile qui abrite les cuisines.

Fin XIXe s. La fille de Monsieur de Waha épouse le comte de Moerkerke dont la petite-fille est l'actuelle propriétaire du domaine.

1944. Les troupes d'occupation nazies tentent de mettre le feu au château; l'incendie est rapidement maîtrisé grâce à l'intervention de tous les habitants du village.

Houtain-le-Val

La salle-à-manger du château d'Houtain-le-Val. Les boiseries remontent à 1850 et étonnent par la simplicité de leurs lignes. La cheminée date de 1540 et fut primitivement placée ailleurs. Alexandre de Zoete la fit construire en souvenir d'un pèlerinage en Terre Sainte. On y retrouve les armes de Jérusalem, du monastère Sainte Catherine au pied du Sinaï et le blason du pèlerin. Au dessus, les armoiries d'Alfred de Waha, propriétaire des lieux au XIXe siècle. ▷

Le château d'Houtain-le-Val vu par Le Roy en 1696. La façade n'a pas encore l'aspect que lui donnera le comte de Wynants. De cette époque ne subsistent que le porche d'entrée et les deux tourelles qui l'encadrent. A droite, une tour en ruine reconstruite plus tard par Balat et, à l'extrême droite, la chapelle du château aujourd'hui disparue. L'allée pavée n'existe pas encore. En revanche on y voit des jardins à la française. ▷

◁ *Equilibre et harmonie de l'architecture et de la nature sur cette photo prise à droite du château depuis le potager. Malgré son aspect médiéval, la tourelle à l'avant-plan n'a pas plus d'un siècle. Le romantisme et le néo-gothique n'ont pas détruit le charme d'Houtain-le-Val, comme ce fut trop souvent le cas dans bien des demeures seigneuriales.*

60
Harrewyn fecit
Castellum Houtain Le Val

△

Equilibre des ouvertures, avancée surmontée d'un fronton triangulaire, toit mansardé et cour d'honneur embellie de « broderies » et de gazon, tout cela fait de l'avant de Waleffe un chef-d'œuvre de simplicité classique. Et cependant le goût particulier de Blaise-Henri de Corte apparaît dans la différence de niveau entre le corps central et les ailes, propre à ce château. L'aile droite abrite une chapelle familiale encore utilisée lors de cérémonies intimes.

Le château de Waleffe appartient à cet ensemble de demeures qui fleurirent dans la vallée de la Meuse aux XVIIe et XVIIIe siècles, succédant souvent à d'antiques manoirs fortifiés.
De son passé guerrier, Waleffe n'a conservé que deux tours rondes et un bâtiment Renaissance percé de fenêtres à meneaux, englobés dans les dépendances et dans l'aile gauche de la construction actuelle.
Au XVIIe siècle, après le passage dévastateur des mercenaires à la solde de l'Espagne, les Curtius furent les maîtres d'œuvre d'un nouveau bâtiment édifié dans le goût du siècle, qui nous est parvenu dans sa plus complète authenticité.
Deux pierres-témoins datées, l'une de 1677 dans l'aile gauche, l'autre de 1696 dans le porche extérieur des dépendances, attestent la longueur des travaux.
Mais c'est au XVIIIe siècle que le château prit son aspect définitif par la reconstruction d'un corps de logis rectangulaire à légère avancée et à toit mansardé que prolongent deux ailes rectangulaires. Briques blanchies et chaînages en pierre de Meuse constituent les matériaux de la construction. Une cour d'honneur ornée de parterres et de pelouses, ainsi qu'une terrasse au nord, parachèvent ce bel ensemble, devenu un modèle de l'architecture mosane du XVIIIe siècle.
Ce château qui nous est parvenu sans subir la moindre modification mérite autant d'intérêt pour ses intérieurs. Daniel Marot, l'ornemaniste de Guillaume III d'Angleterre, inspira par ses gravures une décoration Louis XIV adaptée au goût du XVIIIe siècle. Partout abondent entrelacs, palmettes et fleurons. Sans oublier, bien sûr, les consoles de cheminée ou les motifs chinois, gloire du grand salon.
Tel qu'il nous est parvenu, grâce à l'entretien constant dont il a bénéficié, le château de Waleffe constitue à tous égards un exemple précieux d'une perfection dont seules de rares demeures historiques peuvent s'enorgueillir.

C'est par l'arrière du château dont la vaste terrasse date du XVIIIe s., que l'on accède aux sous-sols dont les voûtes remarquables abritaient jadis les cuisines. Actuellement, ces pièces de service constituent un véritable musée d'objets usuels des XVIIe et XVIIIe siècles. △

Waleffe

XIVe s. Existence d'un manoir fortifié dépendant de la principauté de Stavelot.
1646-1647. Des mercenaires lorrains au service de l'Espagne incendient le vieux castel.
1651. La propriété passe par alliance à Henri Curtius, petit-fils du fameux munitionnaire liégeois.
1654. Henri Curtius bâtit une nouvelle demeure à côté des vestiges du donjon.
1677-1696. Aménagement du «vieux quartier» par Pierre Curtius (ou de Corte) et son épouse Marguerite-Victoire d'Alagon.
1706. Blaise-Henri de Corte édifie un nouveau corps central.
1726-1733. Nouvel aménagement tant extérieur qu'intérieur du château qui passe aux Flaveau de la Raudière.
1766. Jeanne-Thérèse Flaveau de la Raudière épouse Jean-Louis-René de Potesta.
Actuellement. La baronne Ludovic de Potesta de Waleffe est propriétaire du château.

Deux tours à toit en éteignoir conique bornent les dépendances actuelles et marquent les limites du manoir féodal. Un porche surmonté d'une pierre armoriée aux d'Alagon, datée de 1696, sépare ces deux tours. ▽

Distractions et plaisirs d'un châtelain d'autrefois

La chasse fut sans conteste le passe-temps favori de la classe seigneuriale.
On peut comprendre aisément l'importance qu'a revêtue cette activité. Au départ, la forêt était omniprésente en zone rurale, et sur les parcelles défrichées, occupées par les habitations, s'aventuraient loups, sangliers, ours et cerfs. Les dommages causés aux troupeaux et aux récoltes étaient importants. Tenus au devoir de protéger leurs sujets, les seigneurs chassèrent d'abord par obligation, puis par plaisir. La chasse à courre, considérée à la fois comme un divertissement et comme un entraînement épuisant, apportait aussi une nourriture carnée indispensable à des organismes soumis à rude épreuve. Dès l'enfance, les nobles étaient initiés aux deux aspects de la chasse: la vénerie et la fauconnerie. Cette dernière pratique, plus coûteuse en raison des soins exigeants réclamés par les oiseaux de proie, gerfauts, faucons et autours, avait toutefois la faveur des dames.

Avant le bas Moyen Age, les tournois occupent une place importante dans la vie du seigneur. Considérés comme une excellente préparation à la guerre, ils donnaient aux nobles la possibilité de se rassembler et de se connaître, tout en créant du travail pour maints artisans villageois. Au départ très meurtriers, les tournois occasionnèrent de graves blessures, voire même des décès.
Bientôt, sous l'influence des dames et de l'Eglise, qui préférait encourager l'ardeur au combat contre les infidèles, on assista progressivement à un adoucissement des mœurs. On moucheta les armes, et les tournois furent remplacés par des joutes au cours desquelles, grâce à l'habileté plutôt qu'à la violence, il suffisait de désarçonner l'adversaire et de rompre quelques lances.
Les dames assistaient avec plaisir à ces épreuves ; elles y faisaient assaut d'élégance... avant de soigner les bosses et de panser les blessures.

D'autres activités physiques requéraient encore la noblesse. La pêche au saumon, par exemple, qui se pratiquait avec chiens, filets et tridents. Quant aux longues randonnées à cheval, elles permettaient au seigneur de contrôler le travail agricole de ses paysans. L'escrime, enfin, constituait un moyen efficace de garder la forme et d'instruire les jeunes à l'art de la guerre.
Si les nobles appréciaient les activités violentes, ils connaissaient aussi des plaisirs plus tranquilles. Il leur arrivait d'inviter au château jongleurs, musiciens, conteurs ou montreurs d'ours, qu'ils suivaient assis devant la grande cheminée ou pendant leurs repas. Certains jeux pouvaient aussi les passionner, comme les dés, le trictrac, les boules, les échecs ou les cartes.
Enfin certains nobles mettaient leur point d'honneur dans l'entretien d'une ménagerie d'animaux sauvages. Ils ne se lassaient pas d'admirer les ours, les loups, les sangliers, ainsi que des animaux rares amenés à grands frais de contrées lointaines.

On retrouve l'équilibre classique dans la façade arrière surmontée d'un fronton aux armes des Potesta et des Flaveau de la Raudière. Jadis le ruissellement des toits alimentait les douves, aujourd'hui dissimulées par des balustrades de pierre du XVIIIe siècle. ▽

Donnant sur un parc à l'anglaise, le grand salon, joyau de Waleffe, est fier de ses panneaux à motifs chinois en papier de riz datant du XVIIe siècle. Ils mettent splendidement en valeur la porcelaine de Chine. ▷

Warfusée

Non loin de la Meuse, aux confins de la Hesbaye liégeoise, la terre de Warfusée abrite une de ces belles demeures témoignant de la période heureuse que vécut l'ancien Pays de Liège au XVIIIe siècle.
La puissance politique de la grande cité liégeoise, l'opulente culture des terres limoneuses et l'industrie née des ressources minérales du sous-sol se sont conjuguées pour offrir à nos yeux enthousiasmés la fastueuse maison toujours occupée par la famille qui en fut le maître d'œuvre rigoureux et avisé tout au long de bientôt trois siècles.
Comment ne pas être enchanté par la découverte de cette grande et surprenante demeure ?
La surprise nous attend dès l'entrée: large et longue avenue où l'enfilade de grands arbres oriente l'œil du promeneur vers un premier bâtiment austère. L'aspect défensif de ce dernier contraste avec la clarté de la grande facade qui se devine au travers du porche, invitation au curieux à pénétrer dans la vaste cour d'honneur.
Dans cet espace clos de bâtiments construits à des époques diverses, l'attention de l'observateur est retenue par le logis principal, d'une ordonnance parfaitement symétrique. L'influence française est évidente. L'architecte Jean Gilles Jacob s'est inspiré de ce qui était alors le style architectural dominant. Toutefois, aucune servilité dans l'inspiration. La rigueur ne renie pas le style mosan, agrémenté de quelques fantaisies qui pourraient traduire des réminiscences bavaroises. Quel bel exemple d'architecture Louis XV liégeois !
Pour la décoration intérieure, Jacob s'est fait assister, entre autres, des Moretti, Duckers, Boreux... Devant la parenté frappante de cette décoration avec les ornementations de l'Hôtel St-Priest en Avignon, d'aucuns y ont vu l'œuvre d'un architecte avignonnais. En effet, par ses polychromies qui s'opposent aux boiseries de chêne ciré des intérieurs liégeois de l'époque, Warfusée annonce le style Louis XVI. L'influence du sud semble fort probable.
Surprenante demeure où l'aspect quelque peu austère des facades dissimule des intérieurs dans lesquels la beauté le dispute au bon goût et à une grande harmonie pour offrir au visiteur un accueil à la fois distingué et chaleureux.
Depuis le hall d'entrée, un escalier monumental à double révolution dessert une succession de paliers abondamment ornés de portraits. Le palier supérieur débouche sur un long corridor traversant la maison sur plus de cinquante mètres pour desservir les appartements de l'étage.
De part et d'autre du hall d'entrée, la salle à manger et la bibliothèque se font face. Celle-ci recèle, outre bon nombre de manuscrits, de riches collections d'œuvres rares et de livres précieux.
Avant de passer au salon, recueillons-nous un instant dans la chapelle, toute de stucs. Il n'y a plus ici d'architecture, mais la seule recherche de l'effet décoratif pour luimême. Il faut y voir, sans doute,

◁ *Les constructions ci-contre sont du début du XVIIe s. Le bâtiment principal remplace une construction de style Renaissance, disparue de nos jours.*

Depuis le XVIIIe s. l'entrée du château, située à l'ouest, passe par la tour-porche, laissant la large façade est à la contemplation du domaine. ▷

△
Les murs de la salle à manger sont décorés par des gravures de Volpato représentant les célèbres « Loges de Raphaël ». Elles ont servi de modèle en 1950, lorsque le Vatican décida de restaurer les Loges, car leurs couleurs, apposées à la main en 1785, sont restées d'une parfaite fidélité aux originaux.

Luxueusement meublée, la chambre du prince-évêque contient encore le cadeau que lui firent les chanoines de la cathédrale St-Lambert à Liège, à savoir un ensemble de vases sacrés en argent et vermeil frappés aux armes d'Oultremont. Le grand lit à double crosse agrémenté d'un baldaquin en damas or est adossé au mur tendu de velours assorti. ▷

l'intervention des Moretti et Duckers.

Dans l'axe de l'entrée s'ouvre la rotonde, pièce ovale décorée au siècle dernier par l'architecte Balat. Depuis cette salle, sur toute la longueur de la façade, l'enfilade des salons a un caractère grandiose. A droite, la salle dite « du trône » ; à gauche, les appartements du prince-évêque.

La salle du trône est un grand salon orné de tapisseries d'Audenarde retraçant les aventures de don Quichotte. Les dessus de porte, peints par Léonard Defrance, complètent le récit avec bonheur.

Sous l'Ancien Régime, la famille d'Oultremont a connu, entre autres honneurs, l'élection d'un des siens à la dignité princière. Le nouveau prince-évêque, Charles-Nicolas, s'installa à Warfusée, alors inoccupé. L'appartement qu'il habita a été maintenu dans son état original. On y trouve un grand nombre de témoignages de son passage.

La naissance de la seigneurie de Warfusée remonte aux origines de la féodalité. Elle appartient au XIIe siècle à la puissante famille des Dommartin, dont sont issus les propriétaires actuels par l'alliance de Marie de Warfusée, une Dommartin, et d'Ottar de Warnant, dit d'Oultremont.

1540. Le domaine entre dans la famille de Renesse.

1602. L'Empereur crée le comté de Warfusée en faveur de René de Renesse.

1622. Construction de l'aile ouest qui constitue l'actuel châtelet d'entrée.

1657. Théodore de Bavière-Schagen rachète à ses cousins Renesse la seigneurie et le comté de Warfusée.

1706. Le 24 mai, décès à la bataille de Ramillies de Thierry de Bavière-Schagen. Il laisse le comté à son unique sœur, Marie-Isabelle. Celle-ci épouse en 1707 Jean-François d'Oultremont et le comté entre définitivement dans cette famille.

1720. Restauration de l'aile ouest.

1740. Gravure de Remacle Leloup montrant le château Renaissance qui sera bientôt démoli.

1754-1763. Construction du nouveau château et remaniement complet du domaine par le Comte Florent d'Oultremont.

1763. Election du prince-évêque de Liège, Charles-Nicolas d'Oultremont, et aménagement des appartements qui lui seront réservés.

Milieu du XIXe s. Décoration de la rotonde par l'architecte Balat. Ce dernier a travaillé dans bien des châteaux belges.

△
La salle du trône est précédée de cette antichambre que pare une tapisserie en haute lisse d'une seule pièce, réalisée à Audenarde aux dimensions voulues, d'après des dessins de Teniers.

Lorsque le comte d'Andigné réside en son château de Franc-Warêt, on peut voir, disposées sur une petite table du salon des peintures, sous une vitre, trois lourdes clefs. Deux sont en argent, la troisième en or. Elles symbolisent le « Toril » de la ville de Lima et elles furent offertes à Théodore de Croix, alors vice-roi du Pérou. Ce Théodore était l'oncle de Charles de Croix qui hérita du château en 1789.
Ce Charles de Croix siégeait alors aux Etats généraux comme député de l'Artois. Il fut aux Tuileries en cette mémorable nuit du 10 août

Deux ponts conduisent à la façade principale — milieu du XVIIIe siècle — dont le style classique s'apparente aux constructions érigées sous Louis XV. Seul le fronton triangulaire percé d'un œil-de-bœuf introduit une note de fantaisie dans cette ordonnance assez stricte. ▷

◁ *Vestige digne d'intérêt du XVIe siècle finissant, cette tour carrée, de facture apparentée au gothique, fut autrefois donjon. Mais Franc-Warêt, bien qu'entouré de douves, n'a plus rien de militaire et la vieille tour contemple aujourd'hui les jardins en terrasses créés au début du XVIIIe siècle.*

Cheminées, girouettes et lucarnes rompent la symétrie d'une façade qui retrouve son image dans les eaux calmes. Orientée à l'est, elle n'a guère subi de grands bouleversements depuis la fin du XVIe siècle. ◁

1792 qui vit Louis XVI suspendu et interné au Temple. Dénoncé par Marat, il dut se réfugier en Angleterre. Mais il récupère son château en 1801, est sénateur en 1813 et, brillant jusqu'au bout d'un vif éclat au firmament de la politique française, se retrouve pair de France sous Louis XVIII.
Avant les Croix, les Groesbeeck avaient également rempli de hautes fonctions, mais dans le clergé. L'un d'eux, Gérard de Groesbeeck, ne devint-il pas, en 1565, un prince-évêque de Liège estimé de tous? C'était l'oncle de Paul-Jean de Groesbeeck, le deuxième du nom à posséder Franc-Warêt, et qui devint lui-même grand prévôt de la cathédrale de Liège en 1653.

Franc-Waret

1591. Franc-Warêt, qui appartient à la famille d'Yve, va passer aux Groesbeeck par le mariage d'Hélène d'Yve avec Jean de Groesbeeck.
Fin XVIe-début XVIIe s. Celui-ci va édifier le premier château: un vaste quadrilatère cerné de douves. Cette implantation ne variera plus. De cette époque subsistent les deux tours et l'aile droite.
Début XVIIIe s. Sous Jacques de Groesbeeck, les murs d'enceinte font place à des bâtiments agricoles au nord et seigneuriaux au sud.
C'est lui qui créa les jardins en terrasses à l'arrière du château.
1750-1756. Avec Alexandre de Groesbeeck, Franc-Warêt va prendre son aspect actuel: il va reconstruire plus de la moitié du château et notamment la façade principale et l'aile ouest. Il agrémente les jardins de piliers, de grilles et de statues.
1789. A sa mort, le château entre dans le patrimoine de la famille de Croix. Il avait en effet désigné comme héritier son petit-fils, Charles de Croix.
Début XIXe s. Les Croix élargissent l'aile droite vers la cour intérieure, y aménageant notamment une nouvelle salle à manger. On leur doit aussi le parc anglais situé devant le château.
1874. A la mort d'Ernest de Croix — qui avait légué Franc-Warêt à son petit-fils, Jean d'Andigné - le château passe aux comtes d'Andigné.

«Les Belles Chasses de Maximilien» et Bernard van Orley.

Les tapisseries de Bruxelles qui font l'orgueil du château de Franc-Warêt sont une version simplifiée - mais d'un grand mérite - des «Belles Chasses de Maximilien» créées au XVIe siècle par Bernard van Orley. Elles décrivent les épisodes les plus représentatifs de ces fameuses équipées au cours desquelles la cour de Brabant chassait cerfs et sangliers dans la forêt de Soignes.
Ce Bernard van Orley était peintre de la cour brabançonne. C'est à lui que Charles Quint - dont on sait le penchant pour la chasse - commanda les cartons d'une tenture qui, en douze tapisseries, devait retracer les scènes successives d'une chasse à courre se déroulant dans les plus beaux sites de Soignes.
Il s'agit là d'admirables réalisations de l'art et de l'artisanat brabançons. Elles évoquent non seulement, dans les somptueux costumes de l'époque, les personnages de la famille impériale et les veneurs, mais aussi leurs meutes et leurs valets, le gibier traqué, et même les prestigieux édifices qui enrichissaient la forêt et la capitale de la cour de Charles Quint. Ainsi, dans le carton qui servit de modèle à la première de ces tapisseries, on découvre le Palais du Coudenberg, la première enceinte de Bruxelles, la tour de l'Hôtel de Ville et celles de la cathédrale Saint-Michel.
La nature y est dépeinte de façon remarquable. Avec une précision qui ravit les naturalistes, la forêt de Soignes retrouve ici la végétation, minutieusement reproduite, de ses futaies, de ses sous-bois, de ses étangs. «Je ne connais pas, a écrit J. Schouteden-Wéry, de plus parfait hommage rendu à la forêt de Soignes que cette suite de merveilleuses tentures».
Tissées entre 1527 et 1533 dans les ateliers de la capitale, ces pièces de grand luxe, souvent marquées d'un écusson encadré de deux B - Bruxelles, Brabant - furent réalisées par Guillaume de Pannemaker, membre d'une célèbre famille de tapissiers. Destinées à l'origine à décorer la grande salle des fêtes du Palais du Coudenberg, elles sont aujourd'hui exposées au Louvre. De renommée mondiale, cette prestigieuse suite de tapisseries fait toujours l'admiration des visiteurs et, après quatre siècles, ne cesse d'exalter le talent de nos artistes et le savoir-faire de nos artisans.
Bernard van Orley (1488-1541) fut un grand nom au firmament de la tapisserie bruxelloise qui, à cette époque, était à son apogée. Sous son impulsion se créa ce nouveau style qui apparaît si bien dans les «Belles Chasses de Maximilien»: la composition devient monumentale, l'artiste insiste sur la vue d'ensemble et non plus sur le détail, les scènes ne traitent plus désormais qu'un seul thème présenté avec beaucoup de recherche.
On attribue aussi à van Orley la composition de l'Apocalypse, la série des Honneurs et des Péchés capitaux, que conserve Madrid, et la magnifique histoire de Jacob qui constitue un des joyaux de nos Musées Royaux d'Art et d'Histoire. Car ceux-ci se sont enrichis, au cours des dernières décades, et grâce à de généreux mécènes, de nombreuses tapisseries de Bruxelles. Cet ensemble n'est cependant que peu de chose à côté des richesses accumulées en Autriche et en Espagne grâce aux achats faits jadis chez nos lissiers.
Les «Belles Chasses de Maximilien» se trouvent au Louvre... Heureusement, le château de Franc-Warêt conserve précieusement des reproductions remarquables de ces chefs-d'œuvre de la tapisserie bruxelloise et notamment, ci-dessus, celle intitulée «Le Rapport devant les étangs de Rouge-Cloître».

Cette illustre Maison eut également son grand bâtisseur. A la tête d'une des plus grosses fortunes immobilières du pays de Namur, Alexandre de Groesbeeck ne cessa d'agrandir ses propriétés : il nous donna Franc-Warêt, mais aussi le délicieux hôtel de Groesbeeck-Croix à Namur.
Aujourd'hui, les d'Andigné ouvrent pour le visiteur le précieux livre d'histoire de leurs ancêtres. Il y a au château des tapisseries, un escalier monumental à double volée, les portraits des Groesbeeck et des Croix, des meubles précieux, le contrat de mariage, en 1665, de Jacques de Groesbeeck et de Claire d'Anneux. Symétrie des jardins français, pilastres décorés de vases de pierre, bas-reliefs sculptés par Evrard en 1765, arbres rares du parc anglais : il y a ici mille sujets d'admiration.
D'ailleurs, Léopold II lui-même ne s'y était pas trompé. En visite à Franc-Warêt, il en avait beaucoup apprécié... la cave à vin ! Et il en avait fait compliment au comte Jean d'Andigné...

△
Au premier étage, la grande salle à manger donne, à l'arrière, sur la cour intérieure. C'est une annexe de 1834, mais où le décorateur a compris l'esprit du XVIIIe siècle. Il l'a en effet habillée dans le goût des salons aménagés lors de la grande campagne de construction de 1750, mais en plus simple. Cette sobriété rehausse l'éclat de la tapisserie de Bruxelles qui orne un des murs.

Franc-Waret

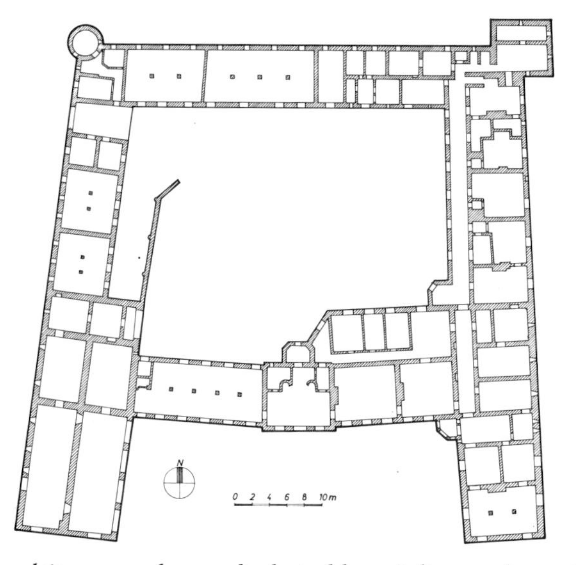

Le château renferme d'admirables répliques de tapisseries de Bruxelles. Exécutées au XVIIe siècle d'après des cartons de van Orley, elles évoquent les chasses de l'empereur Maximilien. Jacques de Groesbeeck les commanda à l'occasion de son mariage avec Claire d'Anneux en 1665 et y fit tisser les armes de leurs deux familles. Fort bien conservées, avec leurs fines trames et leurs couleurs soutenues, elles constituent par la richesse de leurs nuances, le mouvement des personnages et la composition des scènes des œuvres d'art dignes d'éloge. ▷

Peu de sculptures ont résisté au vandalisme dévastateur qui a secoué Seneffe, symbole de l'inconscience des hommes devant les richesses de leur patrimoine artistique. Ce regard de pierre semble contenir tous les reproches du monde. ▽

« L'inspiration internationale, l'intention novatrice mêlée de tradition, la beauté réfléchie et l'ampleur confèrent à Seneffe un intérêt européen ». Ces lignes sont extraites d'un ouvrage remarquable dû à Xavier Duquenne qui a grandement contribué à sauver le château. Voici, précédant le corps de logis, une des deux longues galeries ouvertes, avec sa colonnade interrompue par des portails, ses pilastres d'ordre ionique et ses niches décorées de statues et de vases évoquant l'antiquité classique. △

Seneffe, c'est le témoin privilégié d'une réussite financière exceptionnelle. Mais c'est aussi le symbole de l'indifférence des hommes. L'histoire d'un sauvetage, enfin. En tout cas, un véritable roman.

Le 29 août 1769, en son somptueux château de Seneffe, le fils d'un marchand de tissus reçoit Charles de Lorraine. Julien Depestre a de l'envergure. Audacieux et opportuniste, n'est-il pas considéré comme le premier homme d'affaires des Pays-Bas ? A sa mort, à 49 ans seulement, il laissera plus d'un milliard de nos francs d'aujourd'hui !

Les Depestre connurent un demi-siècle de gloire, le temps de deux générations. Le petit-neveu, Honoré, dilapida la fortune familiale, fit un an de prison et sombra dans la déficience mentale...

Seneffe fut vendu en 1837 « à un parvenu houilleur, quel dommage », s'exclama une cousine. Ce parvenu, c'était Alexandre Daminet : il devait à ses charbonnages une fortune qui vécut... l'espace de deux générations. Valérie, la petite-fille, mena grande vie : château de Seneffe, somptueux hôtel à Bruxelles, « castel de conte de fées » sur une plage bretonne. A tel point que bientôt les dividendes des charbonnages ne suffirent plus...

La baronne Goffinet acheta Seneffe en 1888. Homme de confiance de Léopold II, le baron et ses fils eurent leur part des revenus du Congo naissant. Mais Seneffe n'était qu'un caprice. Et on s'en débarrassa.

Franz Philippson acheta Seneffe en

Seneffe

△ *C'est du haut de ce perron que Julien Depestre accueillit Charles de Lorraine en 1769. Il venait de terminer la construction de cette orgueilleuse demeure, évocatrice de l'antiquité romaine. Ses armes sont sculptées sur le tympan du fronton.*

Les chapiteaux qui surmontent les colonnes des deux galeries sont dits « à cornes ». Ils se distinguent, nous dit X. Duquenne, par leurs volutes disposées aux quatre coins et s'ornent de petites chutes ou festons végétaux. ▽

1909. Il fut un de nos grands banquiers.
Mais le château se retrouva finalement en indivision et, en 1952, devint la propriété... d'une communauté de Franciscains. Ceux-ci, pour se faire un peu d'argent, se mirent à vendre cheminées, boiseries et salle de bains de marbre ! Hommage soit rendu à ceux qui remuèrent ciel et terre pour que, en 1969 enfin, l'Etat devienne propriétaire du domaine. Mais la restauration ne commença qu'en 1976...

1758. Un homme d'affaires, Julien Depestre, achète la seigneurie de Seneffe.
1763-1768. Il fait construire un somptueux château sur les plans de l'architecte Dewez.
1768. L'impératrice Marie-Thérèse le fait comte de Seneffe et de Turnhout.
1780. Joseph, deuxième comte de Seneffe, fait élever une orangerie et un petit théâtre.
1837. Ruiné, son neveu Honoré Depestre doit vendre Seneffe à un opulent maître de charbonnage de la région, Alexandre Daminet. Celui-ci remet le château en état.
1888. Ruinée à son tour, Valérie Daminet vend Seneffe à la baronne Goffinet, mais celle-ci ne l'occupera guère.
1909. Les enfants Goffinet vendent le château à Franz Philippson, banquier à Bruxelles.
1940-1944. Seneffe est occupé par le général von Falkenhausen, commandant militaire allemand pour la Belgique.
1952. Les Philippson vendent le château à une communauté religieuse de Franciscains.
1963. Seneffe est acquis par un marchand de biens, François Berlingin.
1969. Devant l'émoi provoqué dans l'opinion publique par la lente destruction du château, l'Etat exproprie le domaine et en devient propriétaire.

Seneffe

Le théâtre de Seneffe fut construit en 1780 par Joseph Depestre, qui sacrifiait ainsi au goût de la haute société de son temps pour la comédie. Il fut encore utilisé par les Philippson : une féerie nocturne, écrite par l'un d'eux, y fut jouée par les enfants ◁ *Philippson en 1922.*

Chacune des galeries se termine, à l'avant de la cour d'honneur, par un pavillon dont le dôme est surmonté d'un gland. L'un des pavillons servait de chapelle, l'autre de logis au jardinier. Ils complètent avec bonheur un ensemble tout empreint de grandeur, d'équilibre et d'orgueil. ▷

△
Rares sont les châteaux d'Ardennes qui, marqués de nombreux stigmates, ont résisté aux guerres incessantes dont ils furent témoins, et ce encore récemment. La plupart ont disparu, car la pierre schisteuse qui les constitue, quoique très dure à l'extraction, s'effrite souvent lorsqu'elle est exposée à l'air. Le Pont d'Oye doit sa sauvegarde à son crépi. Bien que l'influence lorraine soit patente, l'utilisation du crépi ne relève pas ici, comme l'ont écrit bien des formalistes, du style lorrain mais du simple bon sens.

Que vous veniez d'Arlon ou de Bastogne, à partir de La Corne du Bois des Pendus une route de crête, fort peu sinueuse, vous mène au Pont d'Oye.

En contrebas, les ruisseaux de gauche s'écoulent vers le Rhin, tandis que ceux de droite s'en vont alimenter la Meuse. Ainsi implanté à la frontière de deux mondes, Pont d'Oye fut de tout temps un lieu d'échange entre plusieurs cultures.

Son activité industrielle, remontant aux temps médiévaux et aujourd'hui estompée dans les brumes de l'oubli, lui permet de figurer parmi les ancêtres, aussi bien des bassins sidérurgiques luxembourgeois que de ceux de la Rhur et de la Meuse. Plus récents, ses cours littéraires lui ont conféré une vocation universelle.

L'accès du château passe par un petit pont de pierre qui enjambe la Rulles poissonneuse. Après s'être adossé à une butte, le chemin nous mène à une vaste porte cochère qui fait face à un long bâtiment au crépi orangé.

Le porche franchi, une pelouse située sur l'emplacement du bassin et des jets d'eau de jadis dévale vers un étang frissonnant au vent léger. Nous sommes à l'orée de la haute futaie d'Anlier.

Ici, face à l'étang, il y eut une fastueuse maison seigneuriale dont nous ne savons rien.

Ses dépendances, fort anciennes, alignées sur la gauche du porche, constituent avec leurs nouvelles tours l'actuel château. Belle demeure où la vanité mondaine cède le pas à l'esprit familial.

Une entrée discrète débouche, d'un côté, sur les salons en enfilade, de l'autre, sur une grande et deux petites salles à manger assorties de leurs offices et cuisines.

Tout le rez-de-chaussée est solidement protégé par une succession ininterrompue de voûtes d'arête qui semblent, en embrassant étroitement les murs qui les soutiennent, vouloir conserver le souvenir de tous les événements qu'elles ont connus.

Les deux étages contiennent plus de chambres que n'en pourrait occuper une seule famille, si prolifique soit-elle. C'est dire le goût de l'accueil et la volonté d'ouverture à autrui qui animent cette grande maison.

Que dire de la petite chapelle installée au fond du corridor du premier étage, sinon que sa simplicité appelle bien des dépassements.

Après une longue éclipse, le Pont d'Oye, joyau de nos Ardennes, est appelé à briller de mille feux nouveaux.

La dernière marquise du Pont d'Oye

L'ancien duché du Luxembourg ne compte sous l'Ancien Régime que deux marquisats: celui d'Arlon et celui du Pont d'Oye. Au XVIIIe siècle, le titulaire du marquisat du Pont d'Oye, François de Raggi, noble d'origine italienne, sans enfant, fit d'un jeune aristocrate, Christophe de Bost-Moulin, d'Esch-sur-Sûre, son légataire universel. Ce dernier épousa en 1742, près de Nancy, Louise-Thérèse, née marquise de Lambertye.
Les deux jeunes époux appartenaient tous deux à la grande noblesse de ce pays frontière, limite entre l'Ardenne et la Gaume, ligne de partage des eaux entre Rhin et Meuse. Il semble qu'une fois les deux jeunes mariés installés dans le domaine du Pont d'Oye (dont les principaux revenus provenaient des forges fort actives de la vallée de la Rulles), le doux Christophe ait abandonné à sa jeune femme la direction de sa maison et de ses biens. Celle-ci aurait, en quelques années, dilapidé une fortune — dont la tradition populaire a exagéré à plaisir l'importance — par une succession de réceptions, de mondanités et de coûteux hivers passés à Luxembourg, Nancy, Bruxelles ou Paris.
La légende prit rapidement le pas sur les faits. Pour ne rapporter qu'un seul de ses dispendieux caprices, elle aurait pris plaisir à faire attacher légèrement des fers d'argent aux sabots de ses chevaux pour émerveiller le rustre qui en ramasserait un sur quelque chemin de campagne. Pierre Nothomb, dans *La Dame du Pont d'Oye* (Arlon, 1935), écrivit qu'arrivant au domaine pour s'y installer, il eut, à sa grande stupeur, un pneu de sa voiture crevé par un de ces trop fameux clous d'argent!
Dès 1757, des créanciers vinrent réclamer leur dû aux châtelains endettés. Deux ans plus tard, Charles de Lorraine nommait un conseil pour l'administration des biens de Pont d'Oye et, en 1771, le château était fermé, les terres affermées, les forges louées. Les époux se séparèrent en 1763. Le marquis alla mourir quelque vingt années plus tard près de Longwy, chez un modeste curé de village. Quant à sa femme, retirée à Habay-la-Neuve, elle y vécut encore dix ans d'une modeste pension que lui allouait son mari.
Enfin, par une nuit de décembre 1773, au bord du désespoir, la marquise se serait rendue au Pont d'Oye, et, reconnue par les ouvriers et conspuée par eux, elle serait morte misérablement le lendemain... On dit qu'un portrait d'elle, peint au temps de sa splendeur, a été installé lors des transformations du château, en 1847, dans le salon qui fut aménagé sur l'emplacement de la pauvre remise où elle aurait rendu le dernier soupir.

Pont d'Oye

Sous la dynamique impulsion du baron Pierre Nothomb, homme politique et écrivain décédé en 1966, les salons du Pont d'Oye ont connu un renouveau littéraire. Ils accueillent aujourd'hui, outre les touristes, des séminaires et des colloques, saine réminiscence d'un prestigieux passé. ▷

XIIIe-XVIe s. La forge du Pont d'Oye, qui est une des cinq forges d'Habay-la-Neuve, est en activité dès le XIIIe siècle. Au XVIe siècle, elle appartient aux Regnier.
1626. Affricain Regnier gère encore les fourneaux. C'est sans doute lui qui les cède aux célèbres maîtres de forges Pierre du Moustier et Jeanne Petit, son épouse. Ces derniers bâtissent une importante demeure seigneuriale que Jeanne du Moustier apportera à son époux André de Montecuculli, gouverneur d'Armentières en Flandres, dont un très beau buste vous attend au château.
1665. Leur fille, Ersille de Montecuculli, épouse Jacques de Raggi.
1669. Bien qu'il ne puisse pas justifier d'un revenu annuel suffisant (12000 florins) pour y prétendre, Raggi obtient de Charles II l'érection de ses terres en marquisat, le plus petit d'Europe.
1733. Laurent, marquis de Raggi et du Pont d'Oye, laisse tous ses biens à Christophe de Bost Moulin, l'époux en 1742 de Louise de Lambertye.
1762 à 1790. De Bost, lot par lot, vend son bien au duc de Looz.
1846. Constant d'Hoffschmitt, ministre de Léopold Ier, acquiert la propriété. Il transforme les forges en papeteries.
1932. Pont d'Oye entre dans la famille Nothomb.

Soiron

◁ *Le nouveau château de Soiron, érigé en style Louis XV au milieu du XVIIIe siècle, s'étale perpendiculairement aux dépendances marquant l'emplacement de la forteresse médiévale. Les pavillons accolés au corps central un siècle plus tard altèrent peu la rigueur originelle des proportions.*

Nichés dans un joli vallon, le château et son parc à l'anglaise s'implantent merveilleusement dans le bocage du pays de Herve. Dominant le village, la belle demeure dialogue sereinement avec l'église, sa voisine, reconstruite elle aussi après le tremblement de terre de 1692. ▷

« La secousse fut si grande qu'elle renversa la vieille tour du château et délabra tellement les autres édifices qu'ils sont irréparables. »
Voilà comment le registre des archives baronnales, dans sa sécheresse, annonce la fin de la vieille demeure fortifiée de Soiron.
Ce que ni les troubles féodaux, ni l'incendie de 1684 n'avaient accompli, le tremblement de terre de 1692 l'avait réussi en quelques minutes, entraînant tout le village dans le désastre.
Un caprice de la nature faisait table rase d'un passé vieux de plusieurs siècles.
Pour notre bonheur, il allait également permettre de doter le pays de Liège d'une de ses plus belles demeures seigneuriales du XVIIIe siècle.
Il est difficile, pour qui découvre le château de Soiron, d'imaginer que, l'apparente douceur de vivre qui s'en dégage aujourd'hui puisse être l'héritière d'une histoire aussi tourmentée. Seules les deux tours à clochetons des dépendances et l'entrée — qui succédèrent aux tours d'angle de défense et au pont-levis — rappellent le passé féodal du lieu.
Le nouveau château des barons de Woelmont s'inspira largement du palais du prince-évêque à Seraing. Typiques de la région sont l'avancée de la façade pourvue de cinq ouvertures et les harpes d'angle qui allègent la maçonnerie en briques.
Mais il n'empêche que, tant par son plan rectangulaire que par les cheminées, et les lambris de sa décoration intérieure, le château évoque très directement le style français d'Aigremont et de Warfusée.
Par la symétrie de la construction et l'harmonie de la brique rose et de la pierre bleue mosane, Soiron n'usurpe certes pas la place que lui a réservée Saumery dans les *Délices du pays de Liège*. Et comment rêver plus bel écrin que ce parc à l'anglaise s'intégrant parfaitement dans le paysage vallonné du pays de Herve coupé de haies vertes et de bouquets d'arbres ?

XIVe s. Une demeure fortifiée occupe le site de l'actuel château.
1383. Possession brabançonne depuis la bataille de Worringen, le fief est cédé par Jeanne de Brabant au sire de Grondsveld.
1448. La famille de Croy d'Aerschot prend possession du château.
XVe s. Le chambellan des comtes de Croy d'Aerschot, Pierchon Allard, devient propriétaire du domaine.
1591. Gilles de Woestenraedt, guerrier au service de don Juan d'Autriche, achète la propriété.
1647. Par alliance, les barons de Woelmont acquièrent le château.
1684. Un incendie dévaste Soiron.
1692. Un tremblement de terre ruine le vieux manoir féodal.
1746. De nouvelles dépendances surmontées de tours à clochetons remplacent les vestiges de la vieille forteresse.
1740-1749. Nicolas-Ignace II de Woelmont érige un nouveau château dans le style Louis XV.
1789. Devant les troubles révolutionnaires, les barons de Woelmont abandonnent Soiron qu'ils ne réintégreront qu'en 1857.
XXe s. Diverses transformations sont apportées au château : comblement des fossés, construction de deux pavillons accolés de part et d'autre du bâtiment central, aménagement d'une terrasse au nord.
1914. L'occupant allemand cause des déprédations au château.
Actuellement. Le baron et la baronne Herman de Woelmont veillent aux destinées de la remarquable demeure.

En cette belle matinée de l'automne 1788, l'agitation est grande au château d'Attre : le comte François-Ferdinand de Gomegnies reçoit l'archiduchesse Marie-Christine d'Autriche, régente des Pays-Bas. Une vieille amitié les lie : Marie-Christine n'est-elle pas la sœur de l'empereur Joseph II et celui-ci n'a-t-il pas choisi François-Ferdinand comme chambellan et conseiller intime ?
L'archiduchesse aime Attre. Elle y vient chaque année, tout particulièrement pour les chasses. Par les portes du grand salon, largement ouvertes sur le parc, elle devine au loin cet étonnant rocher artificiel que son hôte a fait construire pour qu'elle puisse tirer plus commodément le lapin. Pour elle aussi, cette chambre d'apparat où elle reçoit quand elle séjourne au château. Pour elle encore, ce salon des archiducs où est conservé le secrétaire à cylindres qu'elle apporta autrefois en cadeau.
Attre est resté tout empli du souvenir de l'archiduchesse. Fait remarquable, le cadre dans lequel elle a vécu ici nous est parvenu merveilleusement intact : le château a conservé la décoration, le mobilier, les bibelots dont le parèrent les comtes de Gomegnies, il y a deux siècles. Et ce n'est pas le moindre mérite des châtelains qui se sont succédé à Attre d'avoir gardé à cette belle demeure la subtile harmonie qu'y apporta, au XVIIIe siècle, l'influence raffinée de la cour de Vienne, alors elle-même éblouie par le prestige de celle de Versailles. Car si les façades laissent transparaître une évidente inspiration française, en revanche, dès le vestibule franchi, la sobriété extérieure fait place à une grande exubérance, dans un goût résolument autrichien.
Monumentale, l'antichambre, avec ses angles arrondis, annonce déjà ce climat différent. Là, une grande armoire de coin, à panneaux verts et blancs, s'ouvre — ne faudrait-il pas dire s'épanouit ? — sur le mobilier et les ornements d'une chapelle minuscule dont le décor en stuc rococo fait écho à celui du vestibule. Climat autrichien aussi dans le grand hall d'où part un élégant escalier d'honneur. Ouvragée avec bonheur, la rampe en fer forgé est de Blondel et fait penser aux compositions de Cuvelliès, ce sonégien qui était architecte à la cour de Bavière. Courbes et contre-courbes d'heureuses proportions, il y a ici, au rythme des degrés de chêne, un admirable travail de ferronnerie rocaille. Et cette touche autrichienne, la voici encore dans le grand salon, si délicatement évocateur du style rococo des palais viennois...
En ce XVIIIe siècle finissant, on sacrifiait volontiers à la mode, alors triomphante, de l'exotisme extrême-oriental. Peut-être aussi les comtes de Gomegnies avaient-ils pour celui-ci une certaine inclination : François-Philippe ne fut-il pas un des armateurs de la Compagnie des

◁ *Des colonnes de marbre rose qui gardent un petit pont à balustres. Un jardin français d'une parfaite ordonnance, avec des boulingrins, des ifs coniques et des parterres fleuris. De chaque côté, couronnés de pots à feu, des pavillons Louis XVI qui servirent de remises à carrosses. Et puis, tout au fond, rythmée par vingt-neuf fenêtres, une façade admirable, dans ce style français que l'on affectionnait dans les Pays-Bas autrichiens au milieu du XVIIIe siècle. Aux heures de gloire du château, les lourdes voitures s'immobilisaient au pied du grand escalier et, dans le frou-frou des somptueuses toilettes, toute la noblesse du Hainaut gravissait les dix marches monumentales, jusqu'au grand vestibule où les accueillaient le comte et la comtesse de Gomegnies.*

Pour le comte de Gomegnies, c'était certes un grand honneur d'accueillir en son château l'archiduchesse Marie-Christine, régente des Pays-Bas: n'était-elle pas la fille de la grande Marie-Thérèse d'Autriche et la sœur de Marie-Antoinette, l'infortunée reine de France? Cette chambre lui était réservée et c'est ici qu'elle recevait, allongée sur un lit d'apparat, comme c'était la coutume au XVIIIe siècle pour les personnages de haut rang. C'est à son intention qu'on avait tapissé cette pièce d'un superbe papier de riz oriental, tendu cette alcôve de velours incarnat, disposé ce bureau Louis XV. Et sans doute, au soir d'une journée de chasse, s'endormait-elle en contemplant rêveusement ce plafond où des guirlandes italiennes entourent des amours qui, eux, sont français... ▽

Attre

Indes? La chambre d'apparat fut tendue d'un remarquable papier de riz importé de Chine. Venues d'Orient, des porcelaines envahirent le château. Et Attre eut son salon chinois...

Vers 1810, fidèle à cet exotisme et féru d'horticulture, le comte du Val de Beaulieu, page et officier de Napoléon 1er, cultiva des ananas dans les serres de son château. Avec succès, semble-t-il, et pour le plus grand plaisir de l'empereur auquel il les destinait: la bibliothèque conserve précieusement les lettres de remerciement impériales.

Le temps s'est-il arrêté à Attre? On le croirait volontiers: franchir les portes de cette noble demeure, c'est entrer dans le Hainaut du XVIIIe siècle. Ici, tout n'est qu'harmonie profonde, grâce exquise et bonheur d'être...

◁ *Sacrifiant à l'exotisme dont le goût se répandit chez nous dès le XVIIIe siècle, Attre eut son salon chinois. Les murs — et aussi les sièges, spécialement exécutés pour la pièce vers 1780 — sont tendus de soies jaunes peintes à la main, les premières à être importées par la Compagnie des Indes. Le paravent de Canton, brodé d'or et d'argent, la table à jeux Louis XV, vernie à la façon des laques chinoises, apportent une note sombre à cette harmonie à la fois subtile et délicate.*

1520. A la suite d'un duel, un certain Franeau quitte son Angleterre natale et acquiert la seigneurie d'Attre. De cette époque date un château cerné de douves, flanqué de tours d'angle et dont faisait aussi partie, sans doute, l'important colombier encore visible de nos jours.
1636. A cet ancien château appartenait également la chapelle actuelle, consacrée en 1636.
1640. D'importantes modifications sont apportées aux bâtiments : on construit les communs — avec une remise à voitures — qui s'élèvent encore à l'ouest du château actuel.
1752. François-Philippe Franeau d'Hyon, comte de Gomegnies (1702-1755), démolit l'ancien château : 1752 marque la date de l'achèvement de l'édifice actuel. Son fils François-Ferdinand (1738-1791) achève les travaux ainsi que la décoration intérieure.
1814. A la mort de sa fille, Catherine de Gomegnies, Attre passe à la famille de son gendre, le comte Constant du Val de Beaulieu (1751-1828). Viendront ensuite Edouard (1789-1873) et Adhémar du Val de Beaulieu (1823-1905).
1877. La fille de ce dernier, Valérie du Val de Beaulieu (1855-1920), épouse Amédée de la Croix d'Ogimont (1844-1879).
1899. Leur fille Isabelle de la Croix d'Ogimont (1878-1927) épouse Gaston de Meester de Heyndonck (1877-1939).
1905. A la mort d'Adhémar du Val de Beaulieu, dernier du nom, Attre passe ainsi à la famille de Meester de Heyndonck qui en est toujours propriétaire aujourd'hui.

Stucs délicieusement ouvragés, cheminées en marbre de Rance, toiles peintes à la manière de Hubert Robert composent un cadre raffiné pour un riche mobilier Louis XV, commandé à Paris spécialement pour le grand salon, et qui n'a jamais quitté le ◁ *château.*

△

Clarté d'Attre! Les fenêtres ouvertes sur le parc - il y en a vingt-neuf, comme à la façade principale — témoignent qu'à cette époque déjà on appréciait grandement lumière et fraîcheur. Ici aussi le violine de l'ardoise et le gris pastel des encadrements de pierre contrastent délicatement avec la blancheur des briques crépies en 1911. Cette façade est encore plus régulière que celle donnant sur la cour d'honneur: seul un fronton armorié — marqué du millésime 1752 — apporte un peu de fantaisie à une disposition d'une sobriété toute classique. Mais cette sérénité si profonde, n'est-ce pas «le signe infaillible de la réussite, de la beauté en architecture»?

Attre

Une extravagance au château d'Attre

Au XVIIIe siècle, les châtelains se plaisaient à agrémenter leur propriété de fabriques aussi étranges qu'inattendues. On meubla ainsi le parc du château d'Attre de cet extravagant rocher artificiel de 24 mètres de haut, surprenant échafaudage à cinq niveaux, fait de blocs de pierre irréguliers, assemblés sans ciment ni mortier, mais avec une telle habileté qu'ils ne laissaient s'infiltrer la moindre goutte d'eau. Certaines de ces pierres pesaient douze tonnes et furent traînées sur une lieue de distance par 18 chevaux!
Cette prodigieuse construction était un rendez-vous de chasse. Il avait été élevé par le comte François-Ferdinand de Gomegnies afin de permettre à l'archiduchesse Marie-Christine, installée sur la première plateforme, de tirer les lapins lâchés dans sa direction, et à son insu, par quelque valet caché à l'étage inférieur. Des lapins de couleur claire, assure-t-on, afin que l'archiduchesse ne les manquât point...
Entre 1780 et 1788, 40 ouvriers travaillèrent sans relâche à ce «monstre préhistorique pétrifié», bâti comme une tour cyclopéenne. Ses ramifications s'étendent sur près d'un hectare, en un inquiétant labyrinthe de tunnels tortueux et obscurs... mais qui, comme par miracle, s'éclairent toujours au moment voulu. C'est sans nul doute une des plus curieuses fabriques jamais exécutées en Europe.
Il y a ici tout le charme d'une évocation remplie des souvenirs de l'histoire, dans un magnifique parc planté d'essences rares, et où les arbres, eux aussi, ont leurs titres de noblesse.
N'y montre-t-on pas un marronnier d'Inde planté au début du XIXe siècle, le second, affirme-t-on, à s'être élevé en Europe?

△
Sobriété et noblesse, voici, vu du grand étang, le château de Leeuwergem. Harmonieux dans sa massivité, il est bâti sur une éminence — ce que les historiens appellent une motte — baignée de toutes parts par les eaux. De style Louis XV, Leeuwergem montre l'exemple caractéristique de ces toits à la Mansart, scandés ici de tous côtés par d'élégantes lucarnes. A droite, la stricte symétrie du château se retrouve dans celle des dépendances.

Leeuwergem

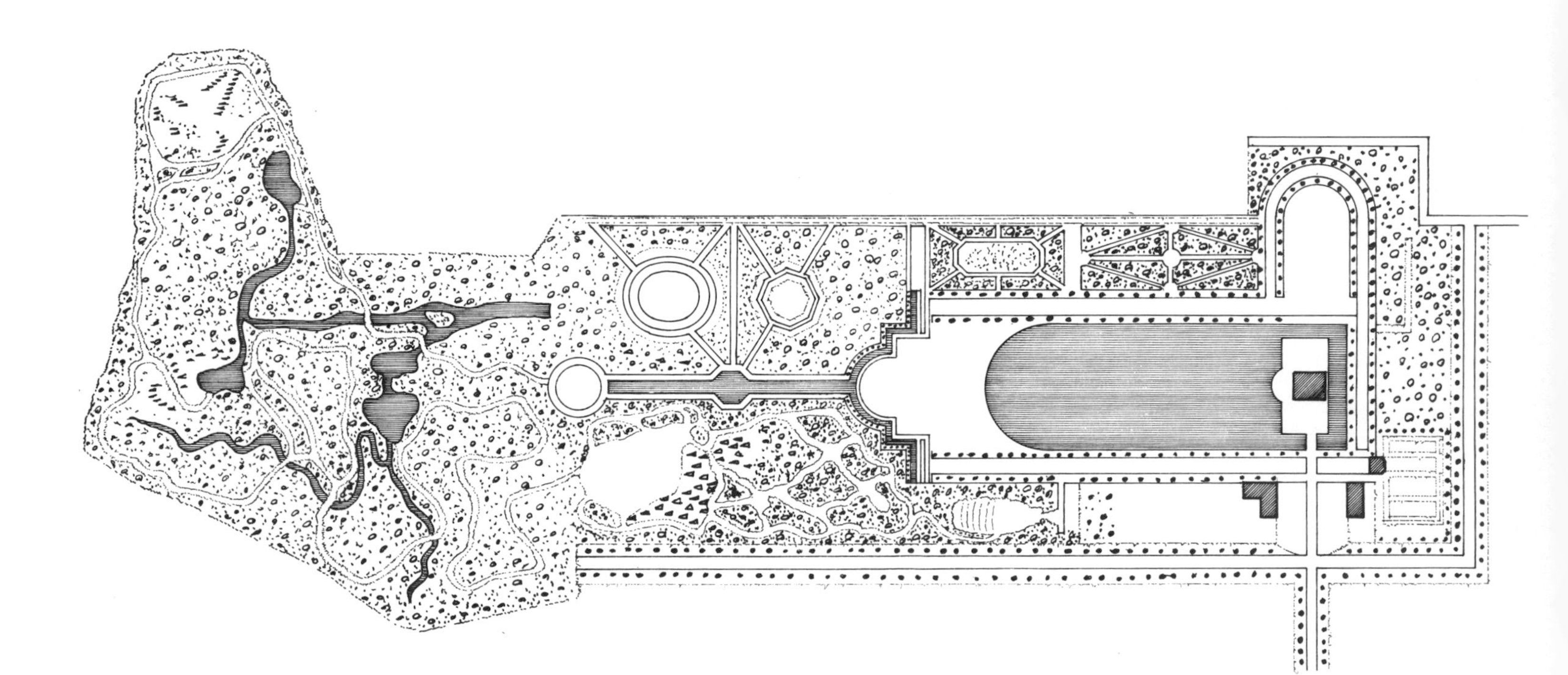

Une longue allée de hêtres. Une grille monumentale. Deux piliers ornés de vases décoratifs. De là, une admirable perspective aboutit à une belle demeure et à des dépendances fort élégantes. A droite, la maison du concierge, les anciennes écuries et l'orangerie. A gauche, la ferme.
Et au centre, conjonction subtile de rococo et de classicisme, le château, tout de sobriété, meublant avec somptuosité un surprenant décor d'eaux et de verdure. Harmonie. Mais aussi douceur de vivre. Car le mobilier et la décoration intérieure tiennent les promesses de l'extérieur. Partout, le style Louis XV règne en maître incontesté. Il y a eu ici une volonté d'unité qui mérite d'être louée.
Exemple rare de rococo religieux, la petite chapelle est un moment de bonheur. On assure que les dévots de 1764 reviennent parfois s'y asseoir, sans se douter que deux siècles se sont écoulés. N'a-t-elle pas gardé, en effet, son ameublement et sa parure d'origine? Son autel de bois sculpté et des stucs remarquables, des vases sacrés et de beaux tableaux de maîtres?
Et puis il y a le parc. Peut-être le plus beau de toute la Flandre. Vingt hectares de canaux, d'allées, d'étangs et de verdure qui font penser à Le Nôtre à qui on a souvent attribué — à tort — la paternité de cette symphonie en vert. Il fut remanié et agrandi pendant tout le XVIIIe siècle de sorte que la transition entre le jardin classique et la conception romantique se fait dans une alternance et une variété qui sont comme une musique. Cet ensemble harmonieux est bien dans la tradition du grand siècle.
Le parc proprement dit s'étend au sud. Là, quatre bosquets composent le décor d'une vaste esplanade aux lourdes frondaisons. Il y a là le grand étang, le lac aux sphinx et le remarquable miroir d'eau ovale. Et dans l'axe du château, le fameux canal.
Mais la merveille de Leeuwergem, c'est assurément, à gauche du grand étang, son étonnant théâtre de verdure. Des charmilles marquent l'emplacement des parterres, des loges, de la scène (dix mètres de long!) et même des coulisses qui s'inscrivent dans un jeu savant de haies de hêtres soigneusement taillées. Plus de mille personnes peuvent y prendre place.
La dernière représentation fut donnée par le Théâtre National en 1954. Mais aux amoureux enlacés qui promènent ici leurs rêves d'éternité, il ne faut ni acteurs ni public. Cette nature domestiquée avec tant de raffinement suffit à leur bonheur.

Canaux et étangs participent à la gloire de Leeuwergem. L'eau est fournie par des sources jaillissant dans la partie supérieure du domaine. Voici le grand canal: il s'élargit en son centre pour former un bassin octogonal et ses quais sont décorés de rocailles. ▽

XIIe-XIIIe s. La construction du vieux château remonte sans doute au XIIe siècle. Robrecht en est le premier seigneur connu.
1420. Robrecht IV est tué lors d'un engagement contre les Liégeois et sa fille Béatrice hérite du domaine. Le château passera alors par les femmes dans différentes familles jusqu'à ce que Joris Van Hoorne meure sans héritiers en 1608.
Fin du XVIe s. Leeuwergem n'est pas épargné par la fureur iconoclaste: il est détruit et incendié.
1610. Le domaine est racheté par Margriet Pijnssens van der Aa. Son fils Jan-Lodewijk van de Loo tente de restaurer le monument.
1648. Jean-Louis Adrien de Lannoy, parent par alliance, acquiert la propriété. A sa mort, le domaine passe à Lodewijk-Frans d'Heyne qui fait démolir le vieux château et entreprend d'en construire un nouveau.
1698. Son quatrième fils, Gaspar d'Heyne, en hérite et achève les travaux en 1724. Il reste célibataire et Jeanne d'Heyne, dame de Leeuwergem, épouse le comte Emmanuel d'Hane. De ce mariage naît Pierre d'Hane, seigneur de Leeuwergem.
1783. Leur deuxième fils, le comte Jean-Baptiste d'Hane Steenhuyse, épouse la marquise Marie-Madeleine Rodriguez d'Evora y Vega. Il sera un des plus illustres occupants du château.
1795. Le château de Leeuwergem est pillé par les sans-culottes.
1796. Jean-Baptiste d'Hane doit racheter le domaine pour rentrer en sa possession!
1916. Par les femmes, Leeuwergem va à nouveau passer dans différentes familles. Marie de Lembeke épouse le baron Adolphe della Faille d'Huysse. Sa sœur Claire épouse le Burgrave de Nieulant de Pottelsbergh et hérite du château. A sa mort, elle laisse la propriété à un parent, le baron Baudouin della Faille, fils aîné du baron Idès della Faille d'Huysse.
Tous deux meurent à la guerre. Le baron Idès fut tué par la Gestapo le 12 août 1944 dans l'allée de hêtres qui mène au château: une croix de pierre commémore cette fin tragique. Le deuxième fils, Guy della Faille d'Huyse, hérite de la propriété. Il a épousé Françoise de Montpellier de Vedrin et occupe le château.

Cette étrange — mais combien gracieuse — sphinge à l'enfant est l'un des deux groupes de figures mythologiques qui flanquent le pont de pierre à trois arches de l'entrée principale, côté ouest. Les statues sont sculptées en marbre blanc et datent vraisemblablement du XVIIIe siècle, comme le château. Plus loin, dans le parc, impressionnants, deux autres sphinx montent la garde à l'extrémité de la grande pièce d'eau. ▷

Leeuwergem

◁ *Pour accueillir le visiteur, l'été compose de merveilleux parterres de bégonias. De style grotesque, la porte cintrée est surmontée d'une lanterne Louis XV en fer forgé d'une rare élégance.*

Le château de Jodoigne-Souveraine se mire dans son bel étang bordé d'arbres centenaires. Le large portail d'entrée en forme de tour à pigeonnier et les amples versants de sa haute toiture, percés de lucarnes à chevrons, ajoutent encore au charme si prenant de ce bel ensemble caractéristique de l'élégant art de bâtir brabançon du XVIIIe siècle.

La propriété de Jodoigne-Souveraine, la bien nommée...
On peut bien oublier, en visitant ce splendide domaine, que son nom lui fut donné par une famille qui occupa ici, au XIIIe siècle, un château aujourd'hui disparu. On peut ignorer que pendant l'occupation française la commune prit le nom de Jodoigne-la-Libre, qui sonnait infiniment mieux aux oreilles républicaines. On reste sous le charme d'une demeure souveraine.
Souveraine, l'élégante et très brabançonne simplicité du château. De grands bâtiments disposés en U, un large portail d'entrée, une élégante toiture, un logis à deux façades, tout cela respire l'harmonie et la beauté.
Souveraine, la grâce des arbres séculaires du parc qui s'étend sur un coteau baigné par la Gette. Les bosquets, les roches, les sentiers incitent à une rêverie qui n'aurait pas déplu à Jean-Jacques Rousseau.
Souveraine, enfin, la continuité des familles qui se sont succédé ici. Familles profondément enracinées dans leur terroir, très proches des paysans des alentours, très mêlées à leur vie quotidienne, à leurs fêtes et à leurs difficultés, très attachées aussi à l'entretien méticuleux et amoureux de leur château. Familles, en un mot, qu'aucun Versailles n'arracha à leur demeure ancestrale. Pour notre bonheur...

Jodoigne-Souveraine

Jodoigne-Souveraine

La cour intérieure de Jodoigne-Souveraine nous offre l'image d'une unité architecturale du meilleur aloi. La triple arcade se découpant sur l'aile droite de la façade principale se marie bien avec le petit corps d'habitation que prolonge la grange. ▷

Ces robustes colonnes traduisent bien l'enracinement du château dans un antique et toujours vigoureux terroir wallon. On ne peut qu'admirer la virtuosité des maçons dans l'assemblage circulaire des briques et dans le dessin si pur de la voûte. Au fond, le porche d'entrée monte une garde discrète. ▷

◁ *Jodoigne-Souveraine n'est pas un musée, mais un château où l'on aime la vie. Dans ce salon, les confidences et les joyeux propos se sont interrompus le temps d'une photo. Et l'aïeule, dans son grand cadre, semble attendre qu'un pianiste entame une mélodie dont les notes claires et joyeuses s'harmoniseront avec le coloris des fleurs savamment disposées.*

XIIIe s. La famille de Jodoigne-Souveraine occupe un château situé, croit-on, dans le parc actuel.
1361. Un document d'archives mentionne le nom de la famille de Glimes, nouveau propriétaire du domaine qui devait consister alors en une vaste ferme seigneuriale, typique de la région.
1637. Dans l'acte de mariage de Winand de Glimes et de Michèle d'Ydeghem, la ferme est appelée la « grande Cense » de l'Hostel.
1720. Après la mort du comte de Glimes qui s'illustra comme officier du régiment des Gardes Wallonnes au service du roi Philippe V d'Espagne, sa veuve se remarie avec le baron Jean-Charles de Spangen, seigneur d'Ottignies.
1764. Antoine-Joseph de Glimes et Ernest-Joseph de Spangen, deux demi-frères, édifient le château actuel.
1843. Octavie de Glimes, dernière du nom, épouse le baron Wenceslas de Traux de Wardin.
Fin du XIXe s. Gaston de Traux de Wardin crée le parc avec sa pièce d'eau et son allée de grands tilleuls. Il fait également bâtir un escalier en pierre de Gobertange dans la cour intérieure du château.
Actuellement. Le baron de Traux de Wardin est le châtelain de Jodoigne-Souveraine.

Une longue allée de tilleuls conduit à « un beau château bâti sur le penchant d'une colline qui regarde vers le midi ». En 1744 déjà, Saumery avait apprécié ce site : « Il est difficile, écrivait-il, d'être insensible aux diverses beautés du paysage circonvoisin. » Quel tableau incomparable ne découvre-t-on pas, en effet, du haut de la grande terrasse, à l'ombre des marronniers ! Voici, en gradins étagés, le village de Flawinne avec ses maisons piquées sur le versant. Plus bas, « la riche vallée par où la Sambre vient mêler ses eaux à celles de la Meuse ». Plus loin encore, trouant la brume, l'admirable dôme de la cathédrale Saint-Aubain et les toits de Namur. Peut-on rêver perspective plus princière ?
La vue est ici d'autant plus grandiose qu'elle s'offre à partir de cinq magnifiques terrasses aménagées en 1711 par Albert-Nicolas d'Hinslin, bailli de Vieuville et maire de Fleurus. De là le regard s'élance, rebondissant d'escalier en escalier, s'attardant sur des parterres fleuris, s'accrochant aux buis soigneusement taillés, pour atteindre enfin l'horizon. Entre ciel et terre, il y a ici la vision apaisante de jardins français

Flawinne

Sous les neiges de l'hiver mosan, voici Flawinne : style semi-classique de la fin du règne de Louis XIV. Il reçut la visite de deux rois... mais aussi, en 1814, des Cosaques qui, suivant l'inventaire dressé par le maire de Flawinne, « endommagèrent le lit de Madame » ! ◁

Réalisés d'après des plans de Le Nôtre, ces jardins à la française furent aménagés en 1711 avec les déblais provenant de la construction de la nouvelle citadelle de Namur. Ces bordures de buis ne sont pas sans rappeler les « broderies » en honneur à cette époque. ▽

bien ordonnés, des réminiscences lointaines de Versailles, la majesté de l'infini.

Il n'est guère surprenant que ce site ait servi de point d'observation chaque fois qu'une armée assiégeait Namur et sa citadelle. Le 25 mai 1692, Louis XIV installa ici son quartier-général. Racine et Boileau l'accompagnaient et célébrèrent par des odes pompeuses la prise de la ville. Racine a d'ailleurs daté de Flawinne plusieurs lettres qu'il adressa à son épouse. Il y raconte les allées et venues du Roi Soleil et note quelques anecdotes survenues à la cour que tenait Louis XIV devant Namur, comme à Versailles...

Car si l'histoire ne fit qu'effleurer Flawinne, elle y laissa sa griffe. Après Waterloo, Français et Anglais livrèrent ici des combats d'arrière-garde et des boulets de canon vinrent s'encastrer dans les tilleuls de la drève. Les David de Lossy conservent précieusement ces témoins d'une histoire oubliée des historiens.

1686. Jean-Jacques d'Hinslin achète la seigneurie de Flawinne. Il bâtit — peut-être à partir de constructions existantes — la Rouge Cense, c'est-à-dire la ferme qui est encore aujourd'hui accolée au château.
1692. Louis XIV y établit son quartier-général.
1695. Il y est suivi par Guillaume III, roi d'Angleterre.
Vers 1710. Le fils de Jean-Jacques d'Hinslin, Albert-Nicolas, construit le château actuel. On lui doit aussi la drève de tilleuls et le parc.
1783. Sa petite-nièce, Marie-Joseph d'Hinslin, est dame de Flawinne.
1790. Le château accueille la conférence des Belges révoltés contre Joseph II. Partisans de Van der Noot et de Vonck décident ici de mettre fin à leurs rivalités.
XIXe s. Marie-Joseph d'Hinslin meurt sans postérité et laisse Flawinne à son époux, le baron Huldenberghe van der Borcht. Celui-ci épouse en secondes noces la fille du baron de Doethinghem qui, veuve à son tour, s'unit au baron de Ville. C'est celui-ci qui, finalement, laissera le château à son neveu, Edmond de Lossy.
1929. Flawinne passe aux David de Lossy au décès de Berthe de Lossy qui avait épousé le chevalier Nicolas David.

Ingelmunster

△
Ingelmunster connut plusieurs campagnes de construction qui vont du XVIIe au XIXe siècle. Elégance, sobriété, pureté du style classique en font pourtant une demeure d'une grande homogénéité : au milieu d'un parc immense, le château est un des joyaux de la Flandre.

Somptueux, mais sans outrance. Impressionnant. Et pourtant, quelle simplicité dans cette magnificence ! Admirons sans réserve cette diversité des styles qui jamais ne se heurtent, se fondant au contraire merveilleusement pour composer ce chef-d'œuvre de bon goût. ◁

En ce lointain Moyen Age déjà, Ingelmunster, sur les bords de la Mandel, s'enorgueillissait d'une puissante forteresse. Une gravure de 1641 donne une image fidèle du vieux château fort construit au XIe siècle par le comte de Flandre Robert le Frison. Mais aujourd'hui, il faut assurément beaucoup d'imagination pour évoquer le sang qui a coulé dans ce décor rustique et paisible...
Et pourtant, très tôt, l'histoire prit ici ses quartiers. Grâce à une situation stratégique exceptionnelle — ne sommes-nous pas ici entre Bruges et Courtrai ? — le château devint « la clef de la Flandre ». Une clef que détinrent tour à tour d'illustres familles : Robert de Cassel, deuxième fils de ce Robert de Béthune mieux connu sous le nom de « Lion de Flandre », les comtes de Bar et les seigneurs de Gistel, les d'Ailly et Jean de Bourgogne, les ducs de Clèves et de Nevers, les Plotho et enfin les comtes de Montblanc. Ingelmunster fit même partie des possessions du roi de France ! Les Nevers, pour aider Henri III à surmonter ses difficultés financières, lui avaient offert leur château...
Destructions et sièges n'épargnèrent pas la forteresse. Pillée à maintes reprises au Moyen Age, elle eut à souffrir aux XVIe et XVIIe siècles des guerres de religion et des occupations française, hollandaise et espagnole ; à la fin du XVIIIe siècle, des exactions des sans-culottes. Fait remarquable, au-delà des remous de l'histoire subsistent encore, de l'ancien château fort médiéval, les douves, quelques fondations et les murs de soutènement !
La construction du château actuel commença au XVIIe siècle avec Delphin de Plotho. A ce moment,

Au XIXe siècle, le château au centre du village

Au XIXe siècle, la majorité des habitants de la campagne se consacrent à l'agriculture et, de plus en plus, à l'élevage. A quelque distance des maisons paysannes se dresse le château, devenu maison de plaisance, entouré de jardins, de pâtures, de vergers et d'écuries.
Le châtelain, souvent noble et parfois bourgmestre, s'impose comme le personnage central du village. Quand on sait qu'au milieu du siècle, l'arrondissement de Bastogne ne comptait qu'un électeur communal pour trente habitants, on comprend que les villageois dépendaient tous de lui, de sa richesse, de son prestige et de ses relations. Que de services pouvait rendre le châtelain ! Grâce à lui, le train s'arrêtait dans le village ; grâce à lui, on trouvait du travail dans la seule fabrique de la région où fonctionnait une machine à vapeur. En outre, il engageait des gardes-chasse, des cuisiniers, des cochers, des jardiniers et des repasseuses. Il passait les plus grosses commandes aux commerçants de l'endroit. Parfois même, il offrait les instruments de la fanfare locale et il payait, pour un fils de fermier bien déluré, le coûteux minerval d'un lointain collège.
Ces paysans silencieux et résignés, qu'Hubert Krains et Hubert Stiernet nous ont décrits, ne faisaient que prolonger l'ancien ordre seigneurial où tout dépend de la volonté des hobereaux. Il n'était pas rare que le châtelain possède quatre-vingts pour cent des terres arables. Pendant que les paysans cultivaient les parcelles cédées en fermage, le propriétaire vivait dans son château de mai à septembre, lui préférant son hôtel de maître en ville pendant la mauvaise saison.
Les exemples de la toute-puissance du châtelain ne manquent pas. Vers 1900 encore, des paysans flamands n'osaient pas tuer les lièvres qui occasionnaient des dégâts à leurs récoltes, de crainte de déplaire au maître. A Sterpenich, près d'Arlon, les cultivateurs étaient contraints de payer leurs rentes en nature. Incapables de convertir en argent les montants dus, ils finirent par faire appel, en 1857, à l'instituteur du village, qui les aida dans leur calcul...

△
Un goût très sûr a présidé à la décoration des appartements. Des tapisseries d'Audenaerde évoquant la nature — ne les appelle-t-on pas «verdures»? — sont ici judicieusement mises en valeur par un très beau mobilier.

Un large pont de pierre conduit à une vaste cour d'honneur et enjambe la Mandel qui traverse paisiblement tout le domaine. Le comte de Montblanc en fit paver le cours: il voulait ainsi remédier au chômage qui sévissait dans la région pendant la crise de ◁ 1846.

Ingelmunster a déjà perdu sa valeur stratégique et ce sera le triomphe de la symétrie alliée à l'élégance et à la sobriété. Et aussi le merveilleux contraste de la brique rouge vif avec les tonalités claires de la pierre de Tournai. Le bâtiment central sera terminé en 1736 et l'entrée gardée par deux colonnes classiques supportant un fronton en harmonie parfaite avec la partie supérieure. Quant aux deux pavillons d'angle — du XIXe siècle — ils forment avec les constructions antérieures un ensemble des plus homogènes, parachevant ainsi avec bonheur cette agréable demeure de plaisance.
Disposé avec goût, le mobilier donne un bon aperçu de trois siècles d'architecture intérieure, depuis le style Louis XIV jusqu'au XIXe siècle. Il y a ici des boiseries d'un grand mérite que mettent en valeur de précieuses tapisseries de Bruxelles et des verdures d'Audenaerde. Beauté et élégance ont succédé au bruit des armes et aux violences guerrières...

Septembre 1297. Philippe le Beau, en guerre avec Guy de Dampierre, arrive le 13 au château. Le 18, il rencontre les échevins de Bruges qui viennent lui offrir la soumission de leur ville. Il leur promet la sauvegarde de la relique du Saint-Sang.
Octobre 1297. Malgré le cessez-le-feu établi entre Philippe le Beau et Edouard I d'Angleterre, le château est pillé. Jean le Rouge est transféré en France comme otage.
1435. Jacqueline d'Ailly épouse Jean de Bourgogne, neveu du duc Jean Sans Peur.
1580. Au cours d'un combat entre les troupes espagnoles et l'armée révoltée des Etats Généraux de Hollande, le château est fortement sinistré.
1583. Otho de Plotho achète le château.
1645. Ingelmunster est assiégé trois fois!
1690-1691. Pendant la guerre de 9 ans, Ingelmunster est pillé.
1695. Les Français bombardent le château et le pillent après s'en être emparés.
1703. Inondation catastrophique de la Mandel.
28 octobre 1798. C'est le «Dimanche des Brigands»: comme représailles pour l'expulsion d'une section de cavalerie, le village et le château sont mis à sac par les Français.
1825. A la mort du dernier Plotho, Charles Descantons, comte de Montblanc, acquiert le château.
1846. Pour occuper la population locale, le comte crée un tissage de tapisseries.

Beerlegem

Quand les derniers Croisés revinrent au pays, ils ramenaient dans leurs bagages... des cèdres du Liban. Ils en plantèrent à Beerlegem et c'est derrière ces arbres couverts de siècles que se cache aujourd'hui, dans un paysage idyllique, un château presque insolite dans ce coin de campagne perdu. Sans doute Beerlegem n'est-il pas un joyau architectural. Mais que de charme ne doit-il pas à son site! Certes, l'homme est présent: à lui le joyeux désordre des jardins anglais, à lui aussi la stricte ordonnance des parterres à la française. Mais ce parc aux opulentes frondaisons, n'est-ce pas la nature qui l'a dessiné... et même mieux qu'un architecte? Ces sources romantiques qui alimentent par un système ingénieux de grands étangs poissonneux, n'est-ce pas la nature qui nous en a fait don?
Ces étangs étaient piqués autrefois de petites îles. C'est d'ailleurs sur l'une d'elles, la plus grande, qu'a été planté le château: on n'y accède, de l'avant ou de l'arrière, que par deux ponts en brique! Sur un autre îlot se dressait un pilori. Il a été ramené à proximité du château, sur la «terre ferme», avec sa chaîne et les armoiries de la baronnie de Beerlegem. A l'arrière du château, Beerlegem compose un autre tableau. Sur trois des quatre angles se dressent les blasons qui ornaient les piloris d'Oosterzele, de Melle et de Schelderode, trois des seize communes qui formaient le pays de Rode.
Beerlegem n'a guère connu de violences guerrières. La même famille — fait assez rare — règne ici depuis près de six siècles. Comme les peuples, les châteaux heureux n'auraient-ils pas d'histoire?
Ainsi, loin des vanités du monde, Beerlegem nous garde la vision apaisante de 60 hectares d'une nature généreuse où l'homme d'aujourd'hui trouve enfin la tranquillité, loin des bruits du XXe siècle. Car ici, on entend même le silence...

XVe s. Beerlegem entre dans le patrimoine de la célèbre famille de Masmines. Ses représentants seront chevaliers de la Toison d'Or de père en fils depuis la création de l'Ordre en 1430.
1553. Le château «Ten Bieze» devient la propriété de Louis de Rodoan. Son fils aîné deviendra évêque de Bruges, un autre bourgmestre de Bruxelles.
1590. Suite à sa conduite héroïque lors du siège d'Alost, Philippe de Rodoan est fait chevalier par Philippe II d'Espagne.
Milieu du XVIIe s. Une illustre Maison, celle des Rodriguez d'Evora y Vega, devient propriétaire de Beerlegem. Ses représentants furent les principaux bailleurs de fonds de l'Invincible Armada de Philippe II. Lopez Rodriguez défend brillamment Gand contre Louis XIV. En reconnaissance de ses exploits, Charles II d'Espagne, en 1682, érige en baronnie la seigneurie de Beerlegem.
1730-1788. Un nouveau château est construit sur les fondations de l'ancien manoir.
1818-1824. De magnifiques drèves sont aménagées.
1872-1876. Des travaux d'agrandissement importants sont entrepris: les deux ailes datent de cette époque.
1887. A la mort d'Adolphe Rodriguez d'Evora y Vega, Marquis de Rode, dernier descendant de cette glorieuse lignée, son neveu le comte Louis van Spangen hérite du château.
1920. Lors du décès du dernier comte de Spangen, Beerlegem passe à son neveu, le comte Alfred d'Ansembourg. C'est son fils adoptif, le comte Michel d'Ursel, qui est l'actuel propriétaire.

A l'ombre d'arbres séculaires, voici Beerlegem. Construit au XVIIe siècle, le corps central est flanqué de deux ailes qui furent ajoutées au XIXe: l'ensemble est d'une harmonie digne d'éloge. Seul un fronton très simple apporte une note de fantaisie à l'élégante sévérité de cette façade. ▽

Au bord de l'étang où les arbres retrouvent leur image, un lion protège les armoiries de Lopez Rodriguez d'Evora y Vega. Il symbolise la vaillance du châtelain de Beerlegem sur les champs de bataille des Pays-Bas et du nord de la France: ses faits d'armes lui valurent d'ailleurs la reconnaissance du roi d'Espagne Charles II. ▷

La plaine flamande déroule sans hâte ses surfaces faiblement ondulées. Du centre si pittoresque de Nokere, une drève monumentale conduit au château. Il y a là une admirable perspective, un tableau charmant, une tapisserie d'Audenarde.
Dans l'enchevêtrement de ses fils tissés pour habiller de vert les bâtiments et les sculptures, on reconnaît les drèves et les sentiers, les prairies et les étangs, les haies et les arbres d'un parc d'une surprenante beauté. D'un calme impressionnant aussi, troublé seulement, lorsque s'ouvre la période de la chasse à courre, par les cris des chiens et le piétinement des chevaux.
Le château s'inscrit à merveille, dans cet ensemble tout de noblesse et de sérénité. Il exhale cette harmonie subtile d'esprit Louis XVI qui fut une réaction contre le rococo alors triomphant. Et il répond pleinement au souhait du constructeur de 1780 qui désirait, non pas un château, mais une agréable maison de campagne.
Ses successeurs y apportèrent des modifications, mais ils eurent le mérite de le faire dans le même esprit. Un beau jardin d'agrément fut tracé sur le modèle des jardins français de la fin du XVIIe siècle, des parterres furent aménagés et les arbres envahissants firent place à des plantations romantiques. Le grand verdoiement d'une végétation munificente est une éblouissante symphonie de couleurs.
A l'intérieur, point de recherche mais une majestueuse simplicité. Quel bonheur de vivre ne respire-t-on pas ici ! Chaque salon exhale une atmosphère intime et raffinée. Il n'y a ni marbre robuste, ni stuc surchargé, ni cheminée monumentale.
La meilleure manière de prendre congé de Nokere ? Une promenade en coupé, en breack ou en tilbury ! Le choix est grand : le baron Casier a en effet rassemblé ici une collection de voitures qui n'est pas le moindre attrait de cette attachante demeure.

◁ *Le château actuel est le troisième de ceux qui furent successivement érigés sur ce tertre. Il est coiffé d'un pavillon d'ardoise sans doute unique en Belgique, et se signale par une construction très simple. Il n'y a ici aucune surcharge ornementale, ni fantaisie rococo, ni escalier extravagant, mais une somptueuse quiétude en harmonie parfaite avec les eaux calmes des étangs et le doux verdoiement des arbres et des prés.*

Un remarquable souci d'asymétrie a présidé à la disposition des bâtiments, des étangs et des drèves par rapport au château. Le constructeur a voulu ainsi éviter que le château n'apparaisse comme un symbole de puissance autour duquel le reste du domaine aurait été aménagé. Il en est ainsi de ce bâtiment indépendant, à gauche de l'entrée et du pont d'accès : une porte féerique habillée de verdure et flanquée de délicieuses maisons pour le personnel. ▽

Nokere

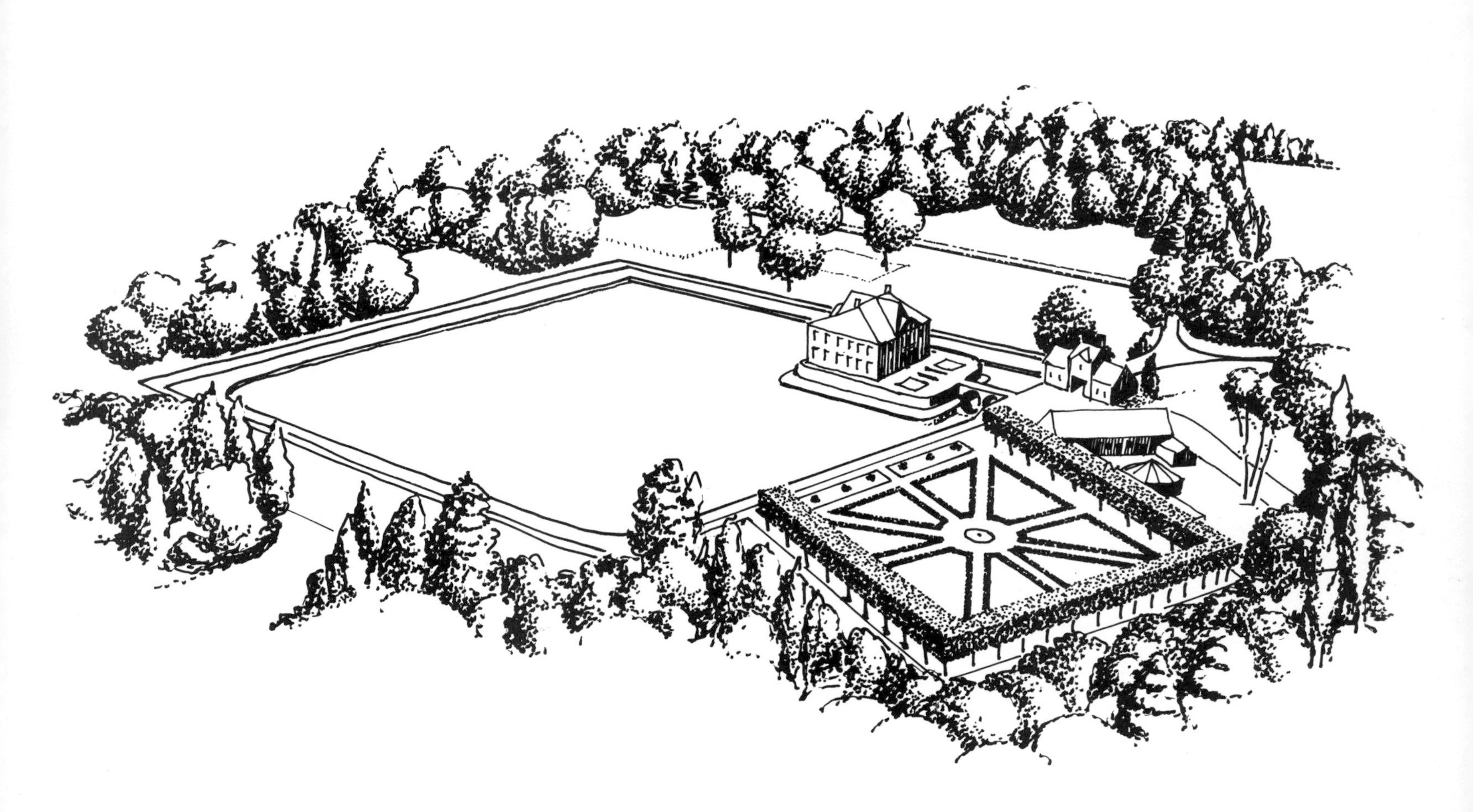

Le baron Casier est un passionné d'attelages : les écuries du château abritent une collection exceptionnelle de voitures hippomobiles et aussi quelques voitures anciennes. ▽

XVIIe s. Jean de Grass est châtelain d'une fortification que Sanderus a dessinée en 1641 mais dont il ne reste plus trace.
1657. Philippe IV élève Nokere au rang de baronnie au profit de Jean-Corneille de Grass. Vers 1685 le château est détruit par un incendie.
1721. Le domaine est la possession de Mathieu-Xavier de Ghellinck, qui l'a acheté à François de Grass. Il entreprend la construction d'un nouveau château.
1780. Son petit-fils, Jean-Baptiste-Joseph, poursuit la construction et le château actuel sort de terre. Il est construit en briques et conçu comme une résidence de campagne traditionnelle.
Fin du XIXe s. Les murs de briques sont revêtus d'un cimentage blanc.
XXe s. Le château passe à différentes familles et est actuellement propriété du baron et de la baronne Casier. Avec la collaboration de monsieur René Pechère, architecte-paysagiste, ils ont remis en honneur un jardin français classique.

◁ *Au son du cor, ce petit ange semble vouloir réveiller les occupants du château.*

Nokere

Une promenade dans le parc, ce sont mille surprises savamment étudiées, c'est une étonnante diversité de sentiers et de parterres de fleurs, d'étangs et de prairies. C'est aussi la découverte de jardins parsemés — avec un goût très sûr et un sens exact de la mesure — de statues d'époques diverses. C'est encore cette dame qui, en compagnie de son époux de pierre, souhaite la bienvenue au visiteur: ils vous accueilleront de part et d'autre de la porte d'entrée. ▷

Non loin d'Aywaille, à la frange du village de Xhoris, les frondaisons de trois tilleuils ombragent une croisée de chemins où se tapit une minuscule, mais ravissante chapelle. Depuis bientôt trois siècles, elle annonce au voyageur la longue avenue d'ormes qui par maints détours mène à Fanson, étonnant ensemble architectural qui ne compte pas moins de cinq tours.

L'accès au château, bordé au nord par les bâtiments d'exploitation et au sud par l'orangerie, fait suite à un jardin à la française orné de vasques et de fontaines. Le porche d'entrée débouche à l'angle d'une vaste cour d'honneur carrée. Une opulente façade du XVIIIe siècle, derrière laquelle se dissimule le puissant donjon de jadis, se mire avec complaisance dans le bassin central en marbre rouge.

Il faut prolonger son investigation

◁ *Du parc, par-delà l'étang, les structures anciennes de Fanson apparaissent nettement. Au XVIIIe siècle, le donjon initial et les tours latérales ont été remaniées, puis reliées par des constructions. L'harmonie des matériaux n'est pas étrangère à la grandeur de l'ensemble.*

△
Cette élégante façade fut bâtie par le baron de Selys-Fanson qui voulait faire de sa demeure campagnarde un véritable palais; elle surprend par ses proportions impressionnantes. Construite en brique, animée par cinq pilastres de pierre et dominée par un fronton arrondi aux armes de Selys-Fanson, elle annonce le futur style néo-classique.

Fanson

La grille d'entrée est un très remarquable ouvrage de ferronnerie. Avec beaucoup d'élégance, les armes du chevalier Leyniers y sont serties. Dernière famille à résider dans cette grande maison, les Leyniers ont ◁ su lui conserver son lustre d'antan.

pour découvrir de l'autre côté un adorable patio à partir duquel on entre dans l'habitation, à moins qu'on ne désire accéder aux terrasses qui dévalent vers un somptueux parc à l'anglaise.

C'est ici qu'Anne Terwagne a passé une partie de sa jeunesse, partageant les jeux des enfants du baron de Fanson. Un aristocrate allemand la remarque, s'en éprend, la séduit et l'emmène à Paris. Acquise à la Révolution, la sémillante « Théroigne » se rend à Versailles à la tête d'un cortège de femmes pour obtenir le retour à Paris de Louis XVI et de sa famille.

Plus tard, ayant pris le parti des Girondins, elle est huée par celles-là mêmes qu'elle dirigeait hier. Fouettée publiquement, elle devint folle et mourut à la Salpétrière.

902. Regnier au Long Col concède à l'Abbé de Stavelot Xhoris, Filot et Awan. Fanson, bien que compris entre Xhoris et Filot, n'a jamais fait partie des possessions abbatiales. Il semble avoir été de tout temps un alleu, c'est-à-dire une terre franche, libre de tous droits.
XIVe-XVIe s. L'alleu de Fanson passe des Clermont aux Celles.
1579. Les troupes d'Alexandre Farnèse délogent un parti des Etats qui s'était retranché à Fanson au moment de l'arrivée de don Juan d'Autriche.
1664. Godefroid de Sélys, bourgmestre de Liège, maître de forges à Dieupart, acquiert le bien à l'issue d'une vente générale du domaine.
1763. Par d'importants remaniements, le château perd son aspect fortifié pour devenir la demeure seigneuriale que nous pouvons contempler aujourd'hui.
1831. La veuve du baron Jean Robert de Sélys vend le château au notaire Richard qui le transmet aux Lamarche. Ceux-ci le vendent à la famille Leyniers qui vient de s'en dessaisir au profit de la Compagnie Immobilière de Belgique.
1864 et 1923. Respectant le site, deux phases de restauration se succèdent.

Aigremont

Pour percevoir encore le passé guerrier d'Aigremont, il faut découvrir le château depuis la vallée de la Meuse. Les terrasses en bastion, dominant le fleuve d'une hauteur de quatre-vingts mètres, et la ferme castrale constituent les derniers vestiges de l'histoire belliqueuse de cette forteresse dont les La Marck firent leur centre de résistance aux ducs de Bourgogne.

Le nouveau château construit au XVIIIe siècle a adopté la symétrie, l'équilibre et l'harmonie de l'architecture du siècle des Lumières et reflète la douceur et le bonheur de vivre de cette époque. Seules les meurtrières curieusement percées dans les murs de clôture à l'ouest rappellent le passé militaire de la construction précédente. A part ce détail, tout respire la volonté du maître d'œuvre, le chanoine Mathias Clercx, de se bâtir un havre de paix où il pourrait vivre tranquillement de ses bonnes rentes. Le plan, imposé par la configuration du terrain, est très simple : un corps central à deux ailes en avancée et un jardin à la française qui prolonge l'aile gauche.

Mais quel soin apporté au détail ! Depuis la grille en fer forgé donnant accès à la cour d'honneur jusqu'aux tourelles bornant le jardin, tout a été pensé et conçu avec intelligence. Quand on contemple la façade avec ses briques rouges du pays soulignées de pierre de Meuse pour les socles, les chaînages et les encadrements, on se sent très loin du XVIIe siècle et de son art de bâtir parfois compliqué. L'intérieur somptueux contraste avec la sobriété de la façade. Le faste apparaît dès le vestibule : au sol, marbres noirs et rouges, aux murs et au plafond, peintures en trompe-l'œil selon la mode italienne, sans oublier un escalier à balustres.

Les autres pièces sont tout aussi richement pourvues : elles offrent aux regards des lambris de chêne, des trumeaux de cheminée, des dessus de porte peints. Même les parties ancillaires contiennent des décorations en faïences aux multiples motifs.

Le mobilier rassemblé avec amour par les animateurs actuels de cette riche demeure, aujourd'hui musée retient également l'attention admirative des visiteurs.

Epousant la ligne de crête élue pour bâtir l'ancienne forteresse, le parc à la française, gardé par des tourelles, se situe curieusement dans le prolongement de l'aile gauche du château actuel et de la chapelle baroque édifiée par Mathias Clercx. Ce sanctuaire à une nef et fronton à aileron sera parachevé en 1725 et renferme un tableau d'autel représentant le martyre de saint Mathias, ◁ *patron du constructeur.*

△

La façade arrière du château dominant la Meuse offre les éléments représentatifs de l'art de bâtir au pays de Liège entre 1715 et 1730. L'ensemble équilibré des ailes et du corps central légèrement saillant, les lignes calmes et la symétrie des dix-huit fenêtres surmontées d'un fronton aux armes des Clercx ne sont nullement gâchés par les vestiges de la ferme castrale ou les grandes terrasses en pierre formant bastions.

Vers 900. Une forteresse existe à l'emplacement de la future ferme du château du XVIIIe s.
XIIe s. Par le mariage d'Agnès d'Aigremont avec Libier Suréal, la seigneurie s'allie à Warfusée et devient un centre d'opposition aux princes-évêques de Liège.
XIVe s. La famille de La Marck prend possession du domaine.
1468. Le « sanglier des Ardennes », Erard de la Marck, se réfugie à Aigremont pour échapper à la politique expansionniste de Charles le Téméraire.
1474. Guillaume de La Marck abandonne la position au prince-évêque de Liège, Louis de Bourbon, qui procède au démantèlement partiel de la forteresse en éperon.
1484. Le prince-évêque Jean de Hornes condamne Guillaume de La Marck à la décapitation, mais le domaine reste propriété de la famille.
1583. Mariage de Marguerite de La Marck avec Jean de Ligne.
1590. L'empereur Rodolphe II élève la seigneurie au rang de comté du Saint-Empire.
1640. Albert de Ligne d'Arenberg « engage » la terre d'Aigremont. A la mort de son fils Octave-Ignace en 1693, elle revient aux Liégeois Lefèvre et Nivolara.
1715. Après avoir appartenu au bougmestre de Liège, Mathias Grady, le château et son domaine sont rachetés par le chanoine Mathias Clercx, archidiacre du Condroz et membre du conseil du prince-évêque.
1717-1727. Mathias Clercx construit une demeure « à la moderne ».
1971. Après avoir appartenu aux Clercx-Waroux, le château est acquis par l'Association royale des Demeures historiques qui en assure la restauration et la promotion.

Baroque et classicisme dans les châteaux de Wallonie

Au cours des XVIIe et XVIIIe siècles, l'architecture, en Wallonie comme dans le restant de l'Europe, a subi deux principes opposés : l'influence baroque et l'influence classique, issues l'une et l'autre de la Renaissance italienne. Le style baroque s'exprime dans le mouvement, la couleur, la complexité, le luxe surabondant, alors que le style classique est épris d'équilibre, de sobriété, de rigueur, voire de sévérité. Si l'on peut symboliser le premier par la ligne courbe et le second par la ligne droite, il faut avouer que la frontière entre ces deux esprits manque parfois de précision.

Le baroque ne s'est pas implanté profondément en Wallonie. Ce style, en effet, a reçu un accueil favorable surtout dans les sociétés paysannes et seigneuriales au catholicisme démonstratif. Or dans nos provinces méridionales dominait plutôt une classe bourgeoise urbanisée. En outre, les guerres et leurs cortèges de destructions n'ont pas épargné les édifices baroques wallons. Dès lors, il faut se contenter de citer de rares exemples, comme les tours adjointes au château de Hamal et les deux ailes en briques roses du bâtiment d'entrée de Belœil.

L'influence classique, par contre, est plus profonde parce qu'elle correspond mieux à la sensibilité de la région. Les châteaux du Rœulx, de Corroy, de Franc-Waret, d'Aigremont et de Waleffe prouvent que la Wallonie s'est vraiment imprégnée de l'idéal classique fait de mesure et de robustesse. Partout apparaît la construction à deux étages au corps de logis peu saillant surmonté d'un fronton triangulaire ou cintré. Même si les ressources en pierre du pays abondent, on constate une généralisation dans l'utilisation de la brique qui, appareillée avec la pierre ocre ou bleue, permet bien des jeux de couleurs. Cependant, l'adhésion à la mode classique n'exclut nullement une certaine originalité comme par exemple à Warfusée, où la fantaisie du plan et de la silhouette évoquent certaines constructions allemandes.

A leur tour, le baroque vigoureux et le classicisme sobre vont être touchés par l'élégance du style rocaille. Ainsi le pavillon du « Frederic Saal » élevé à Freyr en 1774. De même la virtuosité des peintres-décorateurs de l'école liégeoise traduit à Modave, à Aigremont, à Colonster ou à Warfusée un art de vivre plus raffiné et plus sentimental.

Les années 1750-1760 marquent un nouvel intérêt pour l'Antiquité ; de cet engouement naîtra le néo-classicisme. En Wallonie, Seneffe construit par Dewez apparaît comme le chef-d'œuvre néo-classique. Y domine une structure horizontale associée à une ornementation dépouillée. Certaines résidences aristocratiques comme Attre ou Franc-Waret, que l'on transforme, adoptent le motif néo-classique du fronton triangulaire surmontant un édifice à trois étages.

Aigremont

Cette cage d'escalier entièrement peinte en trompe-l'œil, due au Hutois Delloye, est unique en Belgique. Chaque détail de ce décor italianisant est une fête pour l'œil et pour l'esprit. Cartouches, feuillages, vases, guirlandes et aigles faisant partie des armoiries des Clercx se disputent la surface. ▷

◁ *Si l'escalier d'honneur est courant au pays de Liège, celui d'Aigremont se distingue par une main courante très ample, au départ crossé, et par ses imposantes balustres Louis XIV. Les remarquables colonnes de marbre qui soutiennent le palier mettent en évidence la richesse des couleurs du dessous d'escalier et les revêtements muraux. La présence d'un traîneau de dame daté de 1672 est originale.*

Croenendael

Harmonie et équilibre. A eux seuls, ces deux mots suffisent à expliquer le charme d'une demeure de plaisance qui a su garder des proportions humaines, au milieu d'un site verdoyant. Au carrefour industrieux du Limbourg dont le ciel emporte la poussière des charbonnages, à une enjambée de Maestricht, le château de Croenendael à Waltwilder incite au repos. Le soleil inonde de sa lumière une maison ouverte à la nature par ses hautes fenêtres. Voyez la quiétude de cette habitation du XVIIIe siècle. L'art a sa place à Waltwilder. Les habiles pinceaux des disciples du maître liégeois Plumier ont laissé de gracieuses scènes mythologiques. Quant aux magnifiques stucs qui ornent le salon d'été et dont la technique hésite entre le classique et le rococo, ils seraient l'œuvre de Deprez et Delcloche.
Seule modification apportée à un château qui revendique son appartenance au siècle des Lumières, une loggia fut percée dans la salle à manger, mais sans rompre l'équilibre architectural de l'ensemble.
Sur l'aile qui abrite les dépendances, un superbe cadran solaire a été remplacé au XIXe siècle par les armes du propriétaire, habitude que l'on peut déplorer mais également suivie par un autre possesseur des lieux qui chargea, quelques temps après, le magnifique fronton du corps principal du château d'un blason pour le moins visible.
A l'ombre des frondaisons du parc, une question vient à l'esprit. Comment l'ancien château de Jonkhout, qui autrefois occupait les terres de l'actuel baron de Rosen de Borgharen a-t-il pu disparaître si soudainement sans laisser de trace? A cette interrogation, de nobles aïeux ont répondu en construisant pour la postérité le manoir de Croenendael. Qui s'en plaindra?

Le château de Croenendael est resté tel qu'il se présentait au XVIIIe siècle malgré quelques transformations mineures. Des armes ont été ajoutées sur le fronton, les fenêtres agrandies, tandis que le pont, qui permettait d'accéder au château en enjambant l'étang, a disparu. ▷

Le salon d'été du château de Croenendael s'orne d'admirables stucs du XVIIIe siècle qui seraient dus à H. Deprez et à P. J. Delcloche, à moins qu'il ne s'agisse d'œuvres d'artistes italiens itinérants qui proposaient leurs services aux châteaux de la région. Aucun motif ne se repète: colombes, guirlandes de fleurs et corbeilles de fruits s'organisent dans un désordre charmant. ◁

XIVe s. Pour la première fois, il est fait mention de l'existence à Croenendael d'un seigneur de Jonkhout, vassal du comte de Looz.
Première moitié du XVIe s. Le château de Jonkhout, dont on devine à peine les douves et les tours, tombe en ruine. Son abandon est inexpliqué.
1702. Construction de l'actuel château de Croenendael, dont les ailes pourraient remonter au XVIIe siècle.
1757. Après avoir appartenu à la famille de Lamboy, la seigneurie est acquise par Michel Joseph de Grady.
1797. L'administration centrale des domaines ordonne à la municipalité de mettre sous scellés le château et les meubles de Croenendael, le «ci-devant baron de Grady de Croenendael» étant coupable d'avoir émigré au-delà du Rhin.
1819. Mort du dernier seigneur de Jonkhout, le baron Guillaume van Eyll.
1840. Mort à l'âge de 80 ans du chevalier Albert Joseph de Grady de Croenendael, chanoine au chapitre de la cathédrale Saint-Lambert à Liège.
1861. Le baron Emile de Rosen de Borgharen achète le château du Croenendael et fait placer ses armes sur le fronton. Le bien demeure dans sa famille. Actuellement, son arrière-petit-fils en est l'heureux propriétaire.

Thoricourt

△
La façade arrière vue du « tapis vert » : pour briser la monotonie, l'architecte imagina une travée centrale en forte saillie, dessina les marches d'un large perron et troua de gracieuses lucarnes la grande toiture à la Mansart.

Le style Louis XV de l'extérieur se retrouve à l'intérieur avec la même élégance raffinée. Il y a ici d'admirables boiseries, de belles glaces en bois doré et sculpté, des murs ornés de délicieux panneaux de toile,
◁ *un élégant mobilier.*

Thoricourt, ce sont d'abord, fermant la cour d'honneur, des grilles majestueuses, noires et rehaussées d'or. Des grilles célèbres, qui fermèrent autrefois la porte de Schaerbeek à Bruxelles. Et qui s'ouvrent aujourd'hui sur un château bâti dans les années 1760 pour le bonheur de vivre.

Un château où l'on reconnaît aussitôt le ton du règne Louis XV, une demeure tranquille d'où toute ostentation est bannie.

Brique rouge et volets blancs, il déploie une façade à l'élégance mesurée, animée par de nombreuses fenêtres, comme il se doit au siècle des lumières. Du grand salon, la vue se repose sur la vaste pelouse déroulant son «tapis vert» orné de pots à feu, que gardent des arbres immenses et des essences remarquables. Voici - uniques en Belgique - deux bancs de repos gracieusement taillés dans la pierre au XVIIIe siècle. Plus loin, un jardin français ordonne ses haies de buis autour d'un féerique parterre de roses. Une longue charmille, des prairies dévalant vers des étangs où se mirent des hêtres majestueux... Que de surprises nous sont réservées !

Un château de roman pour le Grand Meaulnes, un parc pour les Quatre Saisons de Vivaldi, un tableau pour une tapisserie d'Audenarde...

1768. Charles-François de la Marlière construit un château Louis XV qui nous est parvenu merveilleusement intact.
1774. Sa fille Isabelle, dernière du nom, épouse le vicomte Zacharie Obert de Quévy et apporte Thoricourt à cette famille qui le possède toujours aujourd'hui.
1811. Leur fils, le vicomte Etienne Obert de Quévy épouse Joséphine Marin de Thieusies et accepte de substituer à son nom de Quévy celui de Thieusies... pour satisfaire aux exigences de son beau-père !
1830. C'est lui qui édifiera l'orangerie.

Du néo-classique au néo-gothique

Avec le XVIIIe siècle finissant vint le temps des révolutions. Nous étions rassasiés de ce style rocaille, de ses délicieuses fantaisies, de ses courbes et contre-courbes. Un désir de renouveau souffla sur nos provinces.

On revint donc aux lignes droites, à leur géométrie et à leur rigueur mathématique. Cette horizontalité toute de froideur, les bâtisseurs eurent l'habileté de la tempérer par des pilastres colossaux, tandis que frontons triangulaires et bandeaux apportaient aux façades une note de fantaisie.

Les architectes redécouvrirent l'Antiquité, exhumèrent l'héritage romain et les proportions procédèrent du nombre d'or. On orna les châteaux de portiques, on déroula des galeries. Ce fut le néo-classicisme.

Ensuite naît le médiévisme des historiens, cette quête d'un Moyen Age romantique qui conduisit à des pastiches du gothique ou du Renaissance. Nos architectes dessinèrent d'austères forteresses animées de pignons à gradins, de tourelles et de lucarnes. Ils firent fleurir bulbes et clochetons. Créneaux, archères et échauguettes firent de nos châteaux « les pages illustrées d'un dictionnaire de l'architecture médiévale ».

Certes, ces formes entortillées peuvent déplaire. Mais la démarche, même contestable, était sincère et la naïveté de nos demeures néo-gothiques ne manque pas d'une certaine grandeur.

Galerie du Château de Seneffe (p. 246)

Vorselaar

Antiquité. Une voie romaine, le «diverticulum» Anvers-Turnhout, passe non loin de Vorselaar. On peut penser que les lieux ont été habités dès cette époque.
XIIe s. Afin d'assurer conjointement la défense de la région et la mise en valeur de ses bruyères et de ses marais, le duc de Brabant concède Vorselaar à une famille bien en cour, les Rotselaer. Ils y construisent une forteresse de plan carré, commandée par quatre tours en pierre de Grimbergen.
1663. Le chevalier Jean Proost, membre du Grand Conseil de Brabant et vice-chancelier, acquiert le château fort délabré de Charles-Eugène d'Arenberg, qui le tenait des Ligne via les Berghes. Outre de grands travaux, Proost entreprend de vastes plantations de chênes.
1678. Une gravure du baron Le Roy montre le château entièrement restauré.
Pendant de longues années, le fisc poursuit le fils de Proost devant les tribunaux. Son épouse vend le bien à Louis de Pret, dont la fille épouse en 1734 Charles-Philippe van de Werve, membre du Grand Conseil de Brabant.
1756. Pour dégager la vue du corps de logis, situé sur la façade nord, van de Werve démantèle les courtines. Il nivelle les douves, construit les communs et réalise le vaste ensemble que l'on peut admirer aujourd'hui.
1860. Adaptation de l'architecture au style Tudor ou néo-gothique.

En comparant la gravure de Le Roy à la photo actuelle, on constate aisément les transformations. Au XVIIIe siècle, le pont-levis a été supprimé et les fossés comblés. Des courtines reliant les tours, il ne reste que les fondations. Quant aux aménagements de la fin du siècle dernier, ils ont rompu avec la façade unie de jadis et confèrent au château un air anglo-saxon. ◁

Vorselaar

La Campine anversoise, au sol ondulé, déploie de vastes étendues cultivées qui alternent avec des plantations de pins biens adaptées au sol.
Ici, d'interminables avenues parfaitement rectilignes, qui zèbrent les pinèdes, semblent converger vers une barrière de hêtres et de tilleuls, derrière laquelle s'abrite le château de Vorselaar. Au pied de ces feuillus géants, une longue et lisse pièce d'eau sertit, tel un joyau, la belle demeure flamande.
Spontanément, le visiteur est attiré par cette architecture en parfaite harmonie avec son cadre, dont le caractère et les essences contrastent avec ceux de la campagne environnante. Au-delà des grilles, la simplicité familière des dépendances incite à prolonger l'investigation vers la façade du château, encore lointaine et quelque peu imposante, fièrement gardée par deux tours.
A l'autre extrémité d'un jardin à la française, qui fait office de cour d'honneur, un parterre de dahlias apporte une note de fraîcheur colorée. A mi-chemin, à gauche et à droite, de charmants promenoirs longent les eaux des douves.
Enfin, quand vous serez parvenu au pavillon d'entrée, une cloche particulièrement sonore vous fera ouvrir les portes de la demeure.

Les dépendances du XVIIIe siècle, construites vis-à-vis du château, respectent la disposition rationnelle et symétrique du cœur du domaine. La perspective parfaitement mise en valeur contribue à l'atmosphère sereine de l'ensemble. ▷

Castellum Vorsselaer.

Du XVᵉ siècle, le château a conservé les murs épais de ses fondations, la base de ses tours et, dans ses caves, d'impressionnantes voûtes gothiques. De même que la tour qui surmonte l'entrée, l'aile occidentale est néo-gothique. Vigiles impressionnants, deux tours carrées aux toits à quatre pans flanquent ce corps de logis : elles ont gardé leur aspect du XVIIIᵉ siècle. Quant au monumental pont de pierre, il a remplacé l'antique pont-levis en bois. ▷

Exquise rupture, une petite loggia au toit en dos d'âne brise la symétrie classique du pignon latéral. Cascade de couleurs des vitraux qui étincellent sous le soleil... Aux heures de gloire de Tillegem, sans doute est-ce à ce belvédère de rêve que le châtelain venait s'accouder, après un bon repas, le regard perdu sur l'immensité verte des bois environnants... ▽

Tillegem

Nous sommes près de Bruges, dans un océan de verdure. Entouré de bois, véritablement enchâssé dans son écrin vert, voici le château de Tillegem, témoignage remarquable de l'art néo-gothique. Dans ce décor champêtre, comme il est difficile d'imaginer que cette fière demeure acquit dans la rumeur populaire la réputation d'être maudite! La malédiction s'acharna sur ses occupants — combien de fois ne changea-t-elle pas de mains! — comme sur le château lui-même qui connut destructions, pillages et incendies.

En 1680, la famille de Schietere de Damhouder tout entière disparaît à la suite d'une épidémie de peste. A l'exception de la petite Marie-Charlotte qui épousera ce Joseph le Bailly... dont la famille, à son tour, devait abandonner le château de façon bien mystérieuse. En 1850, en effet, un le Bailly est découvert dans sa chambre, tué d'un coup de feu. Suicide ou meurtre? La justice ne trancha jamais.

La légende s'empara de l'événement et on parla d'assassinat parce qu'une tache de sang, indélébile, disparut seulement lorsque la famille eût quitté Tillegem.

Construit sur l'ancien quadrilatère médiéval, le château actuel doit beaucoup aux Peneranda. A la fin du XIXe siècle, ils habillèrent l'aile occidentale d'un néo-gothique de bon aloi, utilisant une brique légèrement rosée en harmonie parfaite avec le ton fané des deux tours carrées du XVIIIe siècle. Au-dessus de l'entrée, ils firent élever une autre tour, néo-gothique elle aussi, flanquée de quatre tourelles en encorbellement. L'ensemble ne manque certes pas d'allure.

Curieusement, l'entrée principale et le robuste pont de pierre ne sont pas placés au centre de la façade. Ils se trouvent dans la perspective d'une majestueuse drève, trouée royale à travers la forêt. Sans doute est-ce par là qu'arrivera un jour le Prince charmant. Pour réveiller la Belle au Bois dormant de ce château abandonné...

IXe s. Le comte de Flandre Baudouin I «Bras de Fer» fait construire ici une fortification contre les Normands.
1258. Il est fait mention du premier propriétaire officiel: Walter de Wartenbeke.
1370. Simon II d'Aertrycke entame d'importantes transformations à la forteresse.
1450. Jean IV d'Aertrycke assiste à l'incendie de son château par des insurgés en lutte avec Philippe le Bon.
1485. Sa veuve, Maria Anagari, épouse Philippe Descamps. Celui-ci, après de longs procès intentés par la famille d'Aertrycke, est reconnu comme propriétaire légitime. Une nouvelle fois, des insurgés incendient le château.
14 juillet 1540. Charles Quint et Marie de Hongrie déjeunent à Tillegem.
1573. Don Juan de Matanca achète le château.
1664. Il est revendu à Nicolas de Schietere de Damhouder.
1718. Sa fille Marie-Charlotte épouse Joseph-Adrien le Bailly.
1730. Détruit lors des guerres de Louis XIV, le château est reconstruit.
1800. Napoléon accorde à la famille le Bailly l'autorisation d'ajouter le toponyme Tillegem à son nom.
1850. Mort mystérieuse de Philippe le Bailly.
1889. Eugène-Charles de Peneranda de Franchimont achète et restaure le château. A sa mort, ce sont ses petits-neveux, les Briey, qui en héritent.
1978. A la mort de la comtesse Marie-Henriette de Briey, Tillegem devient la propriété de la province de Flandre occidentale.

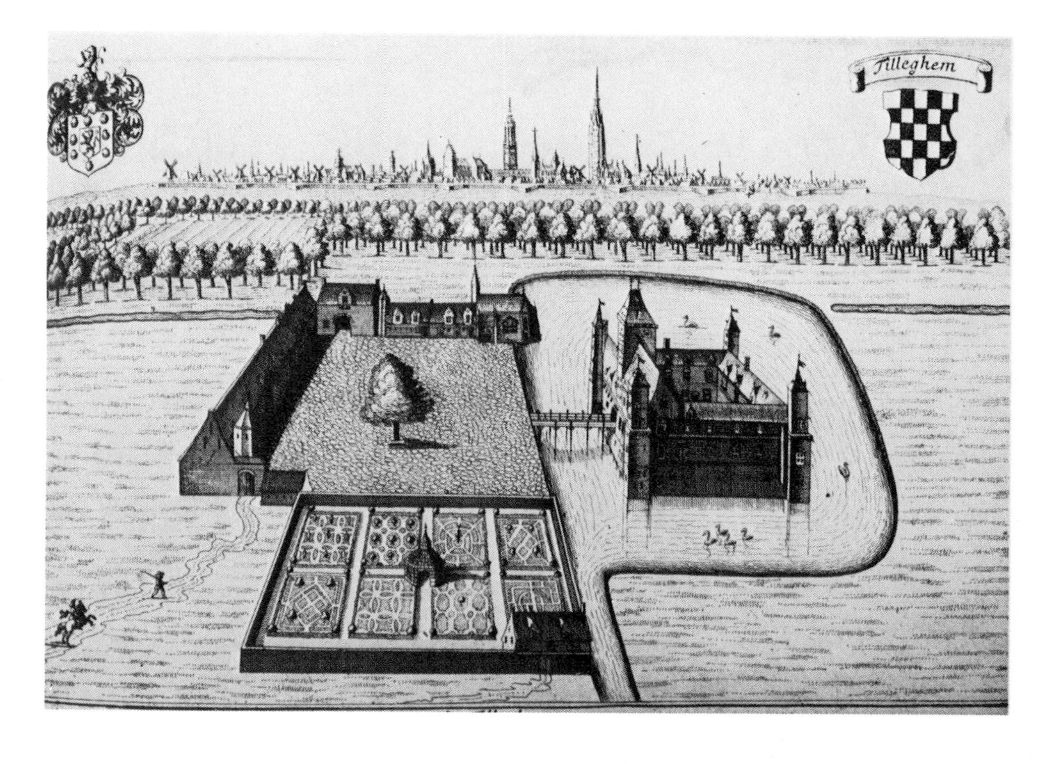

△
Avec les imposantes tours de Bruges en toile de fond, cerné d'eau de toutes parts, Tillegem apparaît sur cette gravure de Sanderus dans toute sa majesté du XVIIe siècle. Un pont-levis reliait le château à la basse-cour, également emmuraillée, et qui comprenait, autour de la ferme, une forge, une boulangerie et une brasserie. Au milieu, comme perdu, un tilleul. Une chapelle aussi, ample à la mesure du château. Et au-dessus à gauche, un blason qui atteste de l'ancienne gloire des Manteca, châtelains de l'époque.

◁ *Les beaux jours du château de Tillegem sont passés: plus de salle d'armes bruyante, retentissant des rires d'une soldatesque qui ne demandait que l'occasion de s'escrimer, plus de brillantes cuirasses, plus rien. Tillegem est abandonné. Debout encore, le château a un aspect triste et sombre qui fait rêver à Macbeth» (E. de Damseaux — 1872).*

Tillegem

C'est par cette porte que le château s'approvisionnait! Un procédé ingénieux permettait d'utiliser la source qui alimente les douves pour régler le niveau de l'eau suivant les besoins. Ce qui permettait à une barque d'accoster et de livrer la marchandise... Ce système fut mis hors d'usage sous l'occupation française. ▷

△
Voici Wannegem-Lede dans toute la gloire de l'été. Les parterres de fleurs qui font le charme de tant d'autres grandes demeures sont absents d'un site où l'on ressent au contraire de l'aversion pour les colorations bigarrées. Mais, comme dans les villas palladiennes, il règne ici entre le château et le parc une harmonie si subtile que l'on se prend à se demander si le château a été bâti pour meubler le parc ou si Dieu a créé le parc pour habiller le château.

Rigueur presque mathématique de la construction. Pureté des lignes, équilibre des volumes, sobriété de l'ornementation: Wannegem-Lede, c'est le néo-classicisme triomphant. Construit à l'image du Petit Trianon de Versailles — mais avec un étage — il prend place, par ses qualités architecturales, parmi les plus importantes réalisations que le siècle des Lumières a laissées à la Belgique.
La façade principale est monumentale, sévère, impressionnante. Comme au Petit Trianon, le frontispice central accroche le regard avec son portique flanqué de quatre colonnes hautes d'une dizaine de mètres, et son perron que garde une balustrade. La brique a été enduite, comme c'était l'habitude aux XVIIIe et XIXe siècles. Les parements sont ocres, les colonnes sont blanches, les sous-sols sont gris: ces couleurs ne font qu'accentuer le caractère dramatique de cette imposante façade.
Le constructeur a atténué avec bonheur ce que cet ensemble de lignes droites pourrait avoir de trop austère. Ainsi portes et fenêtres sont ornées d'encadrements qui font saillie, tandis que les trois entrées du rez-de-chaussée, en plein cintre, contrastent avec les puissants rectangles des fenêtres de l'étage. Les balustrades qui, au-dessus des corniches, dissimulent les toitures, participent également, comme au Petit Trianon, à l'adoucissement d'une façade où la verticalité pouvait paraître exagérée.
Wannegem-Lede tout entier appartient à ce même XVIIIe siècle: celui-ci se retrouve en effet à l'intérieur dans la décoration et dans les salons. Ainsi le vestibule de cette belle demeure est à l'image du château: grandiose, sobre et raffiné. De là, on accède à l'étage par une cage d'escalier toute de majesté, dont on admirera les balustres et le pilier monumental — il a deux mètres de haut — sculptés dans un style Louis XVI accompli.
La décoration du vestibule se prolonge dans le grand salon: même souci de symétrie, même imitation du marbre, même ornementation de stuc, gracieuse et fouillée, dans d'admirables tons vert pastel et gris blanc. La salle à manger avec sa belle cheminée sortie des ateliers

Wannegem-Lede

△

Wannegem-Lede est souvent comparé au Petit Trianon de Versailles, construit 17 ans plus tôt. Ces châteaux sont en effet presque jumeaux et ce n'est guère surprenant: les architectes, Gabriel et Guimard, n'étaient-ils pas très unis par les liens de l'amitié? A Wannegem-Lede — cela saute aux yeux — Guimard a vraiment peu modifié les plans de son ami parisien.

L'évolution des châteaux de Flandre aux XVIIe et XVIIIe siècles

Il faut l'admettre dès l'abord: peu de châteaux flamands sont vraiment représentatifs de l'art baroque. Au cours du XVIIe siècle, cet art ne disputa-t-il pas, au gré des modes et des sensibilités régionales, la première place au classicisme? Sans doute, mais d'autre part, les châteaux ne cessèrent d'évoluer. Ainsi, en ce même XVIIe siècle, souvent on habilla d'un revêtement architectural fastueux un noyau bâti au Moyen Age ou à la Renaissance. Avant d'en repenser, selon le nouvel art de vivre, la décoration intérieure au siècle suivant...
Au siècle de Louis XIV, les châteaux de Flandre connurent ainsi maintes transformations. A Poeke par exemple, l'architecte a ajouté des éléments de style Louis XIV à un ensemble Louis XIII. Pendant ce temps, le manoir médiéval de Cleydael s'agrandissait de dépendances réservées au chapelain, au portier, au jardinier et au cocher.
Certes, à Beauvoorde — terminé en 1617 — l'œil ne décèle rien de baroque: il assiste au contraire au triomphe de ce gothique si bien ancré en terre flamande. En revanche, au château de Beaulieu à Machelen, des ornements typiquement baroques ont été introduits en ce même XVIIe siècle, notamment des volutes et un fronton interrompu, sans oublier les stucs de la décoration intérieure.
Au XVIIIe siècle, les historiens de l'art distinguent d'abord un style rocaille ou rococo. Il prolonge en mineur le baroque, mais en l'enjolivant avec grâce et fantaisie, selon le goût français de l'époque. Puis s'amorcera une réaction néo-classique qui reviendra à plus de sévérité. Dans nos régions, en ce siècle plus pacifique, on dépouilla maints châteaux de leurs vestiges militaires et on leur adjoignit des ailes pour leur donner l'aspect de demeures de plaisance.
Le château de Leeuwergem (1745) constitue ainsi un heureux mélange de rococo et de néo-classicisme. A Heks (1770), le style rocaille liégeois — car ce château faisait autrefois partie de la principauté mosane — se tempère et annonce le règne de la réaction néo-classique.
Ce néo-classicisme — qui relève essentiellement du style Louis XVI — c'est un retour à l'influence antique. Mais il s'inspire également de motifs évoquant la nature, tandis que les élans et les jeux de l'amour y sont l'objet d'allusions sculpturales.
Dans les Pays-Bas autrichiens, le néo-classicisme apparaît vers 1770. En Flandre, il trouve son illustration la plus pure au château de Wannegem-Lede (1783-1786).
Ici, l'architecte français Guimard s'est souvenu du Petit Trianon de Versailles et a donc œuvré dans un style Louis XVI accompli: tout y reflète la sérénité classique et le sens de la mesure.

gantois, le salon aux peintures chinoises et son parquet au dessin unique, l'éclairage généreux, conformément à la tradition de l'architecture néo-classique, tout ici est digne d'éloge.

Bâti au sommet de cette large ondulation qui sépare ici les vallées de la Lys et de l'Escaut, le château offre deux belles perspectives sur le parc environnant: la façade principale est orientée vers Gand, la façade arrière vers Audenarde. Immense et scintillant, le jardin de Wannegem-Lede est un chaos organisé de petits sentiers et de bosquets, d'étangs et de fabriques, de vases sur socle et de sculptures. Et dans ce site romantique à souhait, un mémorial: celui élevé par le baron Baut de Rasmont à Hirschfeld, l'architecte de jardin dont les idées servirent à dessiner les plans du parc.

Un parc qui est une perfection du style paysager, et dont les proportions, aussi mathématiques que celles du château lui-même, confèrent à l'ensemble un cachet d'audacieuse originalité.

Wannegem-Lede

XVIIIe s. Wannegem et Lede, petits villages fusionnés au XXe siècle, appartiennent tous deux à la seigneurie Heuverhuys.
1765. La famille de Montmorency, propriétaire de cette seigneurie, vend le domaine à François Baut de Rasmont, baron de Maele.
1780-1785. Son fils Alphonse entreprend la construction, au milieu de ses terres, d'un château de plaisance néo-classique. Guimard, architecte de la Place Royale à Bruxelles, est chargé d'en dresser les plans.
1798. Le parc est conçu par l'architecte de jardin Hirschfeld. A la mort d'Alphonse Baut de Rasmont, Wannegem-Lede est habité par sa seconde fille.
1859. Au décès de celle-ci, le château passe à sa cousine germaine, madame Charles de Ghellinck d'Elseghem, ancètre du chevalier de Ghellinck d'Elseghem, propriétaire actuel du château.

◁ *C'est le grand vestibule du château de Wannegem-Lede qui offre cette perspective pleine de majesté. Ses murs ont été décorés par les frères Moretti: une imitation fort réussie de marbre jaune et blanc qui contraste admirablement avec le dallage noir. C'est à ces artistes italiens que l'on attribue également les stucs et les effigies qui surmontent les portes. A gauche, le portrait de Voltaire et à droite, celui de l'architecte de jardin allemand Hirschfeld dont les idées ont grandement contribué à la conception du domaine.*

△ *Ce petit temple dorique est une des multiples fabriques qui parsèment le parc du château. Avec sa coupole, son fronton et ses piliers, il constitue assurément un des éléments les plus remarquables de cet immense jardin.*

◁ *Une fois franchi le porche, l'hôte de Walzin arrive devant la partie la plus ancienne du château. Cette tour en moellons de calcaire remonte au XIIIe siècle.*

△ *Entre 1880 et 1887, Walzin fut reconstruit dans un style hispano-flamand peu soucieux des siècles précédents. La restauration de 1930 lui a rendu un aspect plus conforme au style du Condroz.*

Walzin

Un véritable nid d'aigle! Et planté si haut au-dessus de la Lesse, «comme sur un socle de plâtre rouilleux», qu'il vaut mieux regarder son reflet dans la rivière, sous peine, comme disait Camille Lemonnier, «de se décarcasser les vertèbres du cou!»

Devant Walzin, vertigineuse image d'une Belgique perchée, le touriste du XXe siècle peut rêver. Mais le seigneur qui, jadis, édifia ici son château fort, sans doute songeait-il surtout à le rendre invulnérable! Il fut certes bien inspiré de le construire ici: ce passage à gué que surveillait l'altière forteresse, n'était-ce pas le seul accès vers Dinant quand on venait du sud? Une situation stratégique qui laissa peu de repos aux seigneurs du lieu...

Le château fut détruit une première fois en 1466, lors du sac de Dinant par Philippe le Bon. Il faut dire que Jean II de Walzin était parmi les chevaliers qui se dévouèrent à la défense de la ville...

Deuxième destruction en 1489, au nom de Maximilien d'Autriche. Le même Jean II avait été accusé d'avoir donné abri au sanglier des Ardennes, Guillaume de la Marck...

Le 7 juillet 1554, «M. de Nevers campa en une vallée à deux lieues de Dinant, au-dessus de laquelle estoit un petit chasteau appelé Walsin, qui fut trouvé ouvert, où ce soir il coucha en la basse cour». Le duc de Nevers commandait alors les troupes du roi de France Henri II qui assiégeaient Dinant. La chronique ne dit pas si c'est pour prix de cette hospitalité que les Français ruinèrent le castel...

En 1743, Walzin appartient à la famille d'Yve mais celle-ci ne l'habite pas. Dans les «Délices du Pays de Liège», on peut lire: «Ces superbes édifices n'ont pu résister au temps: une partie est déjà ensevelie sous ses propres ruines et l'absence du Baron d'Yve expose le reste à subir bientôt le même sort». Ce fut la quatrième destruction de Walzin.

Enfin, en 1793, une partie du château fut incendiée par les révolutionnaires français qui brûlèrent les archives.

Fait remarquable, le vieux donjon du XIe siècle échappa miraculeusement aux cinq destructions du château. Aujourd'hui, pour la vénérable tour qui a si bien résisté à l'usure du temps et aux folies des hommes, l'heure est au repos. Repos troublé seulement par des rires et des cris, joie et inquiétude mêlées, quand l'été à son pied passent les kayaks.

△
Voici Walzin vu par Remacle Leloup, vers 1740: comme aujourd'hui, le château s'accroche à la pointe d'un éperon colossal, défendu naturellement sur trois côtés. A l'opposé, la ferme fortifiée a presque totalement disparu: une autre l'a remplacée au XIXe siècle.

◁ *Le visiteur qui aborde Walzin par le plateau découvre avec ravissement une aimable demeure de plaisance. Mais, à quelques pas de ces parterres fleuris, qu'il se penche donc au-dessus du parapet qui borde la terrasse! De là, quelle vue admirable sur la Lesse bondissant des dizaines de mètres plus bas! De là, combien se révèle prestigieux le haut versant et ses lourdes frondaisons!*

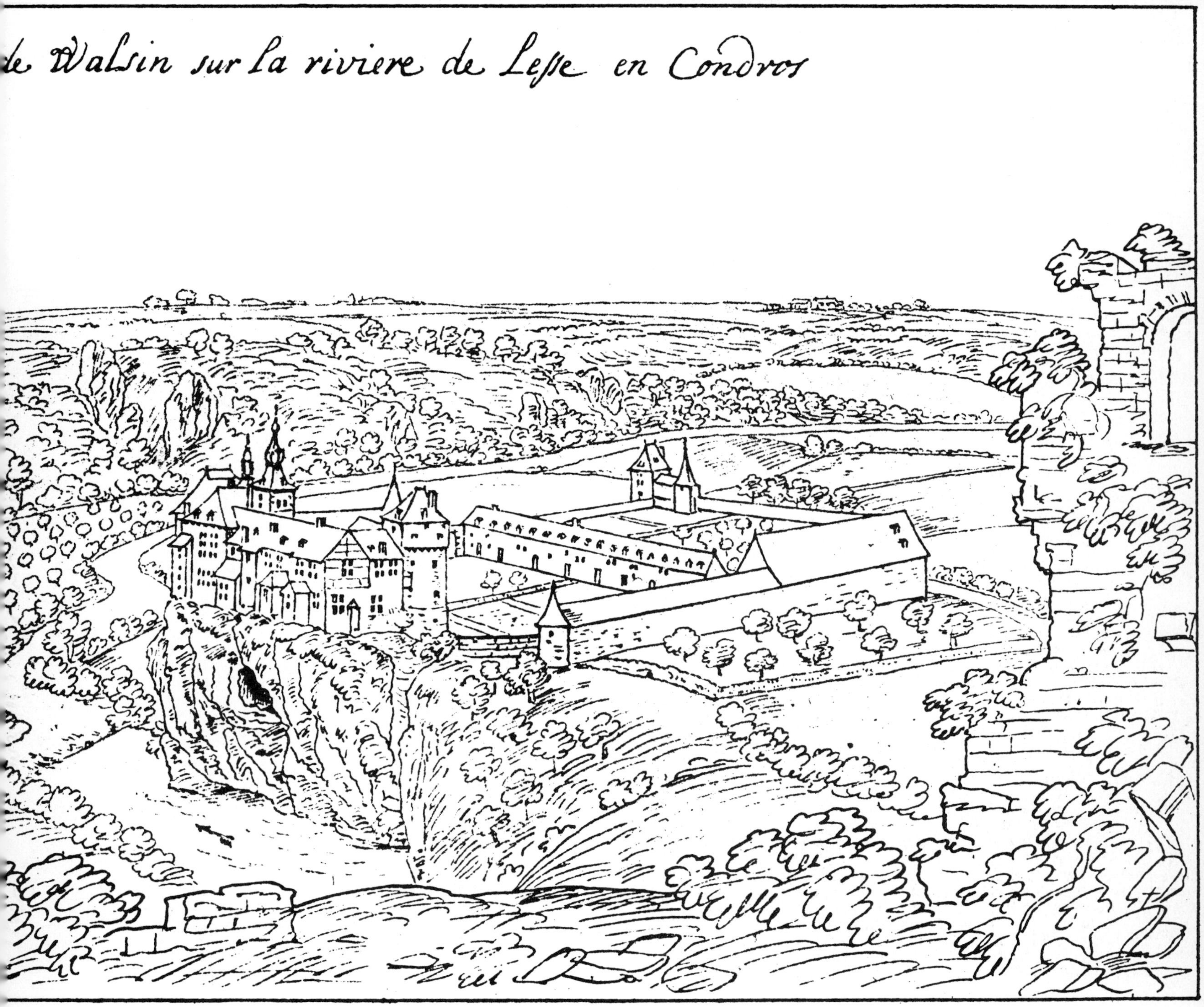

de Walsin sur la riviere de Lesse en Condros

Walzin

XIe-XIIe s. C'est à cette époque, semble-t-il, que remonte le château fort primitif.
1235. Il est occupé par Walter de Kefreyn.
1314. Cette lignée semble s'éteindre avec le décès d'Isabelle de Kefreyn, petite-fille de Walter: à partir de 1314, on ne trouve plus trace de Walzin jusqu'en...
1345. ... date à laquelle on cite la « Maison de Walsyn sur Lesce ».
1354. Le fief appartient à Wautier de Walzin.
1385. A sa mort, le château passe dans la famille de Kemexhe par le mariage de sa fille Marie de Walzin avec Gilles de Kemexhe. La même année, celui-ci cède tous ses droits à son oncle Gilles de Meir.
1405. Jean I de Walzin lui succède: il est fils de Marie de Walzin et de son premier époux, Jean de Wambrechies.
1466. Walzin est détruit par les troupes de Philippe le Bon...
1489. ... puis par celles de Maximilien d'Autriche!
1511. A la mort de Jean II de Walzin, le château passe à la famille d'Eve par le mariage, en 1473, de sa fille Jeanne-Catherine avec Jean d'Eve.
1554. Les troupes du roi de France Henri II envahissent le pays. Le duc de Nevers établit son quartier général à Walzin. Après quoi il incendie le château!
1566. Walzin est la propriété de Catherine d'Eve qui avait épousé en 1553 le Baron Thiry III de Brandenbourg.
1567. A la mort de Catherine, c'est son fils, Jean de Brandenbourg, qui devient seigneur de Walzin.
1581. Sa veuve, Adrienne de Berlaimont, réédifie le château brûlé par le duc de Nevers: les armes Brandenbourg-Berlaimont figurent sur les cheminées. C'est elle qui construisit la tour accolée au donjon.
1685. Mort de Florent de Brandenbourg: sa fille Marie-Madeleine, épouse du baron Ernest d'Yve, apporte Walzin à cette famille.
1821. A sa mort, le dernier marquis d'Yve, sans héritier, laisse Walzin à sa veuve, née de l'Halle, qui le lègue à sa nièce la comtesse de Hamal.
1850. Celle-ci le met en vente publique et Frédéric Brugmann achète le château et le domaine de Walzin.
1881. Alfred Brugmann reconstruit les parties en ruines et transforme les parties restantes en style hispano-flamand.
1930-1932. Le baron Frédéric Brugmann de Walzin rétablit le château dans un style mosan plus conforme à celui du Condroz.
1945. A son décès, Walzin passe à sa fille, la baronne Albert de Radzitzky d'Ostrowick.

Un rayon de soleil perce des frondaisons dont les branches basses semblent caresser le sol, de longs chemins, un étang où s'ébattent des couples de canards sauvages, un silence apaisant, tel est Duras.
Placé aux confins du Brabant et du Limbourg, Duras fut longtemps une place frontière commandée par les comtes de Looz, puissants seigneurs limbourgeois. Mais rien ne subsiste aujourd'hui de la forteresse des temps médiévaux. Elle a définitivement disparu au profit d'une harmonieuse construction de style Louis XVI, dessinée par l'architecte dinantais Henry. Cette demeure de plaisance est doublement placée sous le signe de la Révolution. A l'époque de sa construction, alors que les artisans façonnaient volutes et balustres, le peuple de Paris prenait la vieille prison de la Bastille. Quant aux propriétaires d'alors, les van der Noot, ils n'étaient rien moins que parents du tribun « statiste » qui anima la Révolution brabançonne.
En suivant la longue allée d'arbres qui mène à la grille d'honneur, on découvre une très belle habitation dont les lignes classiques, épurées à l'extrême, semblent avoir été dessinées pour mieux s'intégrer au paysage.
Précédée de deux longues dépendances de style toscan, la façade, avec son portique semi-circulaire supporté par des colonnes aux chapiteaux ioniques, son escalier monumental et sa coupole sur tambour, n'est pas sans évoquer l'art de Palladio et les hardiesses de Bramante. En cette fin du XVIIIe siècle, l'avant-corps en hémicycle confère à Duras une grande originalité architecturale, sans porter atteinte à son classicisme dépouillé.
Mais Duras a connu bien des vicissitudes et il a fallu tout le talent du comte et de la comtesse de Liedekerke et de la comtesse d'Oultremont pour lui redonner sa beauté.

Duras

◁ *Semblant jaillir de l'onde, la façade du château de Duras propose l'élégance sobre et harmonieuse d'un style néo-classique parvenu à sa perfection. Flanquée d'une énorme rotonde qui s'ouvre sur un vestibule lumineux, elle évoque les grandes demeures françaises de la fin du XVIIIe siècle.*

Le château de Duras n'a jamais été vendu mais transmis par héritage ou par alliance.
Vers 1023. La fille du comte Gisbert apporte en dot le comté de Duras au comte Otto de Looz.
Vers 1100. Apparition du titre de «comte de Duras».
1102. Première mention de l'existence d'un château fort à Duras.
1268. Première reconstruction du château.
1328. Le château revient à Guillaume de Neufchâteau. Désormais les habitants du domaine portent le nom de «seigneurs de Duras».
1426. Le château devient la propriété de la famille d'Oyenbrugge.
1705. Duras échoit aux van der Noot.
1789. Construction de l'actuel château de Duras par l'architecte dinantais Henry.
1814. Duras revient à la famille d'Oultremont. Deux de ses descendants, dont l'aînée a épousé le comte René de Liedekerke, sont aujourd'hui propriétaires des lieux.
1875 et 1902. Altération du style néo-classique du château par un «ajout».
1902. La château est ravagé par un incendie.
1945. Le bâtiment est cruellement endommagé par l'explosion d'une bombe volante V1.
1963. Le domaine est entièrement restauré.

De fines boiseries Louis XVI, des portraits, un mobilier du XVIIIe siècle: le château a été admirablement meublé par ses actuels propriétaires, qui ont également su redonner à leur demeure son aspect originel. Une restauration particulièrement heureuse. ▽

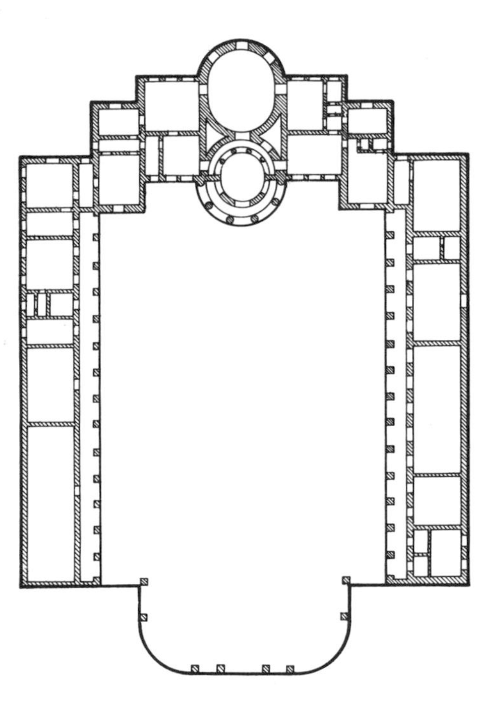

Citée pour la première fois en 1245, que de restaurations ne dut-elle pas subir, la vieille forteresse d'Ham-sur-Heure ! Endommagée par les armées de Louis XIV en 1667, puis encore en 1689, il lui fallut aussi, au cours des siècles, satisfaire à des exigences grandissantes de confort et de prestige. Il en résulta, pour le château actuel, une étonnante diversité de styles.

Voici, en effet, des éléments — notamment la tour sud-ouest — remontant au moins au XVe siècle. Puis des transformations, au XVIe, qui ont laissé le souvenir de leurs fenêtres Renaissance. Au XVIIIe surgit un château de plaisance — l'aile droite de la façade principale — dont le classicisme était dans le goût du temps. Et entre 1898 et 1910, une dernière restauration recomposa la façade vers la cour dans un style néo-gothique... peut-être contestable.

Mais, même s'il y eut un manque de respect pour l'architecture régionale du passé, le château d'Ham-sur-Heure ne manque pas de grandeur. Celle-ci fut à la mesure de l'illustre famille qui régna ici pendant cinq siècles. Ces Merode qui, le 18 décembre 1540, y reçurent à dîner Charles Quint en voyage à travers ses provinces...

1075. Arnould Ier de Morialmé est seigneur d'Ham-sur-Heure.
1256. A la mort d'Isabeau de Morialmé, veuve de Nicolas I de Condé, Ham-sur-Heure va passer aux Condé par leur fils Jacques I.
1413. Catherine de Condé en est dépossédée à la suite d'un procès.
1413-1441. A l'occasion d'autres procès, plusieurs familles vont se succéder : Luxembourg, Fosseux, Bourgogne.
1441. Ham-sur-Heure passe finalement à Englebert d'Enghien puis à son fils Louis.
1487. A la mort de Louis, l'héritier est son petit-neveu Richard IV de Merode.
1941. Les Merode s'éteignent avec Renée de Merode, veuve de John d'Oultremont : Ham-sur-Heure passe à leur fils Louis.
1952. Le neveu de ce dernier, Charles-Henri d'Oultremont, vend le château à la commune d'Ham-sur-Heure.

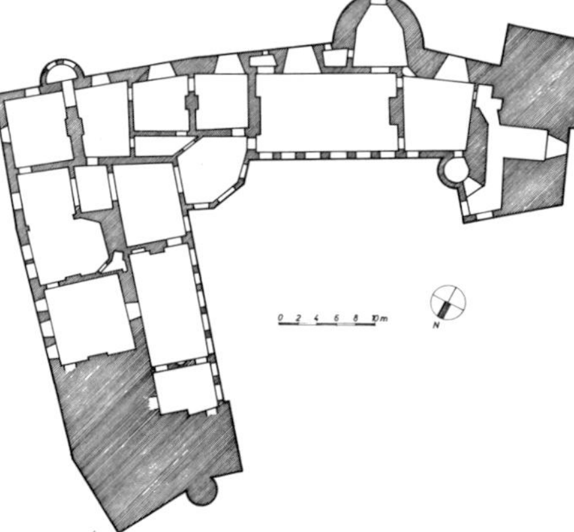

Ham-sur-Heure

*Généreusement percée de fenêtres et de lucarnes, la façade vers le parc est une belle illustration des aménagements qu'eut à subir le vieux château façonné durant cinq siècles par les Merode. A droite, la grande tour fut édifiée en néo-gothique, et de toutes pièces, par l'architecte Langerock en 1900. Les trois pignons voisins se dressaient déjà ici au XVIII*e *siècle mais ils furent «agrémentés», peu avant 1900, de ces redents qui dénoncent les origines brabançonnes du restaurateur: Langerock, en effet, était louvaniste.*

Loppem

△ *Planté dans son parc romantique, Loppem n'évoque-t-il pas le Moyen Age? Exemplaire accompli du néo-gothique flamand, il ne remonte cependant pas au-delà de la moitié du siècle dernier. Admirons sans réserve l'étonnante verticalité de ces lignes qui s'élancent vers le ciel et leur reflet dans les eaux calmes de l'étang...*

C'est en 1873 qu'Albert van Caloen conçut ce remarquable labyrinthe. Il forme un rectangle de 65 mètres sur 25 et a une longueur totale de deux kilomètres. Délimité par des haies taillées, ce dédale est une des grandes attractions du parc de Loppem auquel le public a libre accès. ▷

Le roi Albert au château de Loppem

Du 24 octobre au 21 novembre 1918, le roi Albert résida avec sa famille au château de Loppem. C'est dans ce cadre néo-gothique qu'il prit la décision historique de former un gouvernement d'union nationale partisan de l'instauration du suffrage universel pur et simple pour tous les citoyens belges de sexe masculin âgés de plus de vingt et un ans.
Depuis la suppression du système censitaire en 1893, la Belgique connaissait le vote plural. Selon ce régime électoral, tous les citoyens possédaient une voix aux élections législatives, mais d'après leur classe sociale, ils bénéficiaient d'une ou de deux voix supplémentaires.
Avant la guerre, le parti ouvrier belge, né en 1885, militait pour le suffrage universel, qui devait nécessairement le renforcer et mettre un terme à la prédominance catholique. De son côté, le roi Albert était quelque peu «agacé» par cette domination et souhaitait une alternance des partis au pouvoir.
En novembre 1918, l'armée belge avait reconquis la moitié ouest du pays, jusqu'à une ligne allant approximativement de Gand à Mons. Du 11 au 14 novembre, le souverain reçut à Loppem des émissaires venus de Bruxelles, à la demande d'Emile Francqui, pour le mettre au courant de la situation nationale. Divers incidents liés à la présence allemande, l'état d'esprit dans la capitale toujours occupée et les discussions politiques qui s'y déroulaient préoccupaient beaucoup le roi. Il savait qu'avec le retour de la paix, la majorité des Belges souhaitaient un gouvernement d'union nationale, c'est-à-dire regroupant des membres des partis catholique, libéral et ouvrier. Mais quelle procédure utiliser pour instaurer le suffrage universel?
Ses entrevues à Loppem le renforcèrent dans une décision qu'il avait déjà prise antérieurement: le grand changement se produirait sans passer par une révision constitutionnelle qui, juridiquement parlant, aurait été nécessaire, mais qui aurait retardé l'avènement d'un véritable système démocratique.
Avec le recul, on peut affirmer que le souverain s'est sagement laissé guider par les nécessités de la reconstruction et de l'union nationale.

Loppem doit beaucoup à ceux qu'on appelait au XIIIe siècle les fils de Calonne. Des gens racés, ces van Caloen, qui descendaient d'un lignage chevaleresque du Tournaisis. Généreux aussi : l'un d'entre eux, Jean, ne créa-t-il pas une fondation à laquelle il fit don du château, de son parc et de son mobilier ?
Sur deux étages, le grand hall d'entrée a fière allure. Il renferme une importante galerie de tableaux qui mène à l'étage supérieur où se tient une exposition permanente de sculptures. Le rez-de-chaussée est une remarquable enfilade de salons qui conduit à la salle à manger. Quant à la cuisine, elle a conservé son aspect d'autrefois. Le vieux fourneau flamand, le buffet en forme de cathèdre et l'orgue néogothique sont dignes d'attention.
Un beau musée, assurément. Certes le visiteur n'y étanchera pas sa soif de mystère ! Qu'il sache donc que Loppem lui réserve, dans un parc romantique, la surprise d'un labyrinthe digne du Minotaure...

△
Avec le blason surmontant la porte d'entrée, cette colonne et son chapiteau constituent les seuls ornements - mais ils sont de qualité - du château des van Caloen.

1756. Clément de Potter, grand bailli de Dixmude, achète à l'évêché de Bruges la cure abandonnée de Loppem. Il y fait construire une vaste maison de campagne.
1790. Son fils, Pierre Clément de Potter de Droogewalle, édifie à Bruges un hôtel avec 98 fenêtres et agrandit la propriété de Loppem.
1812. La fille de Pierre Clément épouse Joseph-Bernard van Caloen, descendant d'une célèbre famille du Franc de Bruges, et Loppem entre dans le patrimoine de cette Maison.
1840. Leur succession fut indécise jusqu'au moment où leur fils aveugle, Charles van Caloen, épousa Savina de Gourcy.
Celle-ci trouvait le vieux château affreusement laid. Aussi le fit-elle démolir dès qu'elle porta le nom de son mari ! Elle souhaitait, pour le remplacer, un château évoquant le Moyen Age.
1858-1863. Construction du château néogothique actuel.
Les premiers plans sont dessinés par le célèbre architecte anglais Edward-Welby Pugin. Les travaux seront achevés par un ami de Charles van Caloen, le baron Jean de Béthune.
1873. Albert van Caloen, deuxième fils de Charles, conçoit le fameux labyrinthe, seul exemplaire conservé dans notre pays. Sa longueur totalise plus de deux kilomètres.
1918. Le roi Albert réside pendant un mois au château de Loppem. C'est ici que, peu après la libération du territoire, sera formé le premier gouvernement de l'après-guerre.
1975. Le public a libre accès au parc. Entrée payante pour le château et le labyrinthe.

Le château fort.

Le bâtiment tel qu'il se présente sur ce dessin est un exemple typique du château fort d'époque romane, qui a été complété par divers éléments jusqu'au quatorzième siècle. Il est rare que dans nos régions un château se maintienne sans transformation de sa création à nos jours. Comme la plupart des bâtiments anciens, un château comme celui-ci a souvent été entièrement ou partiellement rénové au cours du dix-neuvième siècle.
Ce château est d'abord un lieu défensif mais aussi une résidence pour le seigneur, ici le comte. Par la suite, ce type de château, lorsqu'il perd sa fonction défensive et qu'il est délaissé par le seigneur, devient très souvent un bâtiment public. En raison de sa conception, un tel bâtiment se transforme parfois en prison.
L'ouvrage ou châtelet d'entrée est le lieu de défense qui relie le château fort entouré de douves à la terre ferme. Il est souvent doté d'un pont-levis, d'une herse, parfois d'un assommoir, pierre que l'on peut laisser tomber de la voûte sur les assaillants retenus par la herse.
La construction est constituée de deux salles. La première dans ce cas-ci s'ouvre sur la façade principale par une fenêtre crucifère et est probablement une chapelle ou un des oratoires du château. Elle sert de prison lorsque le château perd sa fonction première. Cette pièce est précédée d'une salle carrée qui servit également de prison mais qui à l'origine fut probablement une salle de garde. L'ouvrage d'entrée est desservi par un escalier en vis qui relie la plateforme du châtelet au mur d'enceinte. Cette construction est englobée dans le mur garni d'un chemin de ronde qui a une vocation de surveillance et de défense.
Comme dans la plupart des châteaux de l'époque, le logis seigneurial — ici comtal — est accolé au mur d'enceinte. Ce logis est souvent, pour des raisons de confort, un dédoublement des parties habitables du donjon. Un escalier mène à une grande salle basse qui sert de salle d'audience. Elle est couverte par des croisées d'ogives retombant sur des colonnettes. Cette salle est la salle de réunion, voire un lieu de justice. La pièce voisine contient l'orifice de basse-fosse qui mène à une prison souterraine très profonde (5 m 50) où l'air pénètre par un conduit coudé, percé dans la muraille. Il n'y a pas dans ce château, malgré les légendes, d'oubliettes. Les prisons étaient des lieux de détention, non des mouroirs.
Un escalier en vis mène de ces salles aux appartements qui furent ceux du comte. Ces pièces privées n'ont pas la dimension que nous connaissons de nos jours et ne sont pas séparées par des murs créant des zones d'intimité. Ce sont des lieux où se déroulent toutes les activités de la vie quotidienne. On y vit, on y mange, on y dort. Le mobilier est facilement transportable, mais il ne faut pas croire que le luxe est absent de ces demeures. Le confort et surtout l'isolation sont assurés par des tentures ou des tapisseries placées contre le mur. Les fenêtres se ferment à l'intérieur au moyen de volets de bois ou sont closes par du papier huilé, parfois du verre. La répartition des pièces est sommaire et n'est pas précise.
Surmontant ces salles, on trouve les combles dont la charpente est extrêmement soignée. Celle-ci est composée de bois obliques appelés arbalétriers, de bois verticaux nommés poinçons et de poutres horizontales nommées faux-entraits. Ce sont elles qui soutiennent la toiture.
Une galerie habitable relie le logis comtal au donjon. Celui-ci est souvent la partie la plus ancienne du bâtiment et est issu des tours d'habitations primitives. Il est englobé au centre de l'enceinte, il est constitué de salles superposées par étage et construit sur un plan rectangulaire. Ce lieu est le réduit, c'est-à-dire le dernier endroit où se réfugient les défenseurs si la place intérieure est conquise. La cave actuelle est souvent composée d'anciens étages de la construction et sert d'entrepôt.
Des escaliers en pierre dans l'âme (épaisseur) du mur mènent de la plate-forme à la salle du premier étage couvert par un plafond plat. On ne trouve pas trace de mur de séparation en pierre.
A l'étage inférieur se trouve la grande salle du donjon qui est souvent une salle de réception ou de fête, car la vie guerrière n'excluait pas les réjouissances luxueuses. La plate-forme supérieure, comme le mur d'enceinte, est garnie de parapets combinant créneaux et merlons. Les tourelles d'angle et les parties protégées du chemin de ronde possèdent des meurtrières ou archères au moyen desquelles on pouvait repousser les assaillants. Le long du mur d'enceinte, près de l'ouvrage d'entrée, on trouve une salle semi-souterraine dont la voûte en croisée d'ogives repose sur des colonnes. Même si cette salle nous fait penser à une zone d'habitation, il s'agit primitivement de l'écurie comtale ou d'un entrepôt. Au bout de cette salle se trouve un puits destiné à abreuver les chevaux. Cette salle comme bien d'autres a servi de salle de torture. Il est faux de croire que dans un château il existe une pièce toute outillée où l'on pose la question aux condamnés.
Malgré les remaniements effectués au cours des âges, la typologie de ce château est conforme à celle du château fort traditionnel.

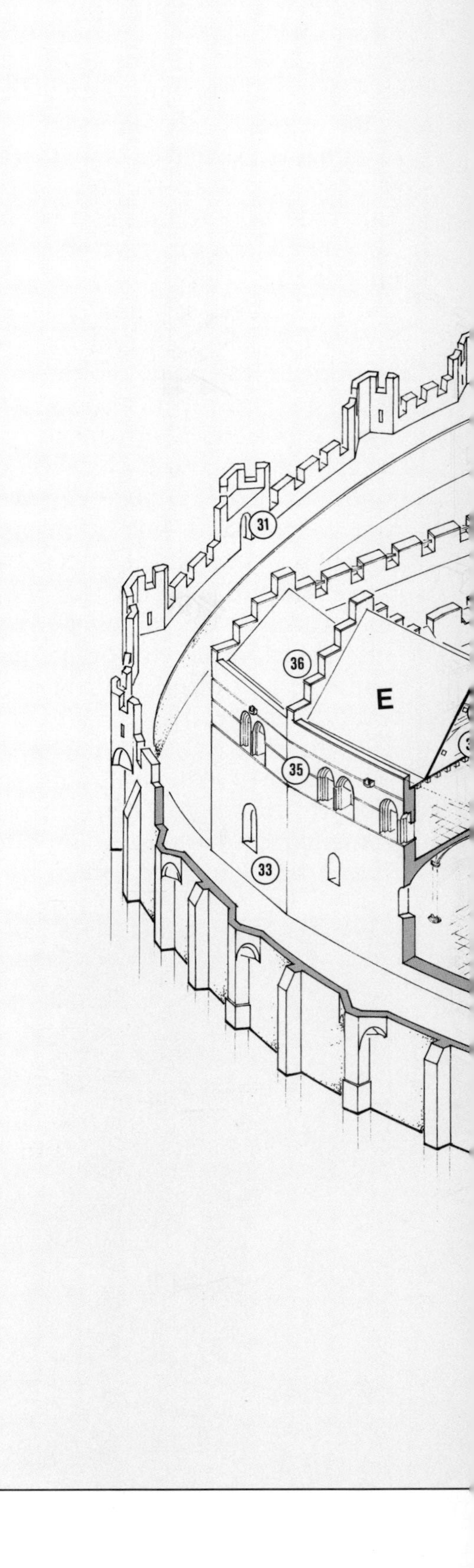

A) Ouvrage d'entrée (châtelet d'entrée)
B) Enceinte (mur d')
C) Ecurie ou entrepôt
D) Donjon
E) Habitation

1. Portail
2. Meurtrière
3. Tourelle octogonale d'angle
4. Machicoulis
5. Chapelle (?)
6. Escalier en vis

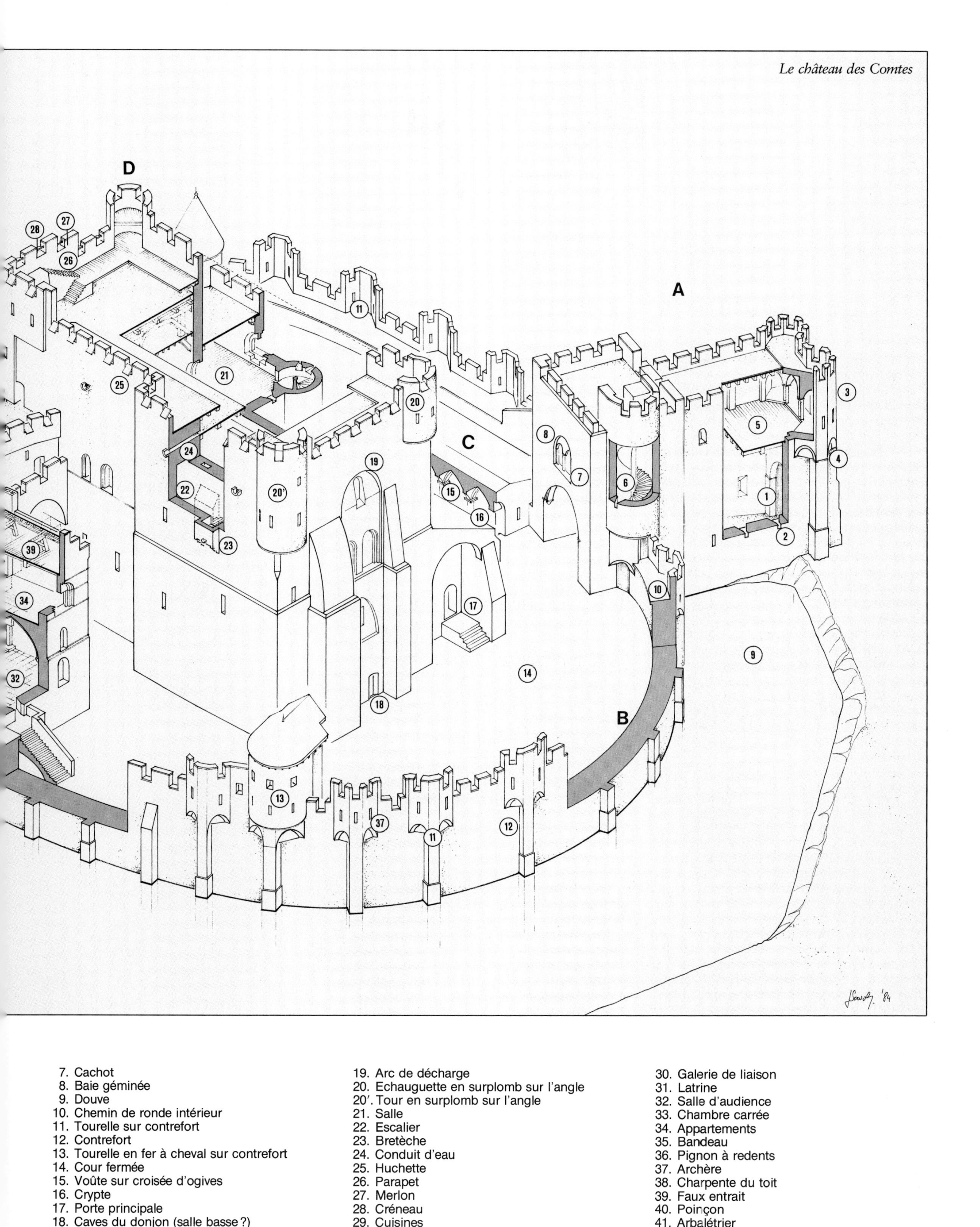

7. Cachot
8. Baie géminée
9. Douve
10. Chemin de ronde intérieur
11. Tourelle sur contrefort
12. Contrefort
13. Tourelle en fer à cheval sur contrefort
14. Cour fermée
15. Voûte sur croisée d'ogives
16. Crypte
17. Porte principale
18. Caves du donjon (salle basse ?)
19. Arc de décharge
20. Echauguette en surplomb sur l'angle
20'. Tour en surplomb sur l'angle
21. Salle
22. Escalier
23. Bretèche
24. Conduit d'eau
25. Huchette
26. Parapet
27. Merlon
28. Créneau
29. Cuisines
30. Galerie de liaison
31. Latrine
32. Salle d'audience
33. Chambre carrée
34. Appartements
35. Bandeau
36. Pignon à redents
37. Archère
38. Charpente du toit
39. Faux entrait
40. Poinçon
41. Arbalétrier

Le château de la Renaissance.

Ce château peut être considéré comme un bon exemple de la seconde période de la Renaissance dans nos régions. Il faut néanmoins souligner que, comme pour les autres châteaux des Pays-Bas du sud, de nombreuses transformations et ajouts ont été exécutés au cours des siècles et en particulier au cours du dix-neuvième avec la volonté de recréer ce que l'on croyait être la bâtisse originale. Dans certains châteaux, ces modifications ont gommé des caractéristiques importantes.
Le château présente la structure d'une place défensive. Une tour-donjon transformée au XVIe siècle montre des réminiscences du château fort. Cette tour est englobée dans des bâtiments ouverts sur la cour. Le mur d'enceinte a été remplacé par une clôture basse, ici une balustrade réalisée plus tard. Il subsiste néanmoins des éléments qui rappellent la vocation primitive de défense : par exemple quatre grosses tourelles d'angle.
La construction du château montre l'influence de la Renaissance inspirée de l'Italie. Cependant ce courant ne se développe que lentement dans nos contrées, essentiellement par le biais des milieux de cour où l'humanisme ouvre des horizons nouveaux. L'italianisme n'aura une influence tangible en architecture que dans la seconde partie du seizième siècle. Chez nous, l'aspect que revêt la Renaissance se caractérise par un mélange de gothique tardif marqué par la luxuriance et d'un langage décoratif où l'on trouve pilastres gaînés, médaillons et putti. Ces décors ont deux sources différentes, soit les voyages qu'effectuent les artistes vers l'Italie et Rome en particulier, soit l'apport d'œuvres d'art tels les cartons de tapisserie de Raphaël qui, tissés à Bruxelles, apportent des motifs nouveaux dont celui des grotesques : constructions fantasques qui se déploient symétriquement autour d'un axe.
Les lettrés collectionnent les monnaies anciennes, les tableaux des maîtres italiens. Mais les œuvres que l'on trouve dans nos châteaux sont le reflet de divers courants artistiques. Le peu de sculptures antiques dans les collections du temps est dû à la sévérité du régime espagnol qui voit d'un mauvais œil les scènes de mythologie jugées souvent trop licencieuses.
A l'opposé de la France et de l'Italie, on retrouve peu de cabinets ou « studiolo » où les collectionneurs de la Renaissance entassent leurs objets de curiosité. Le jardin Renaissance se développe ici au centre de l'ancienne enceinte et est souvent orné de sculptures qui sont soit des copies de l'Antique soit inspirés par les formes de la Renaissance italienne.
Les toitures des quatre lourdes tours d'angle ont été modifiées et garnies d'un toit surmonté d'un campanile orné d'un bulbe. Ce campanile est devenu une construction plus décorative que fonctionnelle.
La vie dans nos provinces ne connaît pas le même faste que celui des cours françaises et italiennes. Les graves problèmes religieux et politiques ont pour conséquence une vie moins insouciante. Cependant, malgré les troubles, le château abandonne tout aspect défensif. Les fenêtres se sont agrandies, dotées de meneaux et de traverses de pierre. Les volets sont souvent placés à l'intérieur.
On trouve dans les parties basses des tours des meurtrières ou des archères destinées à repousser un éventuel assaillant, réminiscence du système de défense.
L'influence italienne est présente dans les bâtiments qui s'ouvrent sur la cour, et qui témoignent des apports de la Renaissance. Le portique, galerie couverte soutenue par des colonnettes, est un nouvel élément architectural. C'est dans la partie droite de cette construction que s'ouvre la porte d'entrée donnant sur un vestibule où l'escalier prend une importance nouvelle. Cet escalier mène aux appartements et à la galerie. En bas se trouve la chapelle qui souvent est remaniée au cours des siècles. La partie principale du bâtiment est occupée par une galerie, située à l'étage, au-dessus de l'emplacement du portique. Cette galerie lambrissée n'est pas, comme dans d'autres pays, décorée de peintures murales mais couverte d'une de nos productions régionales : les tapisseries. D'autres pièces, de plus petites dimensions, s'ouvrent à l'arrière de la galerie ou sur le palier donnant sur la cage d'escalier monumentale.
D'autres pièces enfin, devenues salons et adaptées au goût du jour, sont situées dans l'aile droite du bâtiment. Les tours proches des appartements sont maintenant des zones d'habitation.
Les deux autres tours situées au fond de la cour ont été transformées pour recevoir les écuries, le fenil et les remises et ont probablement servi de locaux pour le personnel.

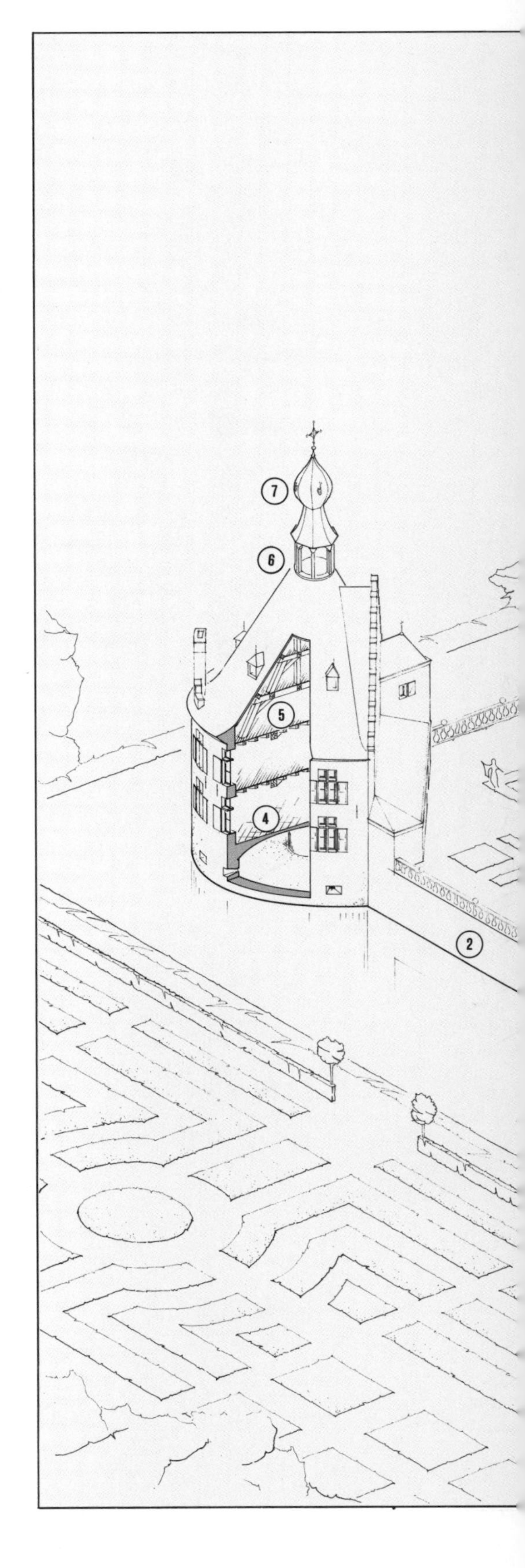

Château d'Ooidonk

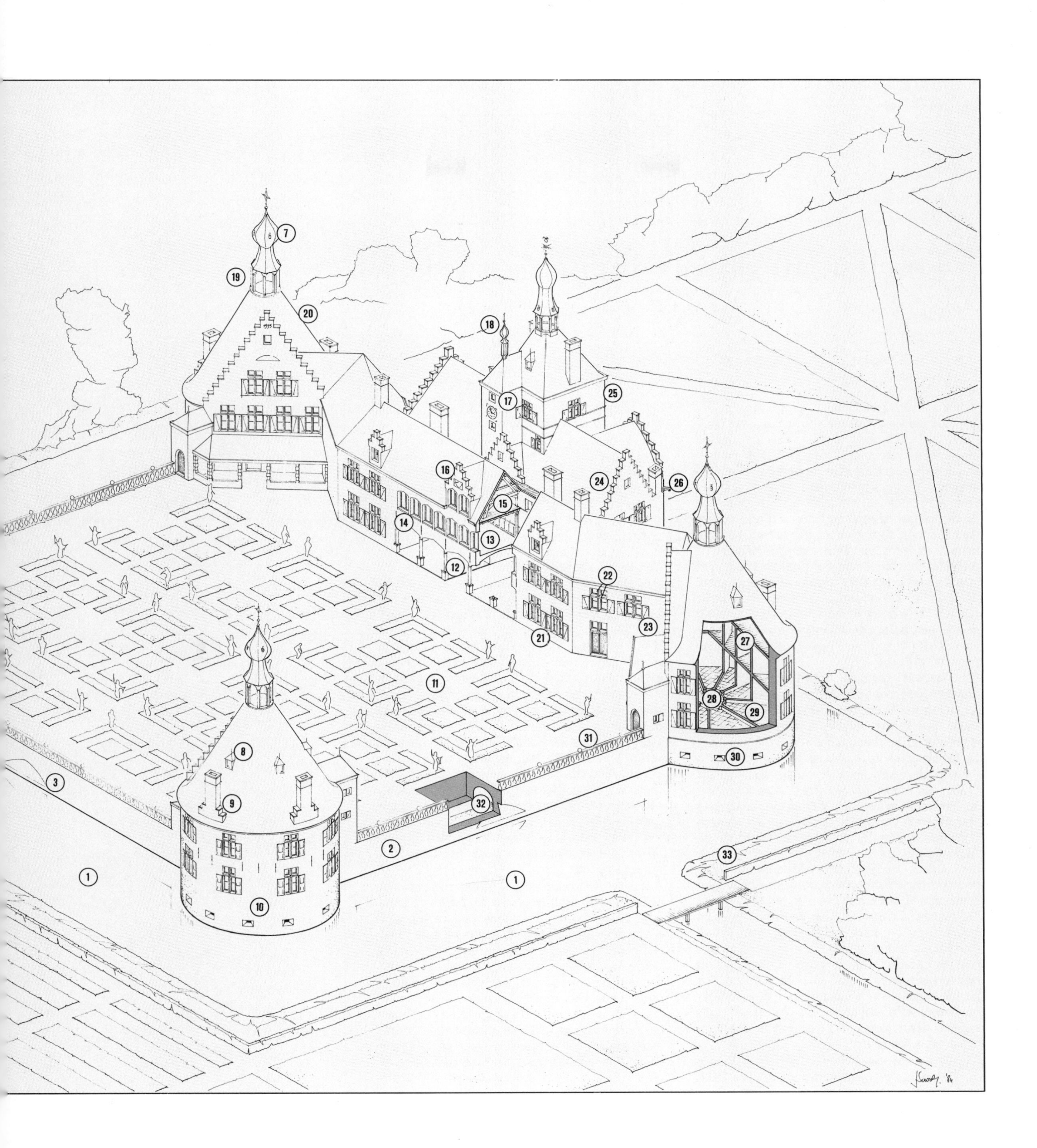

1. Douve
2. Clôture (ancienne enceinte)
3. Arc de décharge
4. Remise
5. Fenil
6. Campanile
7. Bulbe
8. Lucarne sur le versant
9. Souche de cheminée
10. Ecurie
11. Cour ouverte
12. Portique
13. Galerie
14. Arc brisé aplati (arc Tudor)
15. Comble
16. Cadran solaire
17. Avant-corps
18. Petit campanile
19. Balustre
20. Appartements
21. Chapelle
22. Meneau et traverse
23. Volets
24. Pignons à redents
25. Donjon
26. Gargouille
27. Appartements
28. Palier
29. Chambres en quartiers
30. Meurtrière
31. Balustrade
32. Passage souterrain
33. Talus

Le château du dix-huitième siècle.

Ce château est inspiré du classicisme français. Comme la plupart des châteaux du dix-huitième siècle, il est le produit de la reconstruction d'un château plus moderne sur l'emplacement d'un ancien bâtiment défensif. Ici, l'on voit que le château entouré de douves occupe un espace qui est sans doute celui d'une ancienne habitation fortifiée entourée d'eau. Le pont de bois escamotable qui se rattache au pont de pierre est un souvenir de l'ancien pont-levis. Nous avons cependant affaire ici à un château de plaisance et non plus à un bastion défensif. Le mur de clôture laisse voir le château mais permet aux habitants également d'avoir vue sur les jardins qui ici ne sont pas dans le prolongement du château.

Le pavillon d'entrée marque l'entrée du domaine. Séparés du château, mais non loin de lui, se trouvent les communs, ici particulièrement l'écurie. Ces bâtiments sont parfois accolés à une ferme domaniale.

La façade du château est inspirée par le retour à l'antique qui caractérise le classicisme venu de France. Au dix-huitième siècle dans nos régions, la plupart des regards sont tournés vers ce voisin prestigieux. Non seulement les conceptions architecturales mais aussi les idées du siècle des Lumières se transmettent au moyen de livres et de traités. La noblesse et la haute bourgeoisie se passionnent pour les nouveautés artistiques et littéraires.

La façade du château est marquée par un avant-corps de trois travées surmonté d'un fronton. La travée centrale est mise en valeur par un encadrement de porte ouvragé et un balcon placé sous les armoiries de la famille. La façade principale est scandée par des pilastres qui rompent la monotonie du plan. Les autres façades plus simples ne possèdent ni décor, ni pilastres, ni fronton.

La porte principale s'ouvre sur un vestibule autour duquel s'organisent les pièces essentielles de la demeure. Au dix-huitième siècle, il est courant d'y trouver un escalier monumental qui mène aux appartements privés.

Le vestibule d'entrée est l'objet de multiples soins. Il est orné de lambris, de pilastres ou de niches. Parfois, inspiré par le goût italien, il est peint en trompe-l'œil. Cette pièce d'accueil est ornée pour éblouir le visiteur.

Les pièces qui s'ordonnent autour de ce vestibule sont dans le bas essentiellement des pièces de réception. Au dix-huitième siècle apparaît une nouvelle pièce, de dimensions réduites cependant: la salle à manger dont l'importance ne se développera qu'au dix-neuvième siècle. La tradition des tables montées pour les dîners se poursuit au cours du dix-huitième siècle.

Une autre pièce acquiert de l'importance dans l'ensemble des demeures de l'époque. C'est la bibliothèque car il est de bon ton d'être bibliophile. Les salons dans nos régions sont souvent décorés de lambris, les plafonds sont garnis de stucs, le papier peint d'importation chinoise apparaît dans quelques rares châteaux, par le biais de la compagnie d'Ostende.

Les murs sont cependant encore garnis de tapisseries plus spécifiques de nos régions. Il s'agit de «tenières», tapisseries inspirées de scènes de fêtes, issues des peintures de David Teniers.

D'autres salons sont ornés de larges panneaux peints présentant différents types de scènes: idylle champêtre, paysage et vue de port à l'italienne, scène paysanne... Ce type de décoration va souvent de pair avec le décor des dessus de portes et de cheminées où la grisaille occupe une place prépondérante. Le mobilier est souvent dû à des ébénistes régionaux, mais dans le cas de certaines familles ou pour des raisons d'alliance il est parfois français, voire parisien. On retrouve également dans nos régions l'engouement pour les pièces venues de Chine, importées par la compagnie d'Ostende. Ces pièces sont souvent des commandes adaptées au goût européen.

A l'étage se trouvent les pièces privées. On assiste à la multiplication des chambres permettant au maître et à la maîtresse de maison d'avoir des lieux où se retirer, mais également des petites pièces où ils peuvent recevoir dans l'intimité. Les lits, comme en France, se transforment et sont souvent placés dans un renfoncement que l'on appelle l'alcôve.

Parmi les pièces nouvelles, il faut citer le cabinet de toilette en tant que pièce isolée et la garde-robe qui permet de serrer le linge et les effets. Contrairement à la légende, l'hygiène est importante même si elle ne correspond pas à celle du dix-neuvième siècle.

La chapelle est pratiquement absente des châteaux de l'époque. Elle est remplacée par l'oratoire privé montrant l'évolution des mentalités religieuses qui va de pair avec la diffusion des idées de Lumière.

L'art des jardins se développe au cours du dix-huitième siècle, passant du jardin à la française avec ses parterres en broderie soigneusement taillés au jardin à l'anglaise qui connaîtra une grande vogue dans nos régions. Ce jardin parsemé de petites constructions que l'on appelle fabriques est le reflet de la vie raffinée et parfois insouciante de la fin du dix-huitième siècle.

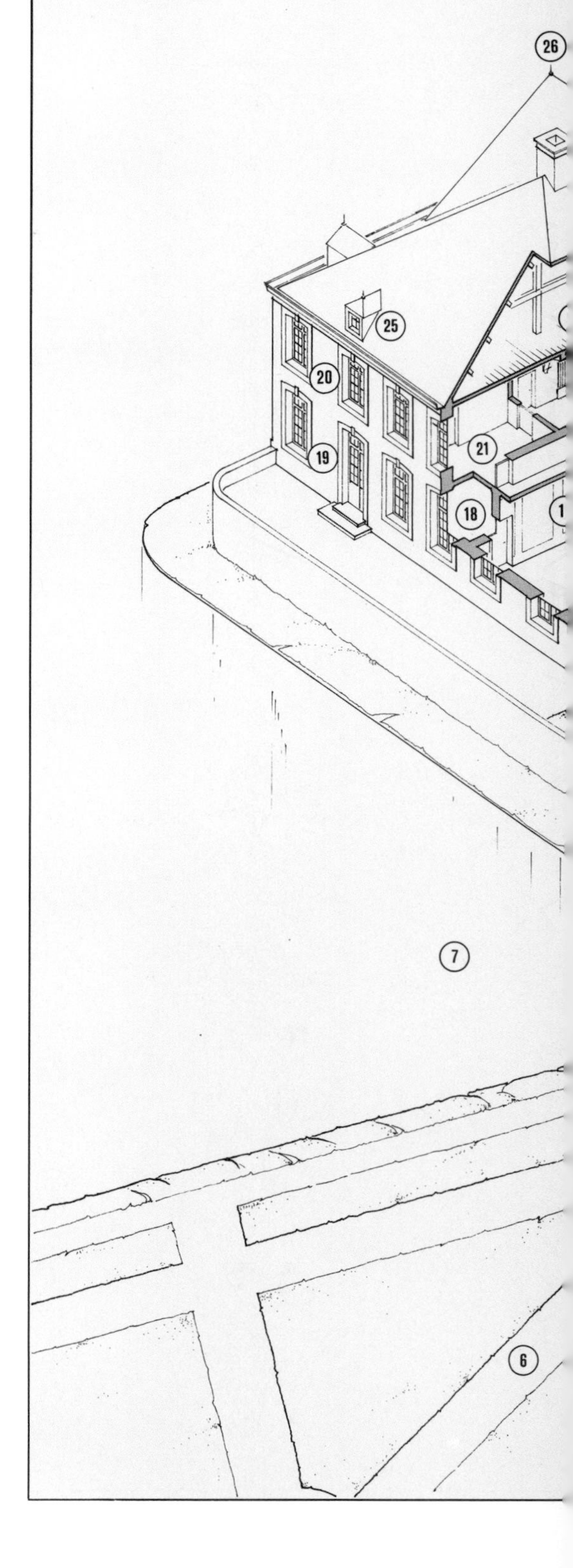

Château de Nokere

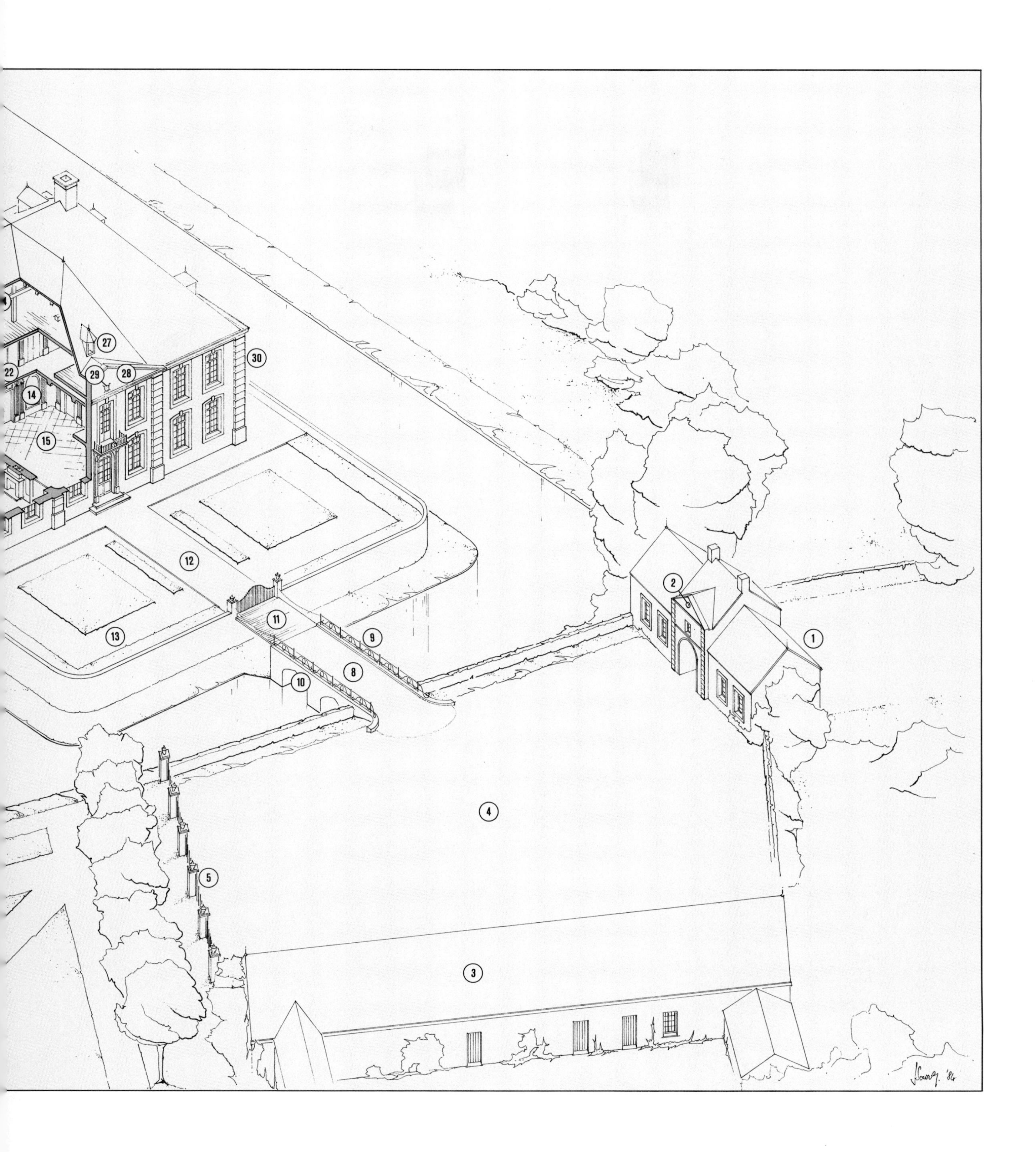

1. Pavillon d'entrée/Portail
2. Oculus
3. Communs (écuries)
4. Avant-cour
5. Piliers et grille
6. Jardin
7. Douve
8. Pont
9. Garde-corps ajouré
10. Arche en arc brisé aplati (arc Tudor)
11. Pont mobile
12. Cour ouverte
13. Clôture (muret de)
14. Niche
15. Vestibule
16. Bibliothèque
17. Lambris
18. Antichambre
19. Salon
20. Appartement
21. Garde-robe
22. Palier
23. Comble
24. Conduit de cheminée
25. Lucarne en façade
26. Epi de faîtage
27. Lucarne à croupe débordante
28. Fronton
29. Armoiries
30. Pilastre à bossage

MER DU NORD
FRANCE
Escaut occidental
Knokke-Heist
Blankenberge
Canal Baudouin
Ostende
Can. Bruges-Ostende
Bruges
Tillegem
Loppem
Eeklo
Zelzate
Can. Gand-Terneuzen
Moervaart
Nieuport
Furnes
Beauvoorde
Dixmude
Yser
Yperlée
Kemmelbeek
Poperinge
Ypres
Roulers
Rumbeke
Ingelmunster
Mandel
Lys
Heule
Patersmote
Courtrai
Menin
Mouscron
Tielt
Poeke
Château des Comtes
Gand
Laarne
Lokeren
Durme
Escaut
Wetteren
Ooidonk
Deinze
Kruishoutem
Nokere
Wannegem
Beerlegem
Zwalm
Leeuwergem
Audenarde
Maarke
Renaix
Grammont
Dendre
Alost
Termonde
St-Nicolas
Anvers
Bossenstein
Vorselaar
Herentals
Cleydael
Lierre
Gestel Rameyen
Rupel
Can. de Willebrœk
Malines
Dyle
Aarschot
Elewijt
Vilvorde
Laeken
Grand-Bigard
BRUXELLES
Rivieren
Leefdaal
Louvain
Cht. Arenberg
Gaasbeek
Beersel
Ijse
Lasne
Hal
Can. Bruxelles-Charleroi
Wavre
Rixensart
Bonlez
Braine-L'Alleud
Jodoigne-Souveraine
Bois de Lessines
Enghien
Sille
Senne
Ath
Thoricourt
Tournai
Antoing
Leuze
Belœil
Attre
Ecaussines-Lalaing
La Follie
Soignies
Nivelles
Houtain-le-Val
Thyle
Corroy-le-Château
Gembloux
Orneau
Seneffe
Le Rœulx
Canal du Centre
La Louvière
Flawinnes
Haine
Mons
Quiévrain
Binche
Charleroi
Solre-s.-Sambre
Thuin
Ham-s.-Heure
Eau d'Heure
Berzée
Walcourt
Florennes
Beaumont
Hantes
Philippeville
Roly
Viroin
Chimay
Couvin
LES PLUS BEAUX CHÂTEAUX DE BELGIQUE
Châteaux royaux et princiers
Forteresses en ruines et vivantes
Tours, donjons et maisons fortes
Gentilhommières
Châteaux Renaissance
Quelques grandes demeures du XVIIe s.
Résidences plaisancières du XVIIIe s.
L'architecture nouvelle : du néo-classique au néo-gothique

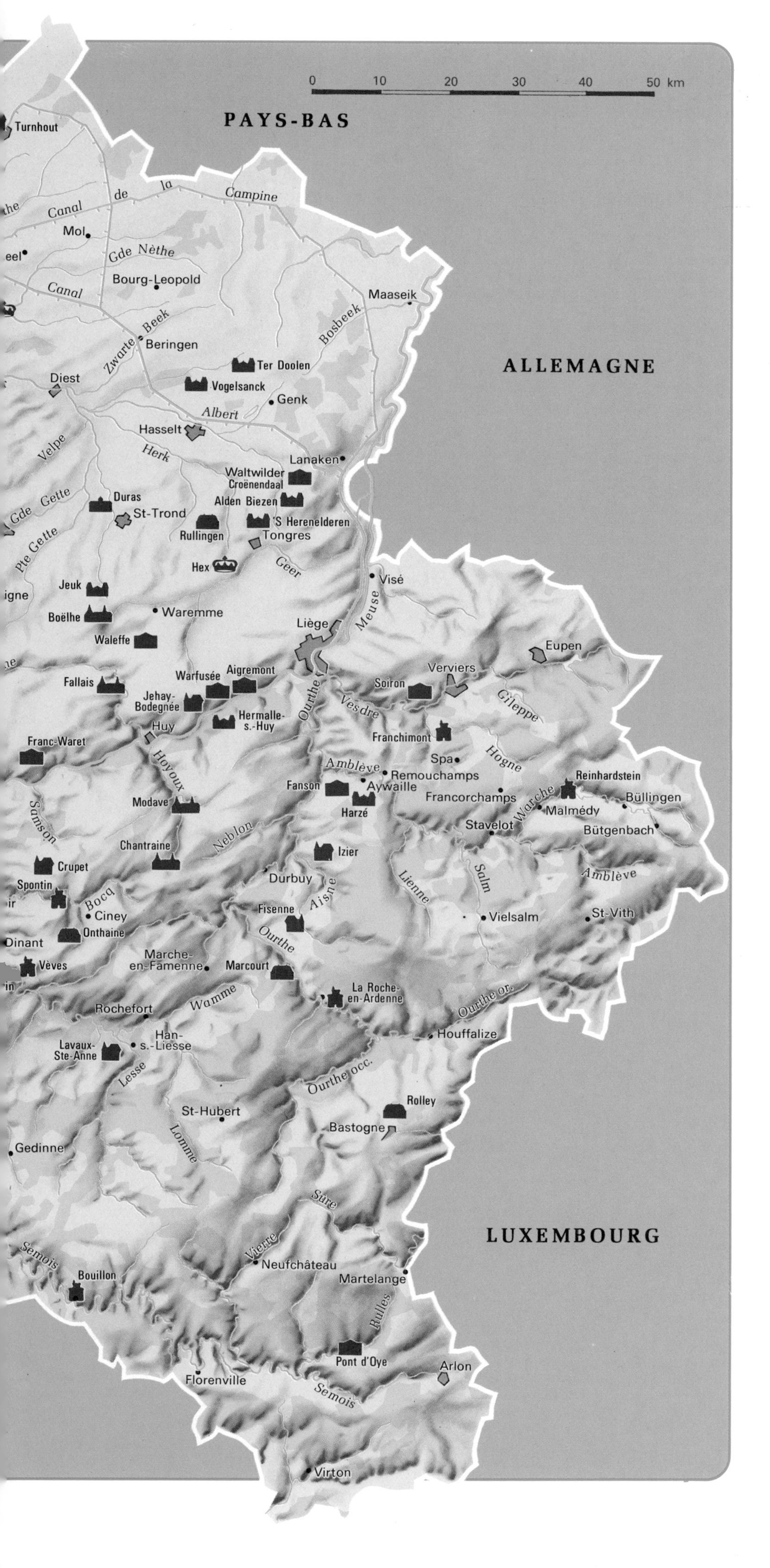

Index des châteaux

Imprimé en Belgique — Printed in Belgium